市民運動の本領

三村翰弘
Mimura Mikihiro

同時代社

はじめに

平穏で心豊かに過ごしたい、広言することはまずないだろうが誰もがそう願って日々を暮らしているにちがいない。しかし、私たちは自分独りでなく「社会」という枠を作ってその中で生きている。そして、平穏であって欲しい心が「何か変だ」とざわめく時がある。たいていは、社会の動向に大きな位置を占めている「政治」がその原因となっていることが多い。多くの人たちが、とくに最近そうした「思い」をしているのではないだろうか。このところの「政治情勢」のなせるところで…。

言うまでもなく、現在の民主社会では、その「政治」を動かす政治家を選んでいるのは、私たち国民・市民である。だが、選挙が終われば、彼ら政治家たちは役人たちと一緒になって、あたかも偉い「代表者」として権限を振り回し、国民・市民の「上に立つ」特別人種のように振る舞うことがしばしばである。とんでもない。主権者、社会の主人公は、私たち国民・市民なのだ。

「統治」というのは、日本国憲法前文にも謳われているように、主権者・主人公である私たち国民が「信託」したものである。だから、その「統治」が問題のないように機能しているかどうかについて「見届け」、おかしければ「だめだよ」と指摘するのは信託者＝主人公の当然の「責任」である。「責務」と言ってもいい。

市民運動というと、なにかと「特別な」人間たちがやっているような「目」で見る向きも多いようだが、けしてそうではない。「それはだめだよ」と政治・行政に異議を唱える、主権者・主人公の当たり前の「異議申し立て」の至極正当な行動なのである。

私自身の最も大規模な住民運動・市民運動へのかかわりも、まったくそうだった。居住地の近くを通る道路公団の高速道路拡幅（車線増設）工事があり、ただでさえ日常的に騒音と排気ガスに悩まされていた者として、「拡幅してもっと交通量が増えれば、公害がさらに酷くなる」という率直な「異議」を、他の多くの住民たちと共有して始まったのだった。住民組織「関越自動車道沿線環境向上協議会」、沿線住民の約六〇〇〇人が結集した。その「環境保全運動」は、結果的に住民側の要求が全て通るという大きな成果を得ることができた。しかも運動体と事業者とは、地域の環境保全のために月一回の定例協議を四半世紀以上も続けてきた。「集団力」「連帯力」「信頼関係」のなすところだったろう。

自分たちの「安心で平穏な日常」は、それを脅かす者たちに対してきちんと対応しなければけして得られないということを、その道路拡幅工事への「異議申し立て運動」において、よくよく学んだのだった。

それを機に、地元の自治体の首長選挙に絡んだ「区政改革・市民の会」や、平和・民主・人権・自由・自治といった民主社会の基本的理念を大切にしようという「憲法を考える会」に携わってきた。とくに、特定地域課題に限定されずより普遍的な課題を対象とする「憲法を考える会」は、旧知の友人と立ち上げたのだが、その動機は、あまりに露骨な安倍政権の「戦前回帰」路線の強行であった。強行採決で押し切った秘密保護法・安保法制・共謀罪法などは、戦前の「治安維持法」全盛期のような「不気味さ」の復活であった。後任の菅政権は学術会議問題に象徴されるような「強権」、そして直近の岸田政権は、もっと露骨な「暴政」の数々…。このままでは、この国はきっとおかしくなる…。

私が、三〇年余になるこれまでの「市民運動」のなかで感じ、思索し、行動したことについて記した文章、そして仲間たちとの討論のために書いた資料…、これらを取捨選択し、まとめて多くの人たちの目に届けたいと思ったのは、この三代続きの政権の「強行」「強権」「暴政」がもたらすこの国の未来への影響に対する「危機感」からであった。

市民運動というのは、元来、無私の活動であって、市井の市民どうしが試行錯誤で展開してゆくものである。それゆえ、ヒーローやヒロインを要しない、本質的に「無名性」「匿名性」に基づいたものである。だから、本書のように市民運動に関する書籍を個人が出版するのは、その「無名性」「匿名性」に抵触する恐れなしとしないのは、重々承知している。ただ、私には自分が市民運動の代表者だ、などという思い上がりは微塵《みじん》もない。

このたび、こうして本書を上梓するのは、前述のような「政権暴走」というこの国の危機的な社会状況にあたって、市民の側の「戦線強化」、つまり市民運動の質的・量的向上に向けて、私が関わってきた市民運動の経験が少しでも役立ってほしいという願いによるのである。

また、付け加えれば、私は二〇二二年に傘寿を迎えた。本書の「ロシアのウクライナ侵略」のなかでも触れたが、先の第二次世界大戦の末期、本土大空襲が盛んだった時には満三歳だった。戦後の混乱期を含めた幼児期の私の戦中・戦後体験は、成長するにつれ「非戦」「平和」の念を強く醸成させずにはおかなかった。その戦中・戦後の「経験・体験」が私の人生の出発点・原点となった。ノーベル文学賞受賞者・アレクシェービッチの著作原題ではないが、私たちの世代はこうした戦争体験をもつ「最後の生き証人」だと思っている。「非戦」「平和」が原点としてかかわった「市民運動」のかずかず。その「体験」や「思い」を「生き証人」の「証言」として伝えておきたい、というのがもうひとつの希《ねが》いである。

本書は、第一章「主人公」としての市民、第二章　市民運動の本領、第三章　現行統治に抗して、第四章　憲法の基本理念に沿って、第五章　芸術・文化を通して、第六章　個別問題批判の六章より成っている。一章から五章までは、既述のように私が住民運動・市民運動のなかで「感じ、思索し、行動して」きた折々に書いてきた文章類である。発出した場はいろいろだが、多くは、多岐にわたる課題を対象にした「憲法を考える会」の活動のなかで、主にメンバーの「討論用資料」として書いたものである。必然的にテーマは多岐に渡った。このたび、一冊の書籍にまとめるにあたり、前述のように「題目」を設けて整理した。

六章は、五章までの論考的な文章とは異なり、サブタイトルの「声明・宣言・投書」が示すように、「投書」以外は、私たちの運動体、あるいは私たちが主催・共催した集会が発出した「声明」と「宣言」である。原文は、「見やすく、読みやすく」をモットーに「Ａ４判」一ページの形態である。いずれも私が起草・執筆したもので、「運動」や「集団の声」を外部に発信する「対外宣揚」の参考に多少でもなればと思い、あえて本書に収録したものである。

なお、文章によって主語が「私」「筆者」「われわれ」「私たち」などの異なる表現になっているが、元の文章の発表の「場」やその性格の相異によるものであり、それらの「集成」としての本書の成立を示すものとして、あえて統一することはしなかった。

世上、眼前の「暴走政治」は、私たちの日常を脅かし、確かに「信託」に値しないものであり、「異議申立て運動」＝市民運動は、ぜひ幅広く展開しなければならない。

さらに、時空広く観点を変えれば、私たち人類が棲む地球は、大きな問題に直面している。気候変動・食糧不足・人口爆発、三大危機とも言われる問題である。いずれもが、近未来の人類の生存そのものに大きな脅威となっており、しかもそれらは私たち人間の生存・活動に起因するものばかりである。であれば、世界中の人々が叡智を絞って対策を講じなければならない。それは、各国に課せられた政治・社会・経済の多面にわたる解決課題であるし、一人ひとりの市民が自分の課題として向き合うべきことでもある。

そうした時点にある二一世紀。政権が、学問の世界に介入し、軍拡競争などに血道を上げている場合ではない。統治する者たちが近視眼で姑息な政治しかできないのなら、いま、「統治」を「信託」する私たち国民・市民こそが、近未来を見据えた、地球規模の、二一世紀にふさわしい「政治哲学」「政治思想」をもって新しい社会構築をめざそうではないか！　ＳＤＧｓなどは、世界的に若者たちの集団が率先して取り組んでいる。「新社会構築」は、案外身近なところから始まりそうだ…。

本書タイトルの「本領」とは、著者が長年の経験・体験において市民運動は「こうあってほしい」「こうあるべきだろう」との反省と希求としての「姿」「像」「構え」を表象した言葉である。

『市民運動の本領』などとやや「硬い」タイトルになったが、眼前の政治・社会問題はもちろんのこと未来の地球課題をも見据えた「市民運動」に携わる人びとに、そして「運動」にかかわらなくても現在と未来の政治や社会の問題に関心のある市民の皆さんに、本書が少しでも資するところがあれば幸いである。

市民運動の本領

目次

第一章

「主人公」としての市民

——主権・矜持・抵抗・変革

1　ジョン・ロック〈抵抗権〉〈革命権〉回顧
——現行「政治統治」の中で

ジョン・ロックの著作が政治史上大きな位置を占めていることは、それらが近代思想、近代政治の動向に大きな影響を与えたものとして中・高生が学ぶ世界史や西洋史の教科書で必ず触れられていることからも知れる。曰く、アメリカの独立宣言やフランス人権宣言、そして日本国憲法にも大きな影響を与えた、と。また、大学の政治学の専門教育においては、彼の諸著作は、それら自体がほとんど教科書的な「初歩的」文献として利用されていると言われる。ましてや、政治学を中心としたジョン・ロックに関する研究は、いまや古今東西相当な「厚み」をもつようだ。

この小論は、研究や論考の次元ではもちろんなく、もっぱら昨今の政治情況（「全面的な憲法背反統治」）についての「批判と運動」論を、ロックの思想・哲学に遡及して「抵抗と変革」の必然論として提起しようとするものである。

それは、現在の「統治」があまりに「反信託」的であるがゆえに、信託に背反する統治への「抵抗と変革」の基本的政治論理を近代思想で初めて唱道したロックの存在を強く再認識させるからである。

(一)　ジョン・ロックとの「出逢い」

一九六〇年代は、おしなべて若者文化が開花した時代と言われる。とりわけその晩期は、ちょうど大学闘争の時期とも重なって、学生たちは好んで思想的・哲学的著作を読み漁ったものである。必ずしもそれは「正統的な」

マルキシズムに限定されなかった。アルチュセールやルカーチ、そしてサルトルやベンヤミン、ブルトン、エリュアール、ニザン、ブランショなど広範な対象に及んだ。ジャズやアングラ劇などの芸能文化ばかりでなく、活字文化においても、そして「社会批判」の活動・運動においても、若者たちが生気に満ちた時代を共有していたといっていいだろう。

中でも一九六八年は、世界的に「革新的な」動勢が展開されていた時期だった。アメリカではベトナム反戦・大学改革、フランスでは五月革命、ドイツでは反核・平和の「一九六八運動」、日本では日大闘争や東大闘争など全国的な大学闘争があった。

筆者が当時大学院生だった東京大学では全一〇学部のすべてにおいて学部生の学生大会が開催され（それまではほとんどの学部で成立要件の定数に達することがなく「不成立」に終わっていたものだが）、それぞれ圧倒的多数で「無期限ストライキ」が可決されるという前代未聞の状況が現出し、異議申し立てに発した素朴な行動が、大学そのものと学生個々のあり方の「変革」を探究する「大学闘争」へと、質的変革を伴う運動として最高潮に達していった。

全共闘といわれるいわば自立的無党派学生の個々の「ゆるやかな」連帯闘争組織が、各大学にも波及して、闘争＝改革運動を主導した。それは、それまでの「上意下達的な」党派的学生組織（セクト）による運動にはなかった、直接民主制的な可能性を秘めた運動であった。既述のように、ちょうどフランス、ドイツ、アメリカなど欧米各地をグローバルに席巻した「ステューデント・パワー」による「異議申し立て」運動の新鮮さとも相まって、従来の学生運動を超えた「新たな」社会変革の運動という視座をもたらして、政治思想や哲学、史学、社会学などの専門分野の側における「見直し」「再発見」をも迫ったのだった。そうした風潮の中で、興味深い書物の出版や雑誌での「特集」の編集が相次いだ。前述のアルチュセールやニザンなどの翻訳物などは、既往のマルキシズムへの「再考」を促すものとしての新たな位置を占めた。

この一九六八年に出版された書籍で、まずわれわれの耳目を集めたのは羽仁五郎『都市の論理』だった。この年のベストセラー書籍となって著者自身をも驚かせたほど、学生以外にも一般社会人など多くの読者を得たものだった。「歴史的条件、現代の闘争」というサブタイトルをもったこの著作の主要論点は、自立的な市民が結束する都市が多数連合することによって国（国家）を包囲して対抗すれば国を変革しうるというものだった。中世ヨーロッパ、とりわけイタリアにおける「都市国家」の史的考察を通じて著者が達した、あの時代の「国家変革構想」といえるものだった。

この同じ年に、ジョン・ロックの『市民政府論』（岩波文庫）が出版された。ロックという政治思想家の存在はよく知られてはいたが、政治学徒でもない限り一般学生はそれまで彼の著作そのものに触れるということはまずなかったから、この文庫という形態での翻訳書は、手ごろで実に好都合だった。

この書は、ロックの『統治二論』（Two Treatises of Government）の後篇（Of Civil Government）を訳出したものである（あとで触れるが、今日ではこの原題の“Civil Government”を「市民政府」と訳すのは「誤訳」のようであるが）。ともあれ、『都市の論理』と『市民政府論』とは、あの大学闘争における「自主開放的空間」のなかで読みふけり、そして、学生たちの大学当局に対する「抵抗」「反逆」「叛乱」の位置づけをあらためて確認するには好個の書物であったことは間違いない。

(二)『統治二論』の抵抗権・革命権

政治学徒でない筆者は、ロックについて特別深い知識をもつ者ではない。しかし、前述のように、「大学闘争」当時、『市民政府論』から得たその政治思想は、確かにアメリカ独立宣言やフランス人権宣言に大きな影響を与えただけの思想的（いや運動論的と言うべきか）含意に満ちており、自分たち学生の大学当局への「異議申し立て」行動への「援軍」を得た思いを少なからずしたことを今も懐かしく思い出す。このたび、「前後篇」を全訳した『統治二論』（岩波文庫）を読み直してみた。

そのコアをなす「抵抗権・革命権」とも呼ぶべき思想は、きわめて明快だった。簡略化すれば、三段論法的にロックは次のようなロジックを展開した。

① **人びとは自身の「固有権」と労働による所有物に対する「所有権」をもつ。**

② **この固有権と所有権の保全のために、人びとはその信託によって政治的統治社会を設立する。**

③ **統治者（権力）がその信託に背反すれば、人びとは抵抗・革命することができる。**

①の「自身の固有権」については、ロック自身の言葉で言えばこうである（以下加藤節訳『統治二論』（岩波文庫）による）。

「人は誰でも、自分自身の身体に対する固有権をもつ。…彼の身体の労働と手の働きとは、彼に固有のものである」（「後篇　政治的統治について」節番号二七、以下番号のみ）

ここに言う「固有権」property は、狭義の「財産」ではなく自然法的に備わった広義の「資質」「資産」つまり「生命・健康・自由」などを指している。この固有権に対する「不可侵性」「聖性」の重要性は、のちに日本国憲法にも影響を与えたとされた。同憲法一三条はこう規定する。

「すべて国民は、個人として尊重される。生命、自由及び幸福追求に対する国民の権利については、公共の福祉に反しない限り、立法その他の国政の上で、最大の尊重を必要とする」

また、ドイツ基本法（一九四九）がその第一条で、この「固有権」に沿った「個人の尊厳」「基本権」を掲げていることも周知のことである。

「一、人間の尊厳は不可侵である。これを尊重し、および保護することは、すべての国家権力の義務である。二、ドイツ国民は、それゆえに、侵すことのできない、かつ譲り渡すことのできない人権を、世界のあらゆる人間社会、平和および正義の基礎として認める。三、以下の基本権は、直接に妥当する法として、立法、執行権および司法を拘束する」

②については、ロックは次のように展開する。

「人が、政治共同体へと結合し、自らを統治の下に置く大きな、そして主たる目的は、固有権の保全ということである。…彼らは、統治体の制定された法の下に避難所を見いだし、そこに彼らの固有権の保全を求めるのである」（一二四）

「ここに、われわれは、統治と社会とのそもそもの権利と起源を見るとともに、立法権力と執行権力との本来の権利と起源とをも見るのである」（一二七）

「自分たちの固有権を確保し、また守るために所有権の限界を定める恒久的な規則をもつのである。人々が自然の権力を自らが入る社会に委ね、また、その共同社会が立法権力をそれらの人々が適当と考える人の手のうちに置くのは、そうした目的のために他ならない。しかも、それには、宣言された法による支配を受けようという人々の信託が伴っているのである」（一三六）

日本国憲法「前文」には、この「信託」に関連してこうある。

「そもそも国政は、国民の厳粛な信託によるものであって、その権威は国民に由来し、その権力は国民の代表者がこれを行使し、その福利は国民がこれを享受する。これは人類普遍の原理であり、この憲法は、かかる原理に基づくものである」

さて、筆者がこのエッセイで最も強く関心をもつのが、ロックの「抵抗権・革命権」であり、それはこの③に集約されている。ロック自身の言葉で詳しく見てみよう。

「それ（暴政）は、統治者が…法ではなく自分の意思を規則にし、彼の命令と行動とが、人民の固有権の保全にではなく、自分自身の野心、復習の念、貪欲さ、その他気まぐれな情念の満足に向けられているときに他ならない」（一九九）

「どこにおいても、法が終わるところ、暴政が始まる。…法によって与えられた権力を超え、自由に使える実力を利用して法が容認しないことを臣民に押し付ける者は誰でも、…抵抗を受けることになる」（二〇二）

「権利に反して全面的に悪しき取り扱いを受ける人民は、あらゆる機会を捉えて、自分たちに重くのしかかっている重荷を取り除いて楽にするであろう」（二二四）

「叛逆とは、…統治の基本法と法律とのみ基礎を置く権威への反抗であり、従って、誰であれ、統治の基本法と法律とを実力によって突き破り、同じく、実力によってその侵犯を正当化できる者こそが、真に叛逆者と呼ばれるにふさわしい」（二二六）

「人民は、至高の存在として行動する権利を手にし、…新しい形態の統治を打ち立てるか、それとも、古い形態の統治の下でそれを新しい人々に委ねるかを、自分たちがよいと考えるところに従って決定する権利をもつ」（二四三）

「重商主義時代」とされた西欧一七世紀（ロックが『統治二論』を著したのは一六九〇年）という時代――日本では徳川幕府樹立後さして時日が経たない「江戸時代前期」である――に、こうした政治思想が提起されたことは、確かに歴史的な先駆性と言えるにちがいない。筆者は、西欧と日本との文明度の違いを、その昔、雑誌への寄稿文でこう記したことがあった。「ジャンバルジャンがコゼットのために地下下水道を駆け巡っていたとき、江戸では、ねずみ小僧治郎吉が貧民のために長屋のどぶ板を踏み鳴らしていた」と。

もちろん、その先駆性は既述のように後世の政治や社会に大きな影響を及ぼしたのはまちがいないが、今日からすればロックも「時代の申し子」としての「縛り」を免れているわけではない。

それは、ひと言で言えば、彼の論の前提に「神の存在」という「神学的思想」が介在することと言えるだろう。いわゆる「自然法」の自然状態を語るときの「人」についてのはじめの位置づけからしてすでにそうである。

「人間が、すべて、ただ一人の全能で無限の知恵を備えた造物主の作品であり、主権をもつ唯一の主の僕であって、彼の命により、彼の業のためにこの世に送りこまれた存在である以上、神の所有物であり、神の

作品であるその人間は、決して他者の欲するままにではなく、神の欲する限りにおいて存続すべく作られている」(六)

ロバート・フィルマーに代表される「王権神授説」に対する「反論」とでも言える「統治信託論」を展開したロックであったが、「完全に自由な状態」としての「人間の自然状態」を旨とする「自然法」を前提とする限りにおいて、こうした「神学論的」な思考を採ることは、当時としてはむしろ歴史的な必然であったにちがいない。「神学論的思想の縛り」はともかくとして、やはり、彼の先駆性は、見たような「抵抗権」「革命権」にある。人民の信託に応えない統治者には、抵抗し、叛乱し、革命を起こして、その「首」を挿《す》げ替える。それを人民の「権利」としたところに、「近世」にありながら次代の「近代」の政治・統治のあり方を示唆しえたのだろう。

蛇足ながら、この『統治二論』の後編のタイトルにかかる“Civil Government”について触れたい。ロックの言うCivilは、「自然状態でない」人間の「契約的信託統治社会」を論ずるキーワードである。つまり、それはnatural(= uncivilized)に対する対語としてあった。文脈からすれば訳は「契約的信託社会化の」となるところであろうが、今では多くの場合「政治」と訳されることが多い。Politicalという語がより現在的な「政治」を含意するのに対して、むしろ「原初的・原理的な政治」という意味が強いと思われる。したがって、当然、これを「市民」と捉え、訳すのは不適である。また、Government も政治機構について語っているのではなく、人びとが信託によって与えた立法および執行の権力が形成する社会共同体の「あり方」=「統治」を指すものである。これらのことは岩波文庫版の解説(加藤節)や、「立憲主義の源流」(坂本昌成)などでも指摘されている。もとより「市民政府」の訳では、原著の「意」は伝わらない。

㈢ 現行「統治」の反信託性

なぜ今、ジョン・ロックなのか? 安倍政権の「統治」のあまりの反信託性がなければ、ジョン・ロックを「想起」し「回顧」することもなかったにちがいない。それほど、安倍政権は民主主義の時代に逆行する統治に満ちていたと言えよう。

筆者は別稿「緊急事態条項再考」で安倍政権が遂行してきた政策・施策を列挙してその問題点を逐一指摘した。整理して再掲すれば、次のようである。

1 教育基本法全面改正（二〇〇六年一二月、第一次安倍政権）⇓ 思想・信条の自由の侵害
2 自民党日本国憲法改正草案（二〇一二年四月）⇓ 信託性・立憲主義の否定
3 秘密保護法（二〇一三年一二月、強行採決、第二次安倍政権）⇓ 知る権利の侵害・否定
4 安保法制（二〇一五年九月、強行採決、第二次安倍政権）⇓ 平和主義の否定
5 共謀罪法（二〇一七年六月、強行採決、第二次安倍政権）⇓ 内心・思想・結社の自由の侵害
6 メディアへの同調圧力（第二次安倍政権において顕著）⇓ 言論・表現の自由の侵害
7 企業本位のインフラ・基幹産業の振興（第二次安倍政権において顕著） 原発再稼働の決定・推進（二〇一四年「第四次エネルギー基本計画」）、漁業権の民営化（二〇一八年、漁業法改正）、水道事業の完全民営化（二〇一九年、水道法改正）など ⇓ 生存権・生活権の侵害、格差助長、セーフティーネットの低下・崩壊
8 沖縄南西諸島での軍拡（米軍基地・自衛隊基地の新設・増強）（第二次安倍政権において顕著）⇓ 平和主義の

否定

9　派遣労働の拡大強化（労働者の搾取強化と企業優遇）（第二次安倍政権において顕著）⇩　労働権の侵害

10　国家戦略特区による特別企業優遇（第二次安倍政権において顕著）⇩　格差助長、自由競争の否定

11　モリ・カケ・サクラ問題（職権私物化・国会虚偽答弁、官僚忖度）⇩　信託背反

12　大学入試民営化（新自由主義への「入試聖域」の利用）⇩　格差助長

13　東京検察庁検事長定年延長閣議決定（「検察庁法」違反）⇩　信託背反

14　新型コロナウイルス対策（全国小中高校等の一斉休校　子ども世界の悪用、学習権の侵害）⇩　地方自治否定、信託背反

15　新型インフル等特措法改正（「緊急事態宣言」）⇩　信託背反

最近までの政策・施策をこうして並べてみると、現政権の「全体主義的」悪行のオンパレードである。ほとんど、「平和・民主・人権・自由・自治」に象徴される憲法の基本理念に全面的に背反する。実質的な「憲法背反統治」の全面進行といっても過言ではなかろう。

ここでは、首相が「大権」を握ることになる「緊急事態条項」に改めて触れておく。それは、安倍政権が選挙公約にも掲げた改憲の「重大施策」でもあった。だが、憲法改定はそう簡単には行かない。権力者なら当然、「次善の策」を考えるだろう。「一般法」としての「緊急事態法」の制定である。しかし、これもまともに国会に上程すれば、そう簡単に可決成立する代物ではない。そこで、「次々善の策」として取り組み易い「特別法」に着目する。いま世の中が「騒然としている」新型コロナ問題は、「渡りに船」である。現行の「新型インフル等特

措法」の「改正」によって「一般法」への「脈絡」をつけておく。肝心なのは、首相が発する「緊急事態宣言」の「効力」である。現行法の「適用」ではなく「改正」に拘るのは、この「効力」の内実を「強力な」ものにすることによって、「一般法」への「呼び水」にするという目論見があってのことであるにちがいない。

従って、われわれが注視すべきことは、「緊急事態宣言」の「効力の内実」である。「改正案」の主要点は、この「一点」にあると言っていい。このたびの「改正案」は、まさにこの「宣言」の効力をどれだけ「一般化」できるかの安倍の「執心」の現れにほかならない、と言っていいだろう。

この「推測」は、けして「憶測」ではない。「特別法」⇒「一般法」⇒「憲法」という法体系的な「戦略」を窺えば、容易にpoliticsの現実も見えようというものだ。目標は改憲条項としての「緊急事態条項」であろう。「辺野古強行」で沖縄の民意を踏みにじり、「モリ・カケ・サクラ」で権力を私物化し、「民営化受験」で受験生を喰い物にしようとしたような非道で無慈悲、恥も外聞もなく、手段選ばずの政権である。すんなり、「新型コロナへの真摯な対応」だなどと受け取るとしたら、無垢で、お人好しというものではないだろうか。「緊急事態宣言」のもつ「超法規的」な、そして「緊急事態法」から「憲法・緊急事態条項」に向けたベクトルの「危うさ」に気づかねばならない。

権力とは、その保持とより強大な自己確立に向けた「野望」を常に抱くものである。ロックの指摘を、改めて再認することが肝要である。

「それ（暴政）は、統治者が…法ではなく自分の意思を規則にし、彼の命令と行動とが、人民の固有権の保全にではなく、自分自身の野心、復習の念、貪欲さ、その他気まぐれな情念の満足に向けられているときに他ならない」

ざっと並べた安倍政権による先の1～15の政策・施策は、われわれが固有権の保全のために信託した「統治」が為すべきことのまったく真逆を行くものであり、まさにロックが言う「暴政」そのものといえよう。

われわれ国民は、今や、この「重くのしかかっている重荷を」（二二四）取り除き、そして「新しい形態の統治を打ち立てるか、それとも、古い形態の統治の下でそれを新しい人々に委ねるかを、自分たちがよいと考えるところに従って決定」（二四三）せねばならない状況に立たされていることを自覚すべきだろう。「自覚的市民」の大きな「輪」こそが、「信託」の本意を回復しうるのである。

(四)　憲法に軸を据えた市民運動の意義

安倍政権の政治潮流をきちんと見極めるには、その「全体主義的性向」を捉えることが肝要である。ハンナ・アレントの『全体主義の起源』は、そのためのきわめて有力なテキストであるにちがいない。だが、本読みを中心とした「学習会」は、所詮、学習会でしかないだろう。如上のような「憲法背反」の全体主義的な統治が現在進行形であることを前提にすれば、ロックが説いた「抵抗」と「変革」の行動は、自覚的市民にとって当然要請されることであろう。

「憲法の原点にもどって状況把握することの重大性」に立脚する市民運動である。つまり、権力を監視し、縛り付ける「立憲主義」の唯一の法的根拠である憲法を根拠とする運動である。現行政権が「全面的な憲法背反統治」を行なっていれば、憲法が主体になるのは、また必然でもあろう。

すでに多くの政治的な市民運動を展開する団体があろう。ほとんどの運動体は、個別的な政治テーマを掲げての運動である。もちろん、個別課題において政権の施策を監視し、糾弾する活動は、それなりに意味があるし、そうした市民運動はそれなりに存在価値を有するものだ。

しかし、さまざまな分野、多くの課題において、驚くべき「回帰路線」を邁進する現政権の「全体主義」を全面的に監視・批判し、「抵抗と変革」を目指す運動の存在こそが、今や問われているにちがいない。

その「公共財」としての憲法を存在せしめる基本的な「社会契約」に立ち戻ることの重要性である。自民党政権であろうと他の政党の政権であろうと、この「政治統治」を成立させているのは、われわれ国民が、われわれの生存権をはじめとするあらゆる固有の権利がまっとうに守られ、行使できるように、かれらに「信託」しているにすぎないという厳然たる「社会契約的」関係なのである。

「抵抗権」「革命権」を当為とする前提が、まさしくこの「信託」という社会契約の関係にあった。筆者のなかにおぼろげにあった数十年前のロック思想――この重要な「基本的社会関係」の原理を説いた――をあらためて想起したのである。そう、あまりにも酷い「暴政」を眼前にして。

「憲法」に拘ることで、われわれの「信託」に反する不当な権力を打倒する正当な権利を、われわれはもつことができる、と。

日本国憲法の「前文」（一部）を再び掲げて、この一文を閉じることにしたい。

「そもそも国政は、国民の厳粛な信託によるものであって、その権威は国民に由来し、その権力は国民の代表者がこれを行使し、その福利は国民がこれを享受する。これは人類普遍の原理であり、この憲法は、かかる原理に基づくものである」

2 地方自治と住民主権
――市民運動と「公共性」

住民運動は、文字通り「住民」としての「足元の地域」の課題にかかわって展開されるのが通常であり、それゆえ、「足元」すなわち自治体と住民との関係をきちんと認識することが肝要であろう。法制度上の規定はもとより、地域の主権者（「主人公」）としての自らのあり方について「理論武装」しておくことは、運動推進にとって不可欠であるにちがいない。

(一) 地方自治の原則と地方分権

「中央集権」を反映するように明治憲法下においては、地方公共団体の首長は政府の任命制であり、地方自治という概念はなかった。新憲法において、国民主権と同時に地方公共団体の「自治」が大きな原則になった。

新憲法は、章を割いて（八章、九二〜九五条）この地方自治の原則を明記する。九二条は「地方自治の原則」として「地方区公共団体の組織及び運営に関する事項は、地方自治の本旨に基づいて、法律でこれをさだめる」と謳った。地方自治の本旨とは、「住民自治」と「団体自治」の双方が全うされるべき民主主義の原則に即すということである。

前者「住民自治」は、地方公共団体の運営が主権者の住民の意志に基づいてなされることであり、後者「団体自治」は、地方公共団体の組織・運営が国から独立して行われることである。「住民自治」が重視されるのは、もとより「国民主権」の地方における具現化である。

地方自治法は、新憲法施行の翌年一九四七年に成立していたが、近年、とりわけ「団体自治」つまり、地方公共団体の「国からの独立性」を明確にすべく、大きな補足・改正の法制がなされた。一九九五年の「地方分権推進法」「地方分権一括法」、九九年の「地方自治法改正」、二〇〇六年の「地方分権改革推進法」がそれである。これらの法制によって、「国と地方の対等」がより明確になったのである。

(二)「住民自治」の推進——自治基本条例の制定

国民主権と統治の信託については新憲法前文に謳われている最重要事項である。同前文「ここに主権が国民に存することを宣言し、この憲法を制定する」。「そもそも国政は国民の厳粛な信託によるものであって、その権威は国民に由来し、…」。

国と国民との「主権・統治」関係はこうして憲法に明文化されているが、自治体と住民の間における「住民主権」関係についても、先進的な自治体において「基本法制」を制定しようとの動きがあった。「川崎市都市憲章条例案」(一九七二)や「逗子市都市憲章条例試案」(一九九二)などである。だが、これらは、条例制定にはいたらなかった。叙上の一九九〇年代における地方自治法の一連の補足・改正法制によって、多くの自治体において「公共団体と住民」との基本的関係を定める、いわば最高規範、最高法制(「まちの憲法」)としての「基本条例」を制定しようという「気運」が盛んになり、二一世紀になって多くの自治体で制定が実現していった。「自治基本条例」や「まちづくり基本条例」などといわれるものである。

この種の条例を最初に制定したのは、北海道のニセコ町であった。「ニセコ町まちづくり基本条例」(二〇〇一)である。この条例が地方自治体における「自治基本条例」の先駆けとして、他の自治体に与えた影響はきわめて大きく、これ以降同種の条例を制定する自治体が続出した。「ニセコ町まちづくり基本条例」の重要な部分を見てみる。

第一条（目的）この条例は、ニセコ町のまちづくりに関する基本的な事項を定めるとともに、まちづくりにおけるわたしたち町民の権利と責任を明らかにし、自治の実現を図ることを目的とする。

第一〇条（まちづくりに参加する権利）わたしたち町民は、まちづくりの主体であり、まちづくりに参加する権利を有する（傍点、引用者、以下同じ）。

主人公としての町民の位置づけを、この一〇条ははっきりと謳っている。

後発の東京都杉並区の「杉並区自治基本条例」（二〇〇四）は、この「住民の主人公性＝自決権」をいっそう明確に謳っている。その前文は、このように書かれている。

地方自治とは、本来、そこに住み、暮らす住民のためにあるものであり、地域のことは、住民自らが責任を持って決めていくことが、自治の基本である。自治体としての杉並区には、区民の信託にこたえ、区民との協働により、地域の資源や個性を生かした豊かできめ細かな区政を行う責務がある。そうした責務を果たし、杉並区が真に自立した地方自治体となっていくためには、地方政府としての枠組みと、住民の行政への参画及び行政と住民との協働の仕組みを自ら定めることが求められている。

また同豊島区の「豊島区の自治の推進に関する基本条例」（二〇〇六）は、「住民主権」「最高規範」といった枢要な原則をその前文でさらに明快に示した。

今、この豊島区で共に暮らし、働き、学ぶ私たち区民は、自らが自治の主体であることを改めて確認します。…ここに私たち区民は、日本国憲法が掲げる地方自治の本旨を踏まえ、区議会及び区長と自治の基本理念を共有し、豊島区の自治の最高規範としてこの条例を制定します。

一方、こうした「住民自治」という地方自治の基本原則をないがしろにする事例もあった。同練馬区では、このような全国的な「自治基本条例」の制定にともない、「練馬区自治基本条例」の制定を目指す動きがあった。「自治基本条例懇談会」がまとめた区民主権を基本とした条例案（区長が正式に検討を依頼した「自治基本条例案」）に対して、行政側は二〇一〇年に「区政推進条例」案を対置して、「区民は行政と協働することができる」とし、行政があたかも「主体」であるかのような条例案をまとめた。同年一二月にその「練馬区区政推進条例」案は自・公が多数派を形成する区議会で可決されたのである。「懇談会」案が採用されず「区政推進条例」が対置された「事情」は、区民には知らされなかった。そこで当時、野党系の数名の区議も交えた「抗議集会」が持たれたのだった。同区にはいまだに住民自治を謳った自治基本条例は存在しない。

(三) 市民参加の現代的意義

ニセコ町が初発の「自治基本条例」を制定した自治体はこの二〇年ですでに四〇〇件を超えている（二〇二二年四月現在）。

ほとんどすべての条例が「住民の参加」を謳っていて、今や「市民参加」「住民参加」は地方政治における「常識」にさえなっているようだ。実際に、わが国全国自治体においてこの「市民参加」「住民参加」を事実上実現したのは、飛鳥田市長時代の横浜市といっていいだろう。飛鳥田氏は、一九六七年に「一万人市民集会」を提起・開催して、ちょうど古代ギリシャにおけるアテネの「市民集会」「市民議会」のように、市政問題について市民が直接議論する場と機会を設け、市政への直接的な市民参加を促す制度を作った。

だが、「市民参加」「住民参加」が、ほとんど常識のようになってくると、それは「形骸化」「形式化」していった。「パブリック・コメント」などの形式を借りつつ、行政側が「いちおう市民の意見を聞き置く」という態になって、実際は施策に反映されることはまれになり、行政における「参加の体面的ポーズ」の様相さえ呈するようになってきた。

本来、「参加する」「参画する」の英語 participate は、take part = part（部分）を担う、という意味であって、行政における企画立案から執行までの「部分を担当」することで、ある意味、直接民主制的な要素が強いものなのである。日本語の「参加」「参画」は、ともすれば、「すでにあるもの＝既成」への後続的参入といった趣が強く、本来の「部分担当」の意が失われがちであり、この「参加」「参画」の用語も一考を要するものといえよう。

表　シェリー・アーンスタインの市民参加の「8階梯」

8	住民主導 citizen control	住民の権利 としての 関掌（参加）
7	部分的権限委譲 delegated power	
6	官民協同作業 partnership	
5	形式的な参加機会拡大 placation	形式だけの 関掌（参加）
4	形式的な意見聴取 consultation	
3	一方的な情報提供 informing	
2	不満をそらす操作 therapy	実質的な 民意無視
1	世論操作 manipulation	

そこで筆者は、「市民参加」「市民参画」の一般名称を、本来の意味が明確になるように、「市民分掌」「市民関掌」（「掌」＝つかさどる、自由にする）などとした方がよいとさえ考えている。

さて、この「市民参加」という用語と概念がアメリカの住宅法（一九五四）に遡ることは、都市問題などの世界ではよく知られていることである。そもそも、国民に信託された「統治」の内容は、対外関係における安全保障から住民に身近なインフラストラクチャーの整備に至るまで「公共政策」として実践される。都市の再開発や住宅地の改良・整備も当然その「公共政策」の一環である。アメリカは一九四九年の住宅法を五四年に改正し、不良都市住宅地の再開発（都市再開発計画 Urban Renewal Program）において住民サイドの「意向」を取り入れる方策を導入した。「市民諮問委員会」や「市民行動委員会」という地域住民の代表者を中心とした組織体による住民意向の「反映」というものであった。「市民参加」の発足である。

そして、以後実施された全米各地の「市民参加」であったが、実際にはさまざまの「様相」「程度」が生まれた。この「参加の程度」について明快な議論を展開したのは、シェリー・アーンスタイン Sherry Arnstein であった。

彼は、「参加の程度」には、「8階梯」つまり八段階があることを示した（"A Ladder of Citizen Participation", Journal of AIP, 1969）。その「8階梯」の表を右に示す（訳語は筆者）。ここでは、先の趣旨から「参加」をあえて「関掌」と訳語表記した。

8階梯は大きくは三類型に分かれ、「実質的な民意無視」「形式だけの参加」「住民の権利としての参加」というその「形式的」類型から「実質的」類型までの「程度」の異なる類型があることが知れる。

すでに触れたように、わが国で一般的呼称にすらなってきた「市民参加」であるが、行政のアリバイ作りとしての形式的な「参加」（階梯表の「1」「2」～「3」「4」「5」段階）がけして少なくない。「住民の権利」としての「参加」（同「6」～「8」）は、けして行政側から「与えられる」ものではなく、市民・住民の側が「主権者」「主人公」としての自覚に立った行動・運動によってのみ獲得できるものであろう。最高段階の「8段」＝「住民主導」が成ったとき、「住民主権」もまた、実質的な位置を得るといえよう。

今やわが国はもとより先進国では当たり前の「市民参加」であるが、その実態は、アーンスタインの「8階梯」のうち「6～8」階梯すなわち「住民の権利としての参加」のレベルが実現しているのは、むしろ希のようである。

㈣　住民自治の「公共性」と「無窮動性」——市民運動の本質

市民参加を考える上で考慮すべき基本的なことに「公共性」がある。もとより、国民・市民の信託を受けた国や自治体の施策が公共性をもつべきことは当然であるが、他方、その施策の公共性を受け取る側の市民の「あり方」も大きな課題であるはずである。

この問題に着目して「公共性」を歴史的に再評価して、新たな「市民的公共性」という概念を導いたのは、ユルゲン・ハーバーマス Jurgen Habermas であった。氏は『公共性の構造転換』（原著　一九六二、細谷貞雄訳　未来社　一九七三）において、「市民的公共圏」という概念を提起し、これが維持・機能する実態を「市民的公共性」とした。

すなわち、「市民的公共圏」というのは、市民が平等な立場で議論し、国や自治体の公権力と「折衝」するための「公論」を形成する「場」なのである。ハーバーマスがまず着目した歴史的な「市民的公共圏」は、一八世紀後半にイギリスで盛んに営まれて、市民が集っては議論を展開していたコーヒー・ハウスだった。フランスではあの大革命が起きて絶対王政が消滅することになる前後の時代でもあった。ロンドンだけで三〇〇〇軒もあったというコーヒー・ハウスは、身分を超えて人びとが自由闊達に語り合う「社交場兼情報センター」であった。そこでの人びとの議論の要旨は「公論」public opinion として社会的な位置を占め、社会変革に大きな影響をもつようになった。

公共性は既成権威に対抗して公開の原則をつきつけた…当時は――若きマルクスの区別をかりれば――政治的解放が「人間的解放」と、これほど容易に同一視されたのである。〔『公共性の構造転換』〕

ジョン・ロックが『統治二論』を著わして、市民の「抵抗権」「革命権」の正当性を主張してからすでに約一世紀が経っていた。「政治的公共性」がより深化していたのは、必然でもあったろう。

今日、もっとも一般的な「市民的公共圏」は、それぞれの「課題」について取り組む市民運動体そのものであるにちがいない。もとより、市民運動体は、単なる語り合いの場、いわば同好者のサークルといった態に止まることなく、公権力に向かう「公共圏」としての内実を得て、その集団性を展開することが肝要である。この「公共的な」市民運動のあり方については、久野収が示唆的な提言をしていた。

市民運動は、国家や自治体や大企業の押しつける〝国家公共〟の名による生命と生活の破壊に対して、人間としての情念から抵抗する運動である。…市民運動は下からの〝公共〟的共通意志をどうして生み出すことができるか。…意志の主体、合意の主体を形成してこそ、〝公共〟の名を独占する〝官憲〟に対して、真の連帯意志、真の〝公共〟意志をつきつけることができるのである。〔雑誌『市民』勁草書房 一九七六年八月〕

ここで久野が強調する「意志の主体」「合意の主体」こそ、確かに市民運動体が対外的な「公共圏」として自己主張しうる枢要条件であろう。換言すれば、それは、自律的運動体が必須条件としてもつ「明確な行動目標」「集団としての相互の信頼性・連帯性」とも言えるだろう。市民運動体が「順調な歩み」を保持することと、これら「条件」の深化とは相互に原因であり結果であることに、「運動」の経験者なら誰でも納得できるにちがいない。

「公共圏」の典型例としての市民運動体については、「時間」と「空間」の要素が基本的な要件であることにも注目する必要がある。「公権力」による「生命と生活の破壊」に対する抵抗は、通常その「破壊施策」が一時的で、また地域的・局所的である場合も少なくない。例えば道路建設などは、いったん当該道路が完成してしまえば、その地域住民による建設反対の運動は継続しにくいことになる。多くの住民運動は、こうした「時間」「空間」の要素において生起しては消長することがしばしばである。だが、本質的な「市民運動」は、特定地域に限定された住民による運動としての一時的な「住民運動」とは峻別する必要があろう。

そもそも、「生命と生活の破壊」は、ほんとうに「一時的」「局所的」なものだろうか。

道路建設への反対運動は、「立ち退き」などによる建設そのものへの抵抗もあるだろうが、より広域的に見れば新たな道路による自動車交通の出現・増大による「地域の物理的分断」「騒音・排気ガス・振動などの公害」「日常的通行への危険性増大」などの環境破壊といった問題が、まさしく「生命と生活の破壊」として道路建設そのものに伴って大きな影響が生起するのであって、その問題は、道路建設が為された後にこそずっと続く「厄介ごと」なのである。また、当該道路が開通することによって、自動車交通は当該地域の「外側」の地域にも拡大して「他地域」の環境に影響を及ぼすことになる。「一時的」「地域的」では済まないのである。道路に限らず、「生命と生活の破壊」という公権力の施策は、元来けして「一時的」「地域的」な問題ではないはずである。

ここに、市民運動の「無窮動性」つまり永続性の課題が生じる。つまり、市民運動は、狭義の住民運動とは異なり、元来永続的なものであるということである。

国や自治体に国民・市民が信託した統治が途切れることがなければ、その統治を受け取る国民・市民の情況も途切れることはない。統治の不都合に対する市民の「抵抗」の営為を一定の社会変革と呼ぶとすれば、社会変革に「これでよし」「これで終了」ということはありえない。否、統治に対する抵抗は、単なる「異議申し立て」

に止まるのではなく、信託を信託ならしめるための変革そのものと見るべきなのである。現代では、信託を与えるのは主権者である国民・市民であり、その意味で、市民運動――公論形成による公共性を堅持する――は市民による「主権の公的行使」として捉えるべきであろう。社会に生きる人間は社会と共に存在する。社会も人間も時間に沿って変わっていく。革命が「永続革命」の呼称を得るように、「変わりゆく」時代の「変わりゆく」市民が担う社会変革の市民運動＝主権の行使もまた、本質的に永続的であるだろう。

「区政改革市民の会」の顧問を引き受けていただいた政治学の篠原一氏（東大名誉教授）は、しばしば「地方自治の無窮動性」を説かれていたが、地方自治の一端を担う住民自治もまた無窮動性＝永続性をもつべきものであろう。市民運動が住民自治の一端を担う「公共圏」として存在するなら、その運動自体も「時と情況」に応じて「生命と生活」を護るべく、本質的に無窮動性をもつにちがいない。

3　表現者の矜持と苦衷、そして市民は…

めったに上演されないが、能に『白楽天』という曲がある。「日本の知恵」を探るよう唐の太子の命を受けた詩人・白楽天が筑前の港に着く。応対した漁翁らに白楽天が詩を作って知恵を測ろうとすると、漁翁は和歌で応じ、この国は鳥類畜類もみな歌を詠じると言って白楽天を驚かす。最後は、伊勢・春日・賀茂・鹿島などのあまたの明神が集まりその神風で白楽天らの船を唐土まで吹き戻してしまう。曲柄は、神徳を賛える脇能の類に入る。

作者は世阿弥と伝わる。時は将軍・足利義持の治世、世阿弥五七歳。李氏朝鮮の大軍団による対馬侵攻と明使・呂淵の通商強要の兵庫来航があった。「応永の外寇」といわれ、国家的な緊張と動揺が広がった。義持はこれらの外寇を果敢に「撃退」する。能『白楽天』は、外寇後の国家の安泰と安堵を祝すべく作られたといわれる。

あの世阿弥にして、「国威発揚」のこれほどの政治的寓意に満ちた作能がある。もちろん白楽天の来日の史実などない。内容にしても牽強《けんきょう》付会《ふかい》・荒唐《こうとう》無稽《むけい》の気味は蔽《おお》えない。「老い木の花」を重んじていた世阿弥である。「花」の自負がない筈がない。作品の内容・出来栄えからしても、自ら好んで作能した曲とは思えない。将軍家の強い作能要請によったのだろう。権力に添うことによる芸の道。それは本来自由人である表現者にとって、相反する矛盾を抱えることを意味した。内心の葛藤と呻吟も容易に想像される。それは、この作品の「質」におのずと現れていた。世阿弥の苦衷、それは、彼の矜持のなせるものでもあった。一流の表現者であり続けるための、矜持と苦衷の果てしなき揺らぎ。後年の佐渡流罪は、その矜持に対する権力者の虚しい力の誇示であった。

千利休が、茶の湯を文化にまで昇華した文化人であることに異論はないだろう。文化におけるひとつの「道」を創ること、それは立派に表現者の為せるところだ。利休もまた権力に添うことに伴う「矜持と苦衷の揺らぎ」を強く体験した者だった。政治的野望を成就して天下人になった秀吉は、精神的文化的権威を必要とし、先君・信長の茶頭だった利休を自分の幕下に置いた。やがて、利休は秀吉に切腹させられる。大徳寺山門上への木像の設置などはタメにする咎で、真相は別にあった。秀吉が利休邸の見物を所望した。秀吉訪問のその日、庭一面に咲いた朝顔はみな刈り取ってしまい、迎えた茶室に生けた一輪の朝顔の花。「黄金の茶室に満悦するお主にこの美が解るか！」一輪の花はそう語っていた。さすがの秀吉もその「意」を悟ったにちがいない。利休の美意識でありまた矜持の発露だったろう。彼の矜持もまた、「超えられない、侵し得ない」ものであったがゆえに、秀吉を愚行に走らせた。

ルネサンス晩期において宗教的権威を世界に示すべく、未完のサン・ピエトロ大聖堂を完成させることは、ローマ法王庁の長年の宿願であった。多くの秀でたユマニストや建築家が歴史の舞台から退いたいま、その権威にふさわしい表現者はミケランジェロ以外になかった。サン・ピエトロ完成の歴史的事業を依頼されたミケランジェロは、その時七一歳。八八歳で没するまで、請負屋・御用商人などの利権集団と結んだ法王の権力・恣意との葛藤が続いた。彼は、ドームを支える十字プランをラテン十字から「集中式プラン」に改修することで構造的安定をもつドーム設計を得る。その完成を見ることなく逝ったが、一五年後に頂塔が載ってドームの外殻は完成する。ミケランジェロは、一七年の間、敢えて無給を貫き、法王が工事を急がせて無体にも現場に足を踏み入れようものなら物を落下させて威嚇さえした。利権を排し、報酬を求めず、さらに発注者・最高権威者の言動を「雑音」と排除してのドーム完成への没入。まぎれもなく表現者・老ミケランジェロの矜持だった。

フルトヴェングラーは、ナチスが権力をほしいままにした時代と空間に生きた音楽家である。ヒトラーがワーグナーの曲を好んだことはよく知られている。フルトヴェングラーは、一九三五年と三八年のナチス党大会の直前、ヒトラー臨席のもとワーグナーの「ニュルンベルクのマイスタージンガー」を指揮している。トスカニーニやワルターは、アメリカに渡って反ナチスの立場を鮮明にして音楽活動を行い、他方カラヤンはナチス党員として積極的なナチス協力のもとで台頭していったのだが、すでに音楽界の重鎮だったフルトヴェングラーの立場は微妙だった。ナチスに対して「反」でも「親」でもなく、ドイツを去ることなく「妥協」のなかで音楽活動を貫いた。彼の立場は「音楽は政治とは本来無関係なものだ」というある種の芸術至上主義にあった。ヒトラーが実権を握った後の三四年に、彼は、ナチスから「反ナチス」と目されたヒンデミットについて、その新たな音楽の可能性を賛えて擁護する文を新聞に発表する。当然、政権側との軋轢が生じ、彼は音楽院副総裁とベルリンフィル首席指揮者を辞任する。「芸術至上」が政治に抗しえないことを身をもって味わった。戦後に彼自身が綴った文章「私は屈服しなかった」は、表現者としての矜持を示したものだが、行間から滲む苦衷は痛ましい。

＊＊＊＊＊＊

表現者とは、何も芸能や芸術の専門者にとどまらない。学問に携わる者はもとよりあらゆる専門的業務に携わる者は、その探究の成果をさまざまな形で「表現」している。とりわけ、学問を専業とする者は「有識者」などと称されて社会的な権威づけをされることもしばしばである。だから、有識者としての表現者の責任はたいへん重いはずだ。

二〇一一年三月一一日は、私の人生に大きな「跡」を刻んだ。M9・0という巨大地震とそれゆえの津波による大災害ももちろんだが、最大級の原発事故は文字通り「第二の敗戦」として重くのしかかった。だが、重さの意味がちがった。前者は自然災害であり、後者は人為災害だったからだ。

「第二の敗戦」…それは、狭義には原子力工学を中心としたこの国の科学技術の敗北であり、私的には原子力や原発への無知・無関心という自身の従前の「科学観」の敗北であった。一〇〇点を超える内外文献資料と五〇冊を超える記事ファイルとの「格闘」が続いた。私なりに原子力や原発の何たるかを、また当該原発事故の「実情」をも理解した。

何よりも痛感したのは、「関係者」のあまりの不実さ・不埒さであった。癒着構造のなかで呆れるような暴論がくりかえされた。関東一円が放射能汚染による「避難区域」になって二〜三〇〇〇万人の住民が居住地を追われる大惨事が、ただただ「僥倖」で免れたにすぎないという深刻な事故だったのだ。今なお、平然と「世界一の規制基準だ」（住民避難を基準から排除してのこの妄言）「安全は保証しない」と相反する暴論を吐いて、不完全技術の最たる原発の再稼働にせっせと「貢献」する原子力規制委委員長…。

原子力関連だけではない。政権に媚び諂《へつら》う「表現者」の何と多いこのごろ。この国はいつから表現者がこれほど劣化、堕落したのだろうか。矜持や苦衷はもとより、葛藤や呻吟のひとかけらも見られない。おぞましく醜悪だ。

戦争とは無縁に七〇年間平和を保ってきたこの国も、「戦争のできる国」になろうとしている。あのナチスの手練と、蔑視、謀略、恫喝、強硬を彷彿とさせる政治の蠢《うごめ》きによって、あらゆる社会情勢が逆行しつつある。この不気味な気配…。

そのもっとも大きな要因は、表現者——本質的に自由人であるべき者——が、矜持も苦衷も捨て去って表現者たりえなくなったからだと、私には思えるのだ。

しかし、表現者にのみその「責め」を帰すべきことだろうかとの思いも、同時に浮揚する。表現者が矜持も苦衷も振り捨てて平然としていられるとしたら、そういう彼らの存在を許している社会の「空気」があるからにちがいない。

厳しい「社会の目」の欠落である。その「社会の目」を成すのは、市民そのものではないのか。自らが生きる社会の「情勢」に無関心や無頓着であるとすれば、それは市民自らが己の責務や権利を放擲《ほうてき》するに等しい。表現者の「退潮」は、市民の「退潮」と因果関係にあると言ってもいいだろう。

社会情勢の退潮の「責」は、独り表現者に帰せられるだけでなく、本来、社会の「主人公」であるべき市民にも当然帰せられるものであろう。

問われれているのは、表現者であり、また市民一般でもある。表現者に矜持が求められるとすれば、社会の主人公である市民もまた、その責務と権利を自覚し行使するだけの矜持が求められるはずである。「自覚的市民」、その存在の重さが社会の「質」を決めるにちがいない。

第二章

市民運動の本領

――集団力・行動・批判・無私・不屈

4　高速道路拡幅への住環境改善要求運動
——「公共圏」「公共性」の形成

これは、筆者が関わった道路問題にちなむ居住地域での住民運動の具体的な「諸事象」を総括した文章である。関係した市民運動の中では最も「成功し」かつ「長続きした」といえるもので、できるだけ「市民運動論」としての内実が窺えるような整理を試みた。

この道路問題でのわれわれの運動は、いわば、久野収が提起した「生命と生活の破壊に対する抵抗としての住民運動」の典型例ともいえるだろう。

三〇年近い永い「取り組み」を通して、この住民運動が展開した「戦略と戦術」そして「集団力」は、期せずして「公共圏」を形成し、「市民的公共性」の質を得るような典型例といえるのではなかろうか。

(一)　関越道拡幅工事と住民運動体の結成

関越道拡幅計画

一九九四年に、当時わが国の高速道路の建設と運用を一手に担っていた日本高速道路公団（以下、公団）が、関越自動車道の拡幅工事（車線増加）を行うことになった。もともと関越道は、「東京川越道路」という有料道路として一九七一年に開通し、その後七二年に首相に就任した田中角栄の肝煎《きもい》りで、七三年に高速道路に格上げされて新潟まで延伸された高速道路である。当初の川越までの計画として片側二車線道路だったので、交通量増大の時代要請に合わなくなり、練馬ＪＣＴから藤岡ＪＣＴまで約八〇キロの区間が拡幅（片側一車線増、都合片側三車線に）されることになったのである。公団は「六車線化工事」といっていた。

拡幅工事開始の九四、九五年ころの交通量は、すでに平均三万台／日にものぼっており、三〇センチ幅の薄いコンクリート板を一〇枚重ねた三メートル高の遮音壁は、沿線住宅地への騒音と排気ガスを防止する機能をほとんど果たしておらず、沿線住民は日々その「公害」に悩まされていた。

そこへ持ってきての拡幅＝車線増＝交通量増大であった。六車線になっての交通量の公団の予測は九万台／日であり、三倍もの交通量に伴う「公害の増大」、すなわち、さらなる「生命と生活を破壊する施策」への沿線住民の関心、危機感は強く、練馬区内から新座料金所付近の埼玉県新座市まで沿線はかなり住宅地になっており、その沿線住民による一大住民運動が展開されることになったのである。

公団は、この拡幅工事について地元住民を対象にした「説明会」を開催した。九四年一〇月、筆者が居住する練馬区大泉学園町五丁目の小地域（Ａとする）が初めで、小学校の図書室を借りて行われた。三〇人ほどの地元住民が参加して、真剣な質疑が交わされた。「懸案」の遮音壁（のちにわれわれは音だけでなく、排気ガス防止・低減の機能ももたせるべく「防壁」と命名した）の改修についての公団側の計画はアイマイだった。

住民運動体の結成

住民サイドは、説明会後一〇軒ほどの住民が集って相談会をもち、筆者とＦ・ｊ氏が世話人となって、公団との「折衝」をおこなうことになった。世話人の発案で当該地域を対象に公団への要求事項をまとめた署名活動を行い約二〇〇名の署名を得て、同九四年一二月、世話人二人が霞が関の公団本社に出向いて署名簿を提出し、当該地域住民の「総意」としての「要求」を伝えた。これが、公団への住民運動としての「初動」であった。「要求」

の眼目は、「防壁」を八メートル高のものとすることだった。これは、すでに部分的に開通していた「外環道」の「壁」を参考にしたものであった。高さを増すことは、沿線住宅地への騒音伝播を低減するだけでなく、排気ガスがより高所で道路敷地内から流出して遠方に拡散することになり、「防壁」としての機能強化にとってきわめて重要な意味をもっていた。

公団は、次々と小地域ごとに「説明会」を開催した。関越道北側の大泉学園町五丁目は一地域（A、B地区とする）、南側は大泉学園町三丁目（C）・西大泉町（D、E）の三地域、計五地域である。

おそらく公団がこうして地域を「小割り」にして説明会を行ったのは、小規模の方がより説明しやすいというだけではなく、住民の大同団結による「抵抗力」をできるだけ小さくする、つまり「分断化」の思惑もあったからであろう。最初に住民運動として動き出した「A」地域のわれわれは、まさしく大同団結の実を挙げるべく、他の四地域での署名活動を行うなどして全地域合同の「協議」「討論」の場をもつようにした。各地域には「地区世話人」を選んでもらい、全五地域五人の世話人が中心になって公団への「統一要求」をまとめていった。そして、五地域全体を統一する住民運動体としての「練馬区関越自動車道沿線環境向上協議会」（練馬協議会）を結成した。九五年五月だった。公団という強大な「公権力」を相手にする住民運動にとって、大きな「住民集団」による団結力は不可欠だった。関越道拡幅に向けた練馬区地域の統一運動体が初めて成ったのである。この協議会がカバーする地域での住民署名運動において署名数は約二七〇〇に達し、その数は「集団力」を客観的に示して公団への大きな圧力になった。この「練馬協議会」の運動は、やがて都県境を越えて新座市の住民運動にも大きな影響を与え、住民運動は「統合・合体」して「練馬・新座協議会」というより大きな運動体に発展した。

(二)「公共圏」「公共性」の形成

運動体の拡充

「練馬協議会」の熱い討議は、以下のような明確な「環境保全対策」を短時間でまとめて、地域の「総意」として公団に「申入書」として要求した。

a「防壁」は一律八メートル高とすること（畑地の部分は公団の当初案五メートル、垂直部四メートル＋R部四メートル）。

b　北側の防壁は日照障害を起こさないようにすべて「透光板」とすること。

c　南側の防壁は八メートル高すべてを遮音版にすると圧迫感が強いので、二メートル幅は透光板とすること。

d　土工部（盛土で側面を垂直コンクリート壁にした箇所。区道に面する。北側壁高さ約五メートル、南側約九メートル）の擁壁は通常の自動車交通による「反射音」の騒音がヒドイので、すべて吸音板を設置すること。

e「防壁」や擁壁と一般道路の間、および盛土部斜面にはしかるべき「緑地帯」（植栽帯）を設けること。また、その緑地帯の植栽の種類については、沿線地区住民の選定とすること。

既述の二七〇〇筆の署名の「力」は、これら「要求」を公団（練馬工事事務所）がすべて受け入れるところとなり、「協議会」結成後わずか一ヵ月で、九五年六月に「合意確認書」（Ⅰ）が交わされた。

d、eの対策事項は、住民側の要望を容れてやったことがない、と公団はすぐには認めなかったが、後述のように、「団体交渉」の成果と、「練馬区当局も当然だとしている」と地元行政との「調整」を済ませておいたことと、自動車道拡幅に伴う側道拡幅の必要上、二軒の住宅の撤去が必要となり、その二軒の撤去に協議会が間に入って「円満解決」をするという「敵に塩」の効果で、公団も「飲む」ことになった。公権力との「闘い」は、硬軟交えた「戦略・戦術」が必要だった。

新座市の料金所までの区間の北側（池田地区、Fとする）と南側の片山地区（G）においても、住民の拡幅工事に対する「動き」があった。上記のように九五年六月に「練馬協議会」の要求全面獲得の「前例」を知った彼らは、まず「関越自動車道沿線環境向上新座市民協議会」（新座協議会）を結成する（同九月）。やがて、後述のように、公団の埼玉県新座市側への「強硬な」対応に対して、「練馬側と同等の」要求の獲得を目指して、「練馬」と「新座」の協議会は、同年一一月に合体して一つの協議会とした（「関越自動車道沿線環境向上練馬・新座協議会」）。また、新座料金所南側隣接の道場地区（H）は、約一〇〇戸の戸建て住宅のまとまった住宅地が形成されていたが、「件の」三メートル高の遮音壁だけだったため、三万台の自動車の停発進による騒音と排ガスの公害被害は、本道沿線よりも遙かにひどかった。まだ、ETCが普及する前の時代、そんな料金所隣接の住宅地環境の実態にもかかわらず、公団（所沢管理事務所）は、「六車線化」に対応すべく道場地区住宅地側の緑地帯ノリ面を潰して一レーンの増設計画を立て、住民説明会を開いた。当然、道場地区住民は、今以上に公害が酷《ひど》くなることから、「レーン増設」には「絶対反対」だった。ここでも公団側は強硬だった。

道場地区住民の「支援要請」を受けて、「練馬・新座協議会」は、さらに統合するところとなり「拡大練馬・新座協議会」の結成となった（同九五年一一月）。のちに、このH地区の問題解決を図るべく「拡大協議会」は署名活動を行ったが、その筆数は五七六〇にのぼった。まさに沿線住民の一大運動体の形成である。

こうして、一〇軒から始まった小さな住民運動は、練馬区の「A」地区から新座市の「H」地区まで、八地区が合体する巨大な運動体に拡大成長した。関越道に沿って南北両側約三・五キロの長さの沿線住宅地を包含する、都県境を跨ぐ「異例の」運動体であった。考えれば、こうした巨大な運動体を結成させたのは、新座地域側における公団の「頑な」な対応でもあった。それがなければ、すでに「満額回答を獲得して一件落着」の「練馬協議会」が新座側沿線住民の支援要請を受けることもなかったかもしれない。公権力の公団の「思惑」の誤算が招いた「住民の大団結」といってもいいのだろう。

もとより、運動体の拡大は単なる物理的規模を追求して成るものではない。そこには、公権力の施策への危機感に始まる「抵抗」「異議申し立て」の発意の共有と、道路公害から生活環境を守り、改善するための「目標」の共有が不可欠であった。そのためには、住民としての平等な立場での討議が頻繁に行われ、「共通目標」の設定と合意がなされる必要があった。その基本的な「土台」は、「練馬協議会」が獲得した公団との「合意確認書」（I）の内容にあった。いわば、論理的な獲得目標が明確に共有されることも肝要だった。つまり、「公論」public opinion の形成である。こうして物理的かつ論理的な「公共圏」が構築されていったのである。

「公共圏」から「公共性」へ

道路公害を日常的に意識する沿線住民は、高速道路の場合せいぜい道路端から奥行一〇〇メートル幅の範囲の居住者である。われわれの住民運動の担い手の多くは、むしろ五〇メートル以内の日ごろ強く公害の被害を蒙っている住民たちであった。この「限定的範囲」の問題は、地域的には「部分」を意味した。この「部分」を自覚することを前提として、「地域エゴ」といった他者からの「冷やかな眼差し」を回避するためにも、「公共圏」のより確かな構築を目指す必要があった。以下のような「町会との調整」や「自治体との共通理解」「マスコミを使った問題の拡大社会化」として追及された。

まず、**町内会との「調整」**である。

地域問題が生起する時に、わが国ではしばしば「町内会」「自治会」という地域組織が絡んでくることが多い。関越道拡幅問題においても、「B」「C」地区ではそれぞれその地区をカバーする町内会が「介入」してきた。共通して道路公害を蒙っている者たちによる共通の「公論」を為そうという協議会の成立には、必ずしも地域全域の住民が道路公害蒙ってはいない町内会との「折り合い」をつける必要が生じた。特に「自己主張」の強い「C」地区の町内会長と話し合いをもち、公害問題は「被害」を直接受けている住民たちの自主的な「闘い」こそが肝要であり、公害を蒙っていない住民がむしろ多数派を占める町内会にとっては国家的事業体の公団相手の「折衝」は「荷が重い問題のはずである」ことを説得し、納得してもらった。最も厄介な町会との「折り合い」がつけば、他の町会との調整はスムーズだった。こうして、協議会による住民運動は町会も「公認」するところとなった。

次に、協議会の「公共圏」の確立のために必要だったのは、**地元行政との「共通理解」**であった。「練馬協議会」結成の直後に、われわれは練馬区の関連部局である都市整備部および土木部と公式の協議をもち、両部の部長以下職員出席の下、協議会結成の経緯と目的を説明し、国に準じる公権力による高速道路の公害から住民を護る自治体行政としての理解と協力を要請して、了解を得た。協議会の「存在」と、主体的に公団との交渉を通して問題解決を目指す「運動」を地元行政にも正式に認めさせたのである。

当時の練馬区行政は、全国的にも初期の「非核都市宣言」を発した（一九八三年一〇月）リベラルな田畑健介区長時代（一九七三〜八七年）の役人たちが多く残っており、住民運動に対しても好意的であった（この練馬区行政との「理解」は、後述のように、高速道拡幅に伴う区道の側道改修において協議会が「仲介」の役を果たすことにもなった）。

「公共圏」形成から「公共性」への大きなステップになったのは、**マスコミでの問題提起**だった。「新座協議会」が苦心していた一番の問題は、練馬側が「合意確認書」（Ｉ）に基づいて「防壁」高さが全区間八メートル高で構築されたのに、新座地区は五メートルだったことである。練馬区側より沿線畑地の部分が多かったことが公団の「五メートル採用」の根拠で、すでに「Ｆ」「Ｇ」地区とも五メートル壁が構築済みという「強硬」姿勢だった。おまけに、公団は、「五メートルで十分である」旨のビラまで作って当該地区の各戸にポスティングまでしたのである。「新座協議会」は新座市行政の協力を得ようと相談したが、市側は「五メートルでいいのでは」という市長の見解が出て、住民支援の姿勢はとらなかった。行政に頼れない「新座協議会」は「練馬協議会」に支援要請を求めてきた。公権力の公団サイドが「自己正当化」のためにビラのポスティングまでしたことが、その解決への大きな「転機」となった。「そこまでやるなら、こちらはマスコミを使おう」。「作戦会議」の結論だった。朝日新聞に情報提供をすると、記者が現地視察に訪れた。練馬協議会は「練馬と新座」の境界で「現場説明」をした。「同じ道路を同じ自動車車群が通行しているのに、東京側と埼玉側でこのとおり壁の高さに八メートルと五メートルの差別がある！」。翌日（一九九五年九月三〇日）の朝日新聞社会面は七段ぶち抜きの大見出しで記事にした。「道路公団　東京と埼玉で差別！」八メートルと五メートルの段差が明白な写真つきである。関越道拡幅工事問題は、一気に練馬・新座のローカル問題から、全国的問題になった。公団の姿勢は一挙に「軟化」して、構築済みの五メートル壁用の支柱を撤去して八メートル用のものにし、すべての「壁」を八メートル高にやり直したのである。その後、既述のように、練馬と新座の協議会は「合体」して（一九九五年一一月）より強大な運動体となり、公団との「関係」を継続することになった。

町内会、地元行政、マスコミといった「三種」の対象との「調整」「援用」を進めて、この住民運動は、「公共圏」の拡充とともに「公共性」をより確かなものにしていったのである。

ハーバーマスの説いた「公論」「公共圏」「公共性」といった市民活動の「原点」を半ば意識しつつも、この住民運動は、かかわった全てのメンバーの試行錯誤の中からより望ましい運動の形式と内実を獲得していったのである。

なお、既成政党との関係については、共産党、公明党、地域政党の三党の区議会議員、市議会議員がそれぞれ個別に「協力」を申し出てくれたが、「当住民運動体にはさまざまな政党支持者がおり、いっさいの政党色をもたないことで幅広く連帯性が保たれている。それゆえ《純粋な住民集団》としての活動を追求したい」といずれに対しても丁重に「協力」を断った。結果的にも外部の政党に依存しないことで、「頼るのは自分たち」と、運動の自律的活性力も、議論の自由度も大いに高まったといえる。それは、「公論」の形成にも大いに資するところとなった。

㈢　運動体としての集団力と実行力

公共圏を拡大し公共性を高めていったのは、「対外的な」活動にのみ依るのではなかった。むしろ、そうした対外活動を可能にしたのは、運動体としての「対内的な」集団力、つまり、強い信頼性と連帯性に基づいた「公論」の拡充・深化による「不屈の精神」と「実行力」の向上であった。その集団力や行動力は、また、「実戦」「実行」によって確認・確立していくものでもあった。つまり、その内実は「対外‐対内」の実践と理論の相互的対応によって循環的・段階的な発展によって培われたものと言えた。

「公論」の拡充と深化――「討議デモクラシー」の追求と成果

数千人の住民を背景とする運動体の「合意形成」を行うのは容易ではない。各地区の世話人（正副）による「世話人会議」が頻繁にもたれ、基本的な「公論」の内容を決めていった。そして、バックの住民にその方向性を伝達するために採った方法は、「ビラ配布」と「署名活動」だった。前者は、世話人会議の結論が出るたびに行われた。およそ「月一回」の割合。後者は、公団に「申入書」を提出する時点で「住民総意」を公団に示す手段として主に活用した。既述のように、「五メートル高壁への固執」や「料金所レーン増設」など強硬な公団の姿勢や、職員による公団作成のビラ配りなど、「不当・非常識な」公権力の姿勢・行動を批判・糾弾するための住民サイドの公論形成である。数千人の住民の「合意形成」は、直接民主制的な大集会が不能であることから、こうした「公論」の拡大・浸透の方策によって追求された。いわば「討議デモクラシー」の追求であった。

運動体の「外」、つまり公団との交渉に当たっては、頻繁に「申入書」が提出された。多くは、公団総裁への郵送によるものだった。ピラミッド型の組織構成によって成る巨大組織は、往々にして末端の工事事務所や管理事務所の「実態」を知らないことが多い。ピラミッドの「頂点」に、その末端の「不都合」に起因する強大な住民運動の生起と展開の実情を伝え、公団自体の「不当性」を主張・糾弾することは、戦略・戦術的にきわめて有効だった。

彼らにとって、その施策に対して巨大・強烈な住民運動が生起することは、歓迎できることではないにちがいない。「上部」に住民運動の実情が逐一伝わることは、その「下部」にとっては「職務査定」の上で「あってほしくない」ことでもあったろう。既述のように、新聞社会面で「批判」されれば、公権力としての彼らのメンツは丸つぶれで、それまでの「強硬策」が一転したことを見ても、組織末端の「姿勢」を転換させるには、組織全体の「姿勢」として広く世間に知らせ「社会化」することが有効だった。

いや、沿線環境に配慮しない公団末端の施策自体が「社会的な批判」を受けることになる、という実態を「上部」が把握することは、公団にとっては公権力の「しかるべき」反省・転換にとって意義深いことだったはずである。頻繁に提出された「申入書」は、公団内部だけでなく、高速道路の建設・運用を担う公団の対外的なあり方を問うものとして、大いに社会的な「議論」を提供したのである。

こうして、「公論形成」は、内部的な徹底的な意見の集約と確認・情宜を踏まえた、いわば「討議デモクラシー」を「討議の全体化」のなかで深化させていき、そして公団自体を巻き込むだけでなく、公団の社会的存在の事情をも天下に明らかにしたのである。「討議デモクラシー」は、「社会デモクラシー」へと道を拓いたといっても過言でなかった。

団体交渉——住民パワー

既述のように、「練馬協議会」は結成後わずか一ヵ月で全要求項目を公団に飲ませて「合意確認書」（I）を獲得した。その短期間での「成果」に最も大きく貢献したのは、公団との団体交渉だった。それまでは、世話人が

「要望書」や「申入書」を携えて公団側と折衝するという、いわば小人数交渉だった。もとより、公団側は、当初工事計画では考えてもいなかったような協議会の「要求」は、大幅な予算超過となり、簡単に飲もうとはしなかった。しかし、環境保全をないがしろにすることは許されない。

そこで、協議会は、「住民大集会」を開催し、同時にその場を公団との「団体交渉」にするという一石二鳥の「会」を開催することにした。会場の地元集会所にはA～E地区の練馬区内の、入りきれないほどの一〇〇人以上の住民が集まった。「会」の前半は、協議会の「要求項目」の説明・確認と、公団がそれを飲もうとしない「折衝」の報告である。後半は公団関係者が出席しての「団体交渉」。公団側は、練馬工事事務所の職員だけでなく同事務所を管轄する東京八王子管理局の部長も出席した。前半の「報告」で「公害対策に真剣に取り組もうとしない」公団の姿勢を知った住民たちの熱意はすごかった。参加者のほとんど全てが自分たちの「生命と生活」のかかったこの拡幅工事＝公害問題拡大への「追及」を厳しい口調で語った。「正論」の主張に公団は、下手な「理屈」をこねることもできなかった。

一通り住民の「声」を聴いて、公団側は「しばらく時間をいただきたい」と集会所のウラで「相談」を始めた。二〇分ほどして戻ってきた責任者の管理局部長から、「協議会の皆さんの要求事項はすべて受け入れたい」と応答したのだった。住民、「全面勝利」である。

「合意確認書」（Ⅰ）の調印がされたのはその一週間後だった。まさしく「住民パワー」というものであった。「戦略・戦術」もさることながら、協議会の集団力を公団に認めさせる大きな転機となった。

公団本社への直接行動――不屈の精神

「申入書」が有効性を発揮しない場合もあった。所沢管理事務所の頑なさが問題だった。既述のように、新座料金所のレーン増設は、緑地帯ノリ面を潰して住宅地にさらに接近するという計画だった。排気ガスによる微粒子で、洋タンスの中の服にかけたビニール・カバーが真っ黒になっているという、ヒドイ汚染地区である。そんな地元住民にとって、レーン増設は受け入れがたいものだった。練馬工事事務所とはちがって、「今やＥＴＣによる料金自動徴収システムによって料金所の通過はずっとスムーズになるから、レーン増設は不要だ」との住民協議会の主張に、管理事務所の所長はいっさい耳を傾けることもなく「増設計画」に固執して頑なだった。総裁への申入書も効果を生まない。

協議会は、当該住宅地住民を中心に、公団本社への「直接行動」を展開することになった。地元住民の主婦たちは、それぞれ自分の「タスキ」をミシンや手縫いで作り、マジックインキで抗議の文言を書き込んだ。「レーン増設反対！」「自動車公害を増やすな！」「公団は被害住民の声を聞け！」…創意工夫の手製タスキである。

住民協議会はあえて正月「仕事始め」の日を狙って、霞が関の公団本社を訪れた（一九九六年一月六日）。道すがら、霞が関一帯で、乳飲み子を背負った若い女性も含めた、タスキ掛けをした住民約四〇人がビラまきもした。ビラまきも住民の「総意」を外部に示す「公論」の提示の立派な手段である。道行く多くの省庁の役人たちは、「このオジサン、オバサンたちは何だ？」と不思議そうな顔をしながらビラを受け取った。「公団の不誠実ぶりが霞が関で広まる」ことは、公団にとっても好ましくないはずだ。

協議会は、公団本社に行き、「所沢管理事務所が面談に応じないので、本社の担当責任者に会いに来た。面談を求める」と述べて、総裁以下の役員の部屋のある階（役員階）の受付前の廊下に居並んだ。公団は「予想通り」、「担当責任者は今不在です」と返答。「それでは、私たちは責任者が戻るまでここで待たせてもらいます」と応じる。役員階の受付前廊下は、事実上の「座り込み」状態である。大きな声を出さずに「静かに」座っている。騒ぎもせず合法的に「人を待っている」のだから業務妨害にもならず、公団も下手に「手出し」はできない。役員階を狙ったのは、当然、「仕事始め」だから、公団関係のさまざまな組織・団体の人間の出入りが多いからである。公団を批判するタスキ掛けの人間が何十人もその「挨拶場」に「座り込んで」いるのだから尋常ではない。公団のメンツも丸つぶれ。そのうち昼の時間になったので、手分けして何人かが外に食糧を買い求める。他に場所がないからそのまま廊下で座ったまま、パンや牛乳などで腹ごしらえである。外部から来た公団以外の人たちは、ますます眼を丸くして「何事か」という風で、腫れ物に触らないように急ぎ足で通り過ぎる。

さすがに公団も困ったのだろう。大きな会議室にわれわれを案内して入れた。それでも「責任者」は来ない。外は暗くなってきた。やがて午後七時になる。こんどは、夜食の調達だ。また「買い出し」である。幸いテーブルが並んだ部屋だから、食堂にいるような感じで夜食を摂る。乳児のぐずる声がしだした。乳飲み子を抱いた若い女性が、「ミルクを飲ませなければ」と言う。公団の職員を呼んで事情を話す。「乳飲み子がミルクを飲めないでいるとどうなると思うか？　公団は責任を取れるか？」　慌てて湯沸かし所で湯を沸かして持って来る。乳児は無事ミルクを飲んで静かになった。別の若い女性が気分が悪くなった。もともと貧血気味だったという。また、職員を呼び、「横になれる部屋を用意するように。それとも救急車を呼ぶか？　万一重態になったら公団の責任だ！」と談判。ソファーのある応接室があてがわれた。一時間ほど横になっていた女性は、元気を取り戻して会議室に戻った。こんな状況でも、住民の中から「交渉を諦めよう」といった「不満」や「嘆き」の声はいっさい出なかった。むしろ、ここまで住民を「軽んじる」公団の応対に「怒り」すら覚えていたのだろう。もはや、住民ペースである。公団職員も経験のない「住民のしぶとさ」だったのだろう。その狼狽ぶりも伝わってきた。「我慢比べ」である。

午後八時になって、ようやく所沢管理事務所の所長が顔を出す。何と一人だけである。どうやら、公団の上層部は、あくまでも「地元問題は地元事務所の責任で解決しろ」ということのようだ。業《ごう》を煮やして所長を呼び寄せたのだ。所長には当然、昼までには事情が伝えられ、本社に出向くよう「指示」があったろう。だが、こんな時間まで来なかったということは、本社からすれば所長の「失態」だろう。

改めて、その所長との「団体交渉」が始まる。だが、「状況の読めない」所長は、あいかわらず頑なで「レーン増設計画」を撤回しない。時間だけが過ぎる。もう午前零時に近い。交渉は「決裂」ということになった。そこで、さらに公団サイドに「課題」が増えた。「四〇人の人間が霞が関の都心から練馬区大泉や埼玉県新座市に帰るにはもう電車がない。朝から訪問して面談を求めて来たのに、真摯に応対せず、こんな深夜まで住民を一〇数時間も『拘束』したのは、公団の誠意のなさの所為《ゆえん》である。このヒドイ実情を今からでもマスコミに取材をしてもらう」と職員に迫った。すでに朝日新聞で「新座市側への防壁高の差別」が大きく取り上げられていた。さらなる「新聞沙汰」にはさすがにしたくなかっただろう。結果、公団は、社用のタクシー券を出すことになった。住民は、一刻も速く帰宅すべく高速道路を利用してタクシーに分乗して帰路についた。

「公団本社直撃」は、すぐに結果が出た。件の所長は交代（「九州に転出した」と事務所員から聞いた）。霞が関一帯で「公団批判」のビラまきをされ、本社の役員階廊下に座り込まれ、そして深夜まで団交をされてはタクシー券の提供…、第三者的にも所長が「叱責」されたであろうことは想像に難くない。新所長は「レーン増設」撤回に応じた。公団内部でも、ＥＴＣの時代、植樹帯ノリ面を潰し地元住民の反対を強硬に押し切ってまで「レーン増設」に拘る意味がないことを承知していたのだろう。「本社直撃」後三週間ほどで、新たな「合意確認書」（Ⅱ）が調印された（一九九六年一月二九日）。

いずれにしても、老若男女の大勢の住民が、自分たちの居住環境改善のために正月早々から公団本社まで「押しかけ」、公団の「しがない」対応にも怯まず一〇数時間も粘った「不屈の精神」の成果だった。住民運動・市民運動のあるべき姿のひとつの典型と言い得ようか。

柔軟対応――「敵に塩」

国家権力に繋がる道路公団という巨大な組織に対する住民運動は、ただ「実力行使」の強硬路線を突っ走るだけではでは成算はないだろう。「終の棲家」で暮らす住民の「生命と生活」を守るための運動は、必ず「成果」を得なければならない。「正論」を掲げて勢いよく闘って「散る」という訳にはいかない。柔軟な「戦術」も必要になる。相手を追い詰めるだけでは「成果」は得られない。「花をもたす」ことも時に必要である。上杉謙信が敵の武田信玄に塩を送ったという「逸話」は、どうやらそうとう後に書かれた「作り話」で史実ではないらしいが、「窮状に手を差し伸べられ」れば、有難く思うのが人情だろう。

高速道本線拡幅に伴う側道の拡幅変形という、少々厄介な問題があった。二軒の住宅の敷地内にその側道拡幅がかかってきた。公団は二軒の「立ち退き」を必要とした。それが「成功」しないと、本線の拡幅自体に支障が生じる。沿線住民を「掌握」している住民協議会の立場は強かった。「同じ大泉学園町内で同等以上の住宅が見つかれば移転もやぶさかでない」という、当該二軒の住民の「意向」をまず聞き出した。協議会が当該住宅二軒と公団の「仲介役」を引き受けることを両サイドに承諾させ、公団は当該住民の意向に沿う住宅を探すことになった。もとより「無償」での移転である。結果、首尾よく適当の中古住宅が見つかり、二軒はすぐに転居して、側道拡幅は可能になった。側道拡幅分で「削られた」残りの二軒住宅敷地は、「小公園」として造成し完成後練馬区に移管することになった。その小公園は、「住民の散歩用休憩所」としての機能をもたせるよう、協議会が「設計」までして「協力」した。一つめの「敵に塩」である。

さらに、その側道はすでに区道になっていたので、変形について公団は練馬区の諒解を取りつけねばならなかった。担当工事事務所は違ったが、すでに練馬ＪＣＴまで開通していた外環道だが、その練馬区内「半地下化」にあたっての公団と練馬区の間の関係は必ずしも「良好」ではなかったという情報があった。今回の関越道拡幅に伴う「区道変形」について、練馬区は事前の相談がなく公団案が急に出て来たということもあって、即座の「諒承」という姿勢を見せずギクシャクした。

既述のように、この拡幅工事に伴う諸案件について、住民協議会ができるだけ自主的に公団と折衝して解決するということでその「協力」を確認・了解していた、協議会と練馬区の関係であった。この「区道変形」問題についても、協議会が「間に入って」、スムーズに「公団案」どおりで解決した。二つめの「敵に塩」であった。

少なくとも、この拡幅工事の担当の練馬工事事務所が、所沢管理事務所とちがって、住民協議会に対して「柔軟対応」をするようになったのは、こうした「塩贈与」という住民協議会の「柔軟な」運動内容によるところが大きかったろう。

状況に応じて「硬軟」両面の「戦術」を使い分けることは、住民運動が確実に成果を得ていくために十分に考慮されるべきことであろう。

(四)　運動の永続性

「練馬・新座協議会」の住民運動は、さらなる課題を追求することになった。最も「公害」のヒドイ新座料金所周辺の環境保全策をどこまでどうするか、ということで所沢管理事務所との協議が続いた。

「防壁」については、本線の八メートル高に対して料金所両側は九メートル高とすることで「折り合い」がついたが、料金所北側隣接部分の防壁措置で時間がかかった。問題は、料金所すぐの北側を流れる黒目川を跨ぐ橋梁部分の防壁を八メートル高にするには、とくに対風圧対策としてその本線橋梁部の構造補強をしなければならないことだった。管理事務所にとっては「想定外」の問題だったようだ。だが、いくら料金所部分の防壁高を九メートルにしても隣接北側部分の防壁が五メートルでは、とくに冬の季節には北風によって本線の排ガスが住宅地に吹き込むことが当然推測された。

この問題についても、住民協議会は安易な妥協をしなかった。管理事務所の所長は二、三年で交代したが、その問題はずっと持ち越されて「新所長」の仕事になった。当然、住民協議会はその間、何度も公団本社に申入書を提出して「誠意ある環境対策」を求めた。ようやく、この難題が解決して、黒目川を越えて丘陵部まで八メートル高の防壁設置を含めた新座料金所周辺のすべての「環境保全策」についての「合意確認書」(Ⅲ)が交わされたのは、「確認書」(Ⅱ)調印から七年後だった(二〇〇三年六月二八日)。「不屈の精神」は健在だった。

しかし、この高速道路拡幅に伴う環境改善策を課題とする住民運動は、「合意確認書」が調印され拡幅工事が終了したら、それで終了ということにはならない。要した時間の長短に限らず、「確認書」調印によって「課題」

がすべて解決する訳ではない。環境問題というのは、そこに生活がある限り、その生活者が蒙る「環境刺激」は永久的に存在する。ましてや、「確認書」どおりに工事すべてが首尾よく完了しても、新たな「環境刺激」が想定どおりに「抑制」されたかは、工事終了後における日常的な「動静」を観察しなければ判らない。半永久的な「現地情勢」への関与は、環境問題が要請する「必要条件」ともいえよう。

環境問題にちなむ住民運動が「永続性」をもたざるを得ないのは、こうした事情からである。この住民協議会は、公団との「定例協議」を行う合意を取り付けてこの課題に対応した（拡幅工事が完了したら練馬工事事務所は「解散」したので、定例協議の直接の相手は所沢管理事務所となった）。

この「定例協議」には、公団側は所長・副所長・管理課長・工事課長の最低でも四人が毎回出席することになり、住民協議会側は、各地区責任者が「共同代表」となって五人ほどが出席した。

「確認書」（Ⅲ）締結後半年ほどしたこの「定例協議」の初めのころ、この最後の確認書調印の一方の責任者である所沢管理事務所の所長が「公団総裁賞」を受賞したことが報告された。料金所「レーン増設」を計画した所長から代わって四代目の新所長である。住民協議会の「運動」が突き付けた課題の一件落着が「総裁賞」になる！公団にとって、この住民協議会の「運動」がいかに「厳しく」骨身にこたえるものだったかということなのだろう。

住民協議会のわれわれは、「住民協議会の運動あっての総裁賞でしょう。半分はわれわれの功績です。賞状の半分をもらいましょうか」と冗談を言いながら、ジュースで乾杯し「敵」の栄誉を賛えた。

「定例協議」の成果は、それなりにあった。

「防壁」を日照障害対策や横断道・側道交差部見通し対応のために「透光板」（ポリカーボネイト製）としたのだが、四キロにも及ぶ材料調達は、メーカーが数社に分かれたという。メーカーによって、「耐久性」に差があった。すぐに「不透明」に劣化するものが出た。沿線住民の日常生活があればこそ、そうした「不具合」が容易に観察された。定例協議において、その問題を指摘し、管理事務所は透光板の補修を行った。

「定例協議」のさらなる成果は、新座市当局が計画した新座料金所における「スマートインターチェンジ」（ＳＩＣ）開設計画の問題であった。沿線住民にも知らされずに新座市はこのＳＩＣ計画を進めた。当時「まちづくり交付金」や「道路整備事業補助金」の国からの「補助」によって、全国的にＳＩＣ開設が容易に行われていた。だが、料金所一帯は「防壁」を九メートルにするような特別な「環境対策施行地区」であり、ここにＳＩＣを設置することは、周辺住宅地への自動車流入・流出の増大や「防壁」そのものの「空洞化」を招来し、「環境対策」に逆行するものであった。

新座市は、まるで以前の所沢管理事務所のように頑なで、住民協議会の面談申し入れにも応じなかったのである。まず、住民協議会は公団との「定例協議」において、公団から「現行の環境対策施行地域内でスマートインターチェンジを設置することは適切でない」との見解を出させた。この問題が「審議」される市議会に、大挙して「傍聴」する行動を取った。「例の通り」、議会当日、市役所周辺で住民協議会は、「住民を無視した新座市のインターチェンジ計画暴走！」を訴えたビラ配りをした。まず、役所の出入口でビラ配りなど、かつて経験したことがない職員は、ほとんど進んでビラを受け取った。当然、議会開始前に、そのビラは当計画推進の責任者である市長の手に渡っていたはずである。

常々、傍聴などない議会が、傍聴席に数十人の住民の傍聴である。あらかじめ、住民協議会のこれまでの長年の運動について「説明」をしておいた野党議員の質問は、住民協議会に替わる「糾弾」といっていいほど鋭いものだった。すでに一五年も運動を展開してきた住民・市民の努力の成果である料金所一帯の「環境保全対策」である。それを、「台なし」にするSIC計画の「無謀さ」が議会において、明白になった。市長に替わって答弁する都市整備部長の文言はまったく説得力がない。

さらに、住民協議会は当時の国交大臣に「要請書」を提出し、「無謀で、独断的、不透明な『新座スマートインターチェンジ』に対する、《まちづくり交付金》《道路整備事業補助金》などの支援は、採用されることがないよう、重ねて要請いたします」とした。

後日、件の新座市都市整備部長は住民協議会の代表宅を訪れて、「SIC計画は撤回します。環境対策地域になっていることを知りませんでした。ご迷惑をかけました」と報告した。さらに突っ込んで聞くと、「国からの補助金が得られないことが明らかになった」と。公団も認めず、国交相も容認しなかった「計画」だったのだ。

「公論」「公共性」の深化と拡充、集団力・団結力・不屈の精神、状況に応じた「柔軟対応」、そして環境保全堅持への永続的取組…、これら運動の「戦略・戦術」の周到な構想・行使があってこそ、住民運動は成果を得たのだった。

《追記》 住民協議会と公団との原則月一回の「定例協議」は、その後、公団が民営化されてNEXCOになった後も引き続き行われ、沿線環境保全についての具体的な状況や対策が話し合われた。そして逐一、具体的な「補修工事」などが施されていった。「生命と生活を護る」住民運動は、本稿でも述べたように、まさしく「永続的」であった。同「定例協議」は、世紀を跨いで四半世紀以上も続いた。

5　尾瀬自然保護運動を回顧する（平野長靖没後五〇年）

――市民運動が「学ぶ」もの

半世紀の間、溜まりに溜まったモノの「断捨離」を行うことになった。日ごろ忘れていた、あるいは気付かなかった「貴重なもの」に出くわすという「恩恵」も断捨離にはあるようだ。

そんなものの中に一冊の本があった。『尾瀬に死す』（平野長靖著　新潮社　一九七二）の初版単行本である。私が購入したものではない。すぐに、尾瀬をこよなく愛した亡妻の「遺物」だと判った。彼女二七歳の結婚前の時期に求めたものだろう。すぐに、彼女の遺影を飾っている壇に備えた。

著者・平野長靖は、尾瀬の自然保護に身命を賭して闘った「平野家三代」の三代目。群馬県片品村から三平峠・尾瀬沼畔・沼山峠経由で福島県桧枝岐村に続く「旧会津沼田街道」の車道化計画に対して、「尾瀬の自然を守る」ために奮闘し、時の初代環境庁長官・大石武一に直接面談して説得し、工事が進行していた道路計画を中止させた「大功労者」だった。道路計画中止が決定した直後の一九七一年一二月一日、山小屋・長蔵小屋の冬ごもりの作業に片を付け豪雪のなか尾瀬沼畔から三平峠を下って片品村・戸倉の自宅に帰る途中、体力の限界を越えた疲労に意識を失い、そのまま帰らぬ人となった。

長蔵小屋を継承するはずだった弟・睦夫の早逝で、両親の強い説得もあり長男だった長靖は勤務していた北海道新聞社を辞し小屋の運営を引き受けていた。もともと、子ども時代から体操・運動の苦手な彼は、この遺稿集『尾瀬に死す』にも掲載されているが、沼田高校時代、京都大学時代、北海道新聞社時代のそれぞれに多くの詩作をするような「文学少年」「文学青年」だった。

『尾瀬に死す』は、彼の古くからの友人や共に尾瀬自然保護運動を闘った人びとが、その急逝を悼んで彼の遺稿を収集して編纂したものである。

この二〇二一年は、長靖の没後、ちょうど半世紀、五〇年。その年に彼の遺稿集に出逢った。天の配剤というべきか。いや、天の妻の「導き」か。

長靖の急逝とその遺稿集『尾瀬に死す』が、とりわけ道路計画を中止させた「尾瀬自然保護運動」の印象を強く与えがちだが、今日の尾瀬が世界に誇る湿原と四周の山々を抱く国立公園として多くのハイカーや登山者がその魅力を堪能できるのは、実は明治期以来の水力発電用ダム建設計画に対して「尾瀬を守る」闘いを果敢に挑んだ、長靖の祖父・長蔵以来三代にわたる「不屈の精神」とそれをサポートした市民運動や大きな世論があってのことである。

このたびの一文は、尾瀬の自然の素晴らしさを「語る」ものではない。「平野家三代」を中心に、こうした素晴らしい尾瀬を残すために命がけで闘った人たちの「自然保護運動」をあらためて見つめ直そうとするものである。ダム計画や道路計画に反対し、尾瀬の自然を守り抜いたのは、わが国初めてと言っていい「自然保護」の市民運動の成果である。いま、市民運動はさまざまの課題で展開されているが、どのような課題であれ、市民運動に携わる者は、あらためて尾瀬自然保護運動の「不屈の精神」と「連帯の精神」に学ぶものがあるにちがいない。

(一)　尾瀬を歩く

私が初めて尾瀬を訪れたのは中学生時代だった。初の尾瀬行きは苦い思い出である。わが家にはとりわけハイキングや登山を嗜むような習慣はなかったが、当時、尾瀬は、あの広く流行った歌「夏の思い出」（作詞：江間章子、作曲：中田義直　一九四九）（〽夏が来れば思い出す。遙かな尾瀬、遠い空。…水芭蕉の花が咲いている…）にも象徴されるように、ぜひ訪れてみたい「憧れの場所」であった。大学生だった長女を筆頭に、高校生・中学生・小学生の四きょうだいで出かけたのだった。水芭蕉の季節だった。今から六五年ほど前、その時分は今のような旅行や登山のまともな案内書はなかったように思う。ルートの予備知識もあまりなかった長女の「不案内さ」は、宿泊のことでいっそう露呈する。ようやく峠を越えて尾瀬沼近くに着き、一夜の宿をある山小屋に求めた。もう辺りは暗くなっている。「満員でダメですねえ。今どき、予約もしないで尾瀬に来るのは無茶ですよ」崖から突き落とされたような思いでハアハア言いながら登った三平峠を暗いなか覚束ない足取りで下り、戸倉部落まで戻って、民宿に宿を得た。もう、翌朝、あの三平峠を再び越えて尾瀬沼に行く「気力」は皆失っていたし、きっと予算も一泊分しか用意していなかったろう。初の尾瀬行きは、ここまでだった。尾瀬沼や燧ヶ岳の風姿を見ることはできなかったけれど、峠を越えて最初の山小屋までの道すがら、初めてこの目で水芭蕉を拝めたのがせめてもの「収穫」だった。「水芭蕉の季節の尾瀬には注意せよ！」　肝に銘じた苦い「初尾瀬行き」だった。

二回目の尾瀬行きは、大学四年の時だった。ああいうのを今どきでは「合コン」というのだろうか。卒論のゼミ仲間のSg、Stと私、それに某国立女子大の二人の女学生とその一方の従妹の計六人だった。この尾瀬行きは、どういう訳かあまり記憶に残っていない。ただ、運動があまり得意でなかったStが汗をびっしょりかいてヘロヘロであの木道を歩いていたのが思い出される。高校時代ワンゲル部に所属していたというSgは、さすがにニッカズボンにゲートル巻き、本格的な登山靴でビシッと決まっていた（今は、ニッカズボンなどでハイキングや登山をする者はいない。懐かしい「山姿」である）。数年後、そのSgが「従妹」と結婚することになった。確かに美人だった。まあ「合コン」の成果というべきか。

頻繁に尾瀬に行くようになったのは、「尾瀬愛好者」の妻と所帯を持つようになってからだった。所帯をもってから何度尾瀬を訪れたことだろうか。二〇回は下らない。数メートルもの雪が積もる厳冬期以外は、春・夏・秋のシーズンは何度も行ったものだ。それぞれの季節ごとに、まったく異なる表情でわれわれを迎えてくれる。

二人の子どもたちがまだ小学生だった頃（息子が小四、娘が小二）の尾瀬ハイキングが親子そろっての初めての尾瀬行きだった。数時間歩くあの尾瀬ヶ原の木道。子どもたちももう小学生になるとけっこう足も達者になり、幼児の頃と違っていっさい弱音を吐かなくなっていて、「ああ、逞しくなったなあ」とフト神妙な親心を覚えたのが印象にある。

その娘が中学生だったころ、その友人とわれわれ夫婦の四人で燧ヶ岳に登った時は、すばらしい快晴で、尾瀬ヶ原全体の眺望が手に取るように得られた。前日歩いてきた木道までよく見えたものだ。歳甲斐もなく温泉小屋からの「直登」ルートに挑んだのだった。けっこうきつい動物臭の道、あれほどずっと臭いが続いていたのだから動物の往来も頻繁だったろう。頂上の手前で振り返って尾瀬ヶ原全体が視野に入ったとき、ほぼ一〇〇〇メートルの高度を「直登」で登った疲れは一気に吹き飛んだ。頂上で三六〇度見回して、男体山を含む日光連山や越後の山並み、会津駒ケ岳はもとよりはるか東北の山々がよく見えた。二三五六（ニイサン、ゴロネ。燧ヶ岳の標高）にあやかって大きな岩に横たわって陽光を浴び、ひと時を過ごしたものである。下山は長英新道をゆったり下って尾瀬沼畔に出た。人生最高の登山日和だった。

尾瀬が原の広大な湿原に顔を見せる「水面」は池塘だけではない。原にはいく筋もの川が流れている。多くの支流を集めて最も水量豊かに流れるのが、原の北辺を画して行く「ヨッピ川」である。この川には今、鉄製の吊り橋がかかっているが、初めてこの地に木製の吊り橋が架けられたのは一九二七（昭和二）年、水力発電のための基礎調査をすべく東電小屋が建てられたときだった。

ヨッピ川はしばらく東行して「見晴」辺りで北行し温泉小屋の裏を通って只見川に合流する。「三条の滝」はこの合流点前のこのヨッピ川の「姿」の一部である。「ヨッピ」という聞きなれない呼称は、アイヌ語だそうだ。「集まる」という意味があるとか。確かに多くの支流を集めている。だが、どうしてその名がアイヌ語なのか。沼山峠越えで福島県から尾瀬に入る手前の村落・桧枝岐村は、かつての平家の落人が成した集落だという説もある。確かに福島県のなかでも「奥地」の辺鄙な秘境である。また「平野家三代」にも見られるように、「平野」姓の住人が多いという。源氏に追われた平氏の末裔が「平野」姓を名乗ったという伝承は、この福島県桧枝岐《ひのえまた》以外にも、大分県国東市、三重県熊野市、東京都檜原村、岩手県釜石市、香川県観音寺市、山口県下関市など各地に伝わる。尾瀬は平安期・鎌倉期からの人々の「歴史」が刻まれているのか。だが、アイヌとなれば時代はもっと遡る。平安初期、桓武天皇が征夷大将軍・坂上田村麻呂を遣わして当時のアイヌ首領・阿弖流為（アテルイ）を捕縛した根拠地・多賀城は現在の岩手県にある。朝廷の「勢力」は九世紀初頭にはすでに奥州奥地まで伸びていた。はるか手前の尾瀬の地にアイヌ語が残る。ひょっとすると、桧枝岐や奥只見の地は、桓武よりはるか以前の大和朝廷の「征夷」に追われたアイヌの落人が辿り着いた所かもしれない…。いわば「二重の」落人集落地？現に、埼玉県奥地の秩父盆地は、「高麗」の地名も示すように早くからの帰化人の居留地だった。銅の精錬技術をもった彼らがこの国最初の鋳造貨幣「和同開珎」をこの地で造ったのは七〇八年のことであった。

尾瀬は豊かな自然だけではなく、ずっと古い人々の歴史が埋もれているのかもしれない…。

子どもたちがそれぞれ巣立った後は、夫婦二人でよくあの木道を歩いた。二列の木道はよくできている。向う側から来る人たちと「通り道の譲り合い」をせずに済む。お互いすれ違う時は必ず「こんにちは」と声がけするのもしきたりだ。

尾瀬ヶ原の木道を歩く楽しみは、私には二つあった。もちろん、広大な空間の東西を画するように聳える燧ヶ岳と至仏山の山容があっての尾瀬であって、それは大前提である。楽しみ「その一」は、湿原の広漠と広がる空間の大きさである。水平に広がる湿原の彼方に白っぽい幹が並ぶ白樺の群れが、そんな拡がりのアイストップとなり、歩くにつれてその白樺群が存在感を増してくる…。秋は、ことにこの白樺の葉がみな黄色く染まって横に拡がる「壁」となり、湿原の草紅葉と好対照の色の「競演」を見せてくれる。木道が真っ直ぐでないということと併せて、この広大な湿原の景色は歩くほどに変化する。何時間歩いてもけして飽きることがない。

「その二」は、この湿原そのものを特徴づけている無数の池塘群である。形も大きさも千差万別、水面に映る景色もこちらが歩くにつれ変化する。水面に浮かんだり顔出ししたりの草花も、池塘ごとにさまざまである。木道を行くと、所どころに休憩用のテラスがあって、中にはベンチのあるものもある。そんなテラスから枝状に伸びる木道沿いに少し奥まった池塘を覗くと、普通の木道から見る池塘とはまるで違う個性的なものに出逢うことが多い。水面を覆い尽くす蓮の葉を小さくしたようなヒツジグサの丸い葉っぱの群れ…。

夫婦二人で、尾瀬沼畔の長蔵小屋に泊った翌日、わざわざ三平峠から片品村・戸倉へ出る帰路をとったこともあった。あの「自動車道計画中止」の「実態」を見ておきたいという思いからだった。「下りなら三平峠も楽だろう」という目算は外れた。「イヤー、膝に来るなー」とボヤキながらのキツイ下山だった。件の道路計画の「跡」はヒドイものだった。三平峠山麓から幅二〇メートル近くの砂利道がずーっと大清水まで続いていた。つまり、片品村から「北上」する自動車道はすんでのところで三平峠の山麓を削って止まったのである。尾瀬の豊かな自然のなか、木道や「土の道」を歩いてきた者には、二〇メートル幅の砂利道は、「魔界」を行くようできわめて不快だった。こんな幅広道がさらにアスファルト舗装され、「立派な」自動車道になって、三平峠を越え尾瀬沼畔を通ることを想像しただけで怒りがこみ上げた。あらためて平野長靖の奮闘を想った。

長年にわたって尾瀬を訪れていると、その「変化」も気になってくる。尾瀬行きの回を重ねるにつれ、水芭蕉がだんだん大型になり、中にはお化けのような巨大なものが現れるようになった。おそらく、多くの「訪問者」の生活排水による水の「富栄養化」によるものだろう。自然の維持とハイキング・登山の人間活動との相反する「関係」の難しさは、人気の尾瀬だけに重大な問題と思われるのである。

妻との最後の「尾瀬行き」は、二〇一二年一〇月だった。尾瀬ヶ原一帯が草紅葉で赤茶色に染まった時期だった。その日の宿は、弥四郎小屋だった。そこに湧き出る清水は最高の清水。夕食前、小屋の喫茶コーナーでその清水を用いたコーヒーを、暮れなずんでいく尾瀬ヶ原を見ながら二人で飲んだ。もちろんブラックで。うまかった。最高のコーヒーだった。翌日，尾瀬ヶ原逆行の帰路、鳩待峠への登り道で、いつもとは違って家内の足の運びが遅く辛そうだった。途中何度も休憩をとった。前日、山の鼻までこの山道を下った時は、周囲の素晴らしい紅葉を愛でながらの余裕の歩きだったが、それが、この登りの様子。その時は、「もう歳だからな」と思っていたが、今から思うと、「病魔」が忍び寄っていたのかもしれない。妻のガン発見は二〇一四年九月、その時すでに「ステージ4」だった…。

私のゼミの院生たちと夏の尾瀬を訪れたこともあった。韓国からの留学生二人も混じっていた。八月の初めで尾瀬ヶ原のニッコウキスゲは「盛り」を過ぎていた。下田代十字路の第二長蔵小屋に泊まった。夏の山小屋もいつも混みあう。教師も学生も、男も女もない。二人の男子学生、二人の女子学生と私の五人が六畳くらいの部屋一つの「相部屋」。「ご一同ひとグループひと部屋」である。きっと困ったのは女子学生たちだったろう。翌朝、さすがに早く目覚めた私は、まだ眠っている学生たちに気づかれないようにそっと起きて、日の出前の湿原を歩くことにした。尾瀬ヶ原の魅力のひとつといわれる「朝もや」が見たかった。燧ヶ岳の背後の空は明るくなってきた。あの広漠とした尾瀬ヶ原一帯にモヤがかかり、昼間はけして見ることのない幻想的な世界だった。昼間温められた湿原の水が、早朝の冷気のなか蒸発して霧状になる…理屈は解っていても、それを目の当たりに体験してこの目で現認した「もうひとつの尾瀬の姿」は絶妙だった。

朝食を摂ったあと、エネルギー豊かな学生たちは、北行して「三条の滝」の見物に行く。私は、何度か見ているので、英気を養うべく弥四郎小屋の屋外のテーブルで読書をして彼らの帰りを待った。「斜面で滑ってしまって…」といって泥に汚れた姿で戻ってきた彼らと合流し、燧ヶ岳の山裾を廻って尾瀬沼に向かった。沼尻休憩所に近づくあたりからまっ黄色のニッコウキスゲの群落がわれわれを迎えてくれた。素晴らしい黄色の広大なじゅうたん。こちらはまさに「盛り」だった。同じニッコウキスゲでも尾瀬ヶ原と尾瀬沼周辺とでは気温などの気候条件が異なるにちがいない。長蔵小屋前のビジターセンターに着いた時には、あれほど晴れていたのにものすごい夕立に見舞われてしばらく止まなかった。これが山の天気である。しばらくの休憩の後、雨合羽で雨を凌ぎながら大江湿原を北上して無事、沼山峠を越え、帰路のバスに乗り込んだ。

ずっと後に、韓国に帰って大学教授になったその時の留学生の一人は、「尾瀬が日本でいちばん気に入ったところ。すばらしかった」と語った。

尾瀬の魅力は尽きない。

(二)「開発対象地」としての尾瀬

尾瀬沼畔の長蔵小屋から少し離れた大江湿原が始まるところ、小丘（柳蘭の丘）に平野家の墓所がある。沼尻付近（現在の沼尻休憩所の辺り）に初めて住み着き、小屋を開いた「初代」の平野長蔵、その子・長英、その孫・長靖、睦夫三代の墓である。尾瀬を愛する者は、誰もが近くを通る時には、この小丘に登って墓に手を合わせるのが習わしである。

今は日本有数の湿原として国立公園にも指定され、湿原保全を目的としたラムサール条約の登録地でもある尾瀬。だが、「開発対象地」として多くの「計画」が立案され、奇跡のようにそれら開発を免れてきた「歴史」はかなり古いのである。

水力発電用ダム貯水用地

尾瀬が水力発電用の有力な候補地として「目をつけられた」のは、まず、その地形と豊富な水量という自然条件だった。四方を山に囲まれ、冬季には数メートルの雪が積もって解けては盆地状の地形に蓄えられる水の存在は水力発電にはうってつけの土地であった（この地を「水源」とする只見川が尾瀬地域外において、今やJ－POWER（電源開発株式会社）や東北電力の水力発電の有数の「資源」となっていることでも容易に推察される）。

尾瀬が初めて水力発電用の土地として着目されたのは、明治期に遡る。富国強兵を旗印に近代産業の振興を目指していた明治政府は、その産業用エネルギーの多くを水力発電に依存した。一九〇三（明治三六）年に、尾瀬地域を対象とした水力発電計画が発表されている。この計画が尾瀬地域の土地所有者を大いに「刺激」し、大正初期の一九一八年に利根発電株式会社による尾瀬沼・尾瀬ヶ原を含む尾瀬地域一帯（当時は「戸倉山林」と言われた）の土地買収がなされた（この戸倉山林買収の経緯については、石井里枝「戦前日本における地方企業の経営と企業統治――利根発電を事例として――」『経営史学』第四四巻二号 二〇〇七 に詳しい）。一方、関東水電が一九一九年に群馬県知事に尾瀬水利権取得を申請し、具体的な「ダム計画」はこれに始まるともいわれる（後述「関東水電案」）。三年後の一九二二年に関東水電は水利権を取得する。利根発電は一九二一年に東京電燈（戦後の東京電力）に吸収合併される。関東水電も東京発電に吸収合併され、その東京発電も東京電燈に吸収されて、水利権もこの東京電燈に継承された。この尾瀬一帯地域の「土地所有者」が今も東京電力である歴史的経緯である（なお、東京電力は「尾瀬ダム建設不能」の前に一九九六年水利権を放棄している）。

もとより、自然豊かなこの尾瀬ヶ原・尾瀬沼を含む「戸倉山林」地域が水力発電用ダム建設の対象地になることについては、発電計画発表の時点から、この地域の自然性は守られるべきであるという意見は政府内にもあったという。

電力会社が土地や水利権を保有したとはいえ、「尾瀬ダム」建設に着手するには、時代は、関東大震災（一九二三）、世界大恐慌（一九二九）、満州事変（一九三一）、日中戦争勃発（一九三七）、国家総動員法（一九三九）、太平洋戦争勃発（一九四一）と、政治・経済状況は「予断」を許さない厳しいものになっていく。そして、国は、軍事統制を強めるなか、電力の国家管理を目指した。「国家電力管理法」の制定である（一九三八）。これにより再び「尾瀬ヶ原発電計画」が逓信省から発表された。しかし、すでに巨大ダムの建設費用を充当する国家財政の余裕はなかった。ダム計画は「冬眠状態」で戦後を迎える。

尾瀬の水源をめぐる「発電計画」や「利水計画」は、電力会社間と地元自治体（群馬県・福島県・新潟県）間の利害衝突もあって、戦後も複雑な経緯をたどる。その詳細をここで記述するのは必ずしも本稿の目的ではないので、主な「開発計画」の列記にとどめたい。

＊関東水電案（一九一九）：尾瀬ヶ原出口（只見川上流）と尾瀬沼左岸にダム建設。只見川第一発電、尾瀬沼の水を尾瀬ヶ原貯水池に導水（第二発電）し、尾瀬ヶ原貯水池の水をトンネルで分水して発電（第三発電）し、その水は利根川に流して水利。

＊逓信省案（一九三八）：ロックフィルダム方式による尾瀬ヶ原大人造湖計画（湿地帯ゆえ重量式コンクリートダムは不適とされた）。この人造湖の水を利根川に導水する「揚水発電」。戦後、商工省はこの逓信省案をもとに「尾瀬原・利根川・只見川総合開発調査審議会」で正式決定（一九四八）。群馬県側の利根川上流に尾瀬の多量の水が導水されるこの計画には、もともと尾瀬を水源とする阿賀野川（只見川）を擁する福島・新潟両県の激しい反対があった。

＊群馬県尾瀬分水案（一九三九）：利根川に二ヵ所の巨大ダムを建設して発電と利水に資し、他方、尾瀬分水による発電を加味。逓信省案に吸収。

＊只見川本流計画案（一九四七）：日本発電東北支店が発表した「只見川筋水力開発計画概要」が基本になっている。只見川最上流部の四ダム（尾瀬ヶ原、奥只見、前沢、田子倉）を含む只見川水系の計二一ダムによる水力発電計画。

これらの「ダム建設計画」に唯一共通するのは、尾瀬ヶ原の只見川源流部（ヨッピ川）にダムを建設して、尾瀬ヶ原全体を巨大な貯水池とする考え方であった。

結果的には、「尾瀬ダム」計画は、周知のように頓挫する。政府内、文部省・厚生省に「自然保護」の観点から反対論もあったが、むしろ、いちばんの「中止」の原動力となったのは、「尾瀬自然保護」の市民運動の力だったろう。後述するように、一九四九年には文化人・学者・登山家らが平野家の反対運動を支援する形で市民運動体「尾瀬保存期成同盟」を結成し、精力的な活動を展開した。この市民運動が大きく「尾瀬保護」の世論形成に寄与し、政府も自治体も電力会社もその動向を無視できなくなったのである。ちなみに、この尾瀬保存期成同盟が今日の日本自然保護協会の前身である。

なお、尾瀬における種々の電源開発計画に対する反対運動を主題にした詳細な論考に、村串仁三郎「日光国立公園の尾瀬ヶ原電源開発計画と反対運動：戦後後期の国立公園制度の整備・拡充（5）」（『経済志林』法政大学経済学部学会　二〇〇九年六月）がある。

自動車道計画

三平峠と沼山峠を通って群馬県片品村と福島県桧枝岐村を結ぶ道は、「会津沼田街道」と言われて江戸の初期から存在していた。初代沼田藩主の真田信幸が戸倉に関所を設けて会津側との交易のために整備したとされる。

尾瀬沼畔・三平下辺りに交易所が設けられた。交易所は明治中期まで稼働したという。

一九三一年に国立公園法が公布され、三四年には尾瀬地域は日光国立公園の一部として指定される。四〇年に国立公園利用振興の目的で、この「会津沼田街道」の車道化が初めて計画された。それまでは、一八八二（明治一五）年の三等県道指定により「戸倉から先、県境までは幅六尺」と規定されていたように、人馬が通るだけの狭い道であった。軍国化が進むに従い車道化の予算もつかず、この計画は、ダム計画同様「冬眠状態」となって戦後を迎える。

戦後間もない一九四九年に、早くも旧会津沼田街道の県道沼田・田島線は公園利用促進を目的に「主要地方道大清水・七入線」となる。この亡霊のように「再起」した観光用車道化計画に対して、同年、「平野家二代目長英」の音頭取りで前述の「尾瀬保存期成同盟」が結成され、車道化反対の市民運動が始まる。

だが、学者・文化人・市民の強い反対の声を無視して、車道化事業は「着々と」進行した。一九六九年には沼田側大清水・柳沢間一・九キロ、一九七〇年には桧枝岐側御池・沼山峠間九・六キロが自衛隊の協力で完成する。また同七〇年には、当時自然保護を職掌していた厚生省は柳沢・三平峠間六・一キロの車道化工事を認可する。これにより三平峠までの工事が進行した。峠山麓のブナやミズナラなどの木々が大量に伐採され、翌七一年六月、この工事により岩清水の湧水が枯れるという事態が発生した。

同七一年七月環境庁が発足する。既述のように、平野長靖は七月二一日、初代長官・大石に直接会って車道建設の中止を訴える。大石は、翌二二日「これまで国立公園の自然保護行政は弱い面があったようだ。尾瀬の自然を守る仕事を環境庁の初仕事としたい」と表明し、同月末「現場」を視察して「建設中止もしくは路線変更」を明言する。時の建設大臣・田中角栄らの「工事続行」の意向と衝突しながらも大石は「尾瀬保護」の持論を押し通した。この間、同七一年八月「尾瀬の自然を守る会」が発足し、「車道建設撤回」の世論を盛り上げる。同七一年一一月九日、自然公園審議会が車道計画の一部「三平峠～沼山峠間」の廃止を答申。これを受け工事の中止が閣議決定され（一二月二一日）、三平峠～沼山峠間の「車道化計画の公園計画」が正式廃止となった。

まず奇異なことだが、この尾瀬沼地域の両峠間を残して、沼田側、桧枝岐側の既設車道は「国道四〇一号」となるのである。われわれが「魔界」を行くようだと感じて歩いたあの幅二〇メートルの大清水までの砂利道は、この国道四〇一号なのである。「途中のない国道」…、それは尾瀬自然保護運動の大きな「成果」の証《あかし》でもある。

(三)　平野家三代の闘いと尾瀬自然保護運動

初代・平野長蔵の闘いと武田久吉の「共闘」

一〇歳にして父親を亡くし、小学校は三年までしか通えなかった苦労人の長蔵。生地桧枝岐村での暮らしに窮した長蔵は、根っからの独立独歩、一本気の性格で、尾瀬の自然を守る闘いに身を挺した人物だった。一九歳、村の神体山であった燧嶽に初登頂。二〇歳の時に「神習教」教師の資格を得て燧嶽教会を沼尻に建立、さらに翌年、皇典講究所福島支部での研鑽《けんさん》により神官になる。尾瀬沼尻を「拠点」とした信仰活動。だが、故郷桧枝岐の村人らの「神官が奉職すれば狩猟ができなくなる」などの反対で、山を下りることになる。村に戻って製糸場や薬草製造の事業を始めるが、これも村人の「不興」を買って挫折。村を追われるように日光今市に移って半農半商の生活をする。一九一〇（明治四三）年に再び尾瀬沼尻に戻って、家屋（最初の長蔵小屋）を建てる。「いかならん神のえにしか知らねども我は恋しき尾瀬の沼をば」という長蔵の歌が残っている。後日、息子・長英の回顧談、「父は尾瀬沼山人と自称したように、心から尾瀬を愛していた」。

一九一五（大正三）年には、生活の安定を図るために尾瀬沼での魚類の養殖を行うべく、群馬県・戸倉村と福島県・桧枝岐村の両村から「尾瀬沼区画漁業権」を取得する。結果的には養魚事業はうまくいかなかったが、この「漁業権」が、のちの水力発電のためのダム建設計画や電力会社の水利権取得に対して、「先行権利を無視するもの」として「闘い」の大きな動機づけにもなった。

一九二二（大正一一）年、長蔵一家は尾瀬永住を決める。一九一六年に沼尻から対岸に小屋を移していた小屋（現在の長蔵小屋の裏、尾瀬沼畔の地）が家族の住まいとなった。

既述のように、同一九二二年関東発電がその「発電計画」（一九一九）に基づいて水利権を取得したのに対して、長蔵は果敢な反対運動を開始する。「上毛新聞」に当時の長蔵の取材談話が載っている。「元々ワシに許されているこの沼の使用を一応の断りもなく福島、群馬、栃木の三県知事が許したとすれば、ワシの養魚、捕獲、繁殖、保護の見地から当然黙従はできぬ。…三知事に対して行政訴訟を提議せぬとも限らぬ」（同年七月二四日付）。そして実際に、彼は二日後に内務大臣・水野錬太郎宛に訴願を提出し、尾瀬発電計画は、初めて大きな政治・社会問題となっていった。

長蔵は、単に生活のための漁業権を振りかざす者ではなかった。尾瀬の自然への深い理解と敬意を持ってもいた。尾瀬特有の植物を採集しては標本を作り、それら標本を多くの大学の植物研究室に寄贈したりもしている。植物学者・牧野富太郎が尾瀬で多量の植物を馬に積むほど採取したときの「君は植木屋か。…植物学者なら五本や十本仕方ないが、…研究すると同時に保護を考えてくれなくちゃならない」と一喝したエピソードも残っている。長蔵の闘いは、「尾瀬愛」そのものによるものであった。

その闘いは、必ずしも「孤高」というものではなかった。同じように尾瀬を愛する強力な「支援者」がいた。

植物学者で登山家の武田久吉である。彼は、自ら何度も尾瀬を訪れてはその紀行文などを発表し、また直接長蔵に面談して「尾瀬保護」の方法論を語り合ったりなどしている。武田の著作に長蔵と「尾瀬自然保護」の戦略を話したことも記されている。後藤充は武田の著作を引用してその「実際」を述べている（『尾瀬——山小屋三代の記』岩波新書　一九八四）。

「（大正一三年に長蔵は武田を訪れた。）翁の用向きは、尾瀬発電計画を防止するために国立公園にしたらどうかというものであった。その時代の国立公園は国民一般の利益よりもむしろ一部事業家の懐を肥やすのがせめてもの結果…。私は、尾瀬の自然を可及的損傷しないよう保護することが重要な仕事ではと私案を出したのに対して、翁は直ちに共鳴して、それ以来その方針をもって邁進した。尾瀬が今日まで原始的な風光を損傷せられずに来たのは、翁の献身的な努力の賜…」（『尾瀬ヶ原の諸問題』）

登山家であった武田は一九〇五年に日本山岳会を創設し、初代日本山岳協会会長でもあり、また日本自然保護協会会長を務めた。既述のように、戦後一九四九年に「会津沼田街道」の車道化計画が発表された時にすぐに結成された「尾瀬保存期成同盟」。武田はもとより同同盟の有力な発起人のひとりであった。同盟は二年後一九五一年に「日本自然保護協会」に発展改組する。武田は同協会会長として、いっそう「尾瀬自然保護」に尽力した。その発信力は大きく、「尾瀬の父」とも呼ばれて尾瀬保護運動の世論形成に大きく貢献した。

長蔵は、多面的な意味で「尾瀬の開祖」と言えた。燧嶽への信仰心、尾瀬への愛着、そして尾瀬沼畔に小屋を建造しての家族ぐるみの永住。冬の尾瀬は積雪数メートル、冬季の生活困難を考えれば、並々ならぬ勇断と英断。そして、水力発電計画反対の対政府の果断な行動。孤立運動にさせないための学者・武田などへの協力要請、連帯化の叡智。生涯を通しての運動の持続による、後代への尾瀬保護運動の伝達。文字通り「不屈の精神」を体現した尾瀬自然保護の「開祖」だった。

二代・長英の闘いと「尾瀬保存期成同盟」

長蔵の長男・長英は、ある意味生まれながらにして「尾瀬保護」に取り組む「宿命」を負っていたといえる。初めて尾瀬沼畔に永住の居を構えた長蔵の第一子として、その「小屋」で生まれ、父親の尾瀬保護運動への果敢な闘いを最も身近に見て育った。しかし、長英自身の性格は、豪気な父親とちがって温厚だったという。山中の孤独な青年の生活のなかで、長英が楽しみにしたのは読書と短歌だった。山小屋を訪れる若者たちが残し、あるいは贈った書物が溜まって「尾瀬沼文庫」も生まれる。長英の性格と思想の形成に大きな影響を与えたのは、ソローの『森の生活』だったという。既出の『尾瀬――山小屋三代の記』には、長英が詠じたいくつかの短歌も収載されている。

・水芭蕉の花しろじろと咲きいでぬ春日あかるき沼のほとりに
・こがねもてあがなひ得ざる麗はしき国土埋めて発電すといふ
・春されど人こふこころいまはわかずかくして山に老いゆくわれか

父長蔵が急逝した二年後の一九三二年、「老いゆく前」に二九歳で伴侶を得た長英は、生活向上のため「せめて百人は泊まれる小屋を」と山小屋経営拡大をめざして新長蔵小屋の建設に着手する。三四年小屋は完成する。現在われわれが利用する、あの重厚な趣の長蔵小屋である。

既述のように、尾瀬発電開発計画は、戦時体制が深まるこの時期、大きく具体化することはなかった。しかし、戦中、唯一「発電用取水」の動きがあった。尾瀬沼の水を片品川に導水し、下流の発電所の発電に資するという計画が、一九四四年に具体化する。尾瀬沼畔での取水工事の労働には朝鮮人が徴用された。この工事は戦時中いったん中止されたが、戦後四七年に再開され、四九年に完成している。

より大きな問題が生起する。既述の「逓信省案」に基づく「尾瀬ヶ原・利根川・只見川総合開発計画」が商工省で一九四八年に正式決定され、尾瀬ヶ原は只見川上流部のロックフィルダムにより貯水池になり、またその水は導水管で利根川に分水されるという「壮大な」計画である。

さらに、旧会津沼田街道の県道沼田・田島線は公園利用促進を目的に「主要地方道大清水・七入線」として観光用車道計画が具体化する。長英は、翌一九四九年に学者・文化人らと「尾瀬保存期成同盟」(後の日本自然保護協会)を結成して尾瀬の自然保護運動に挺身する。この「既成同盟」の発起人には、安倍能成、武田久吉、辻村太郎、谷川徹三、田村剛ら各界の著名人・有力者が名を連ねた。尾瀬自然保護運動が「幅広い」市民運動の潜在力をもったひとつの証であり、また、「自然保護」の限定的な視点・観点からより大きな社会的・文化的な課題を問うものとして世人の強い関心を惹起する大きな要素にもなった。こうした「方向」が取られたのは、現場で「運動の核」を担う「文化人」長英の思想や人生観によるところも大きかった。

三代・長靖の闘い――車道化計画の中止

長靖は「社会問題――人間社会のあり方」に強い関心をもつ人間だった。沼田高校時代には生徒会副会長、京都大学時代には自治会役員、北海道新聞社時代には労組役員を務めている。北海道新聞社時代には、すでに尾瀬自然保護運動が世間でも大きな関心事となっていた。当時、北大の名誉教授・館脇操(生物学)に「君は尾瀬に帰るべきだ。祖父と父が守ってきた尾瀬を守るのは君をおいていない」と言われた長靖は、こう反論している。

「自分が生まれ育ってきた土地ですし、父のそばで生きてきたのだから、尾瀬を守ることの大切さは少しはわかるし、先生や父の十分の一ぐらいは尾瀬を愛しているつもりです。けれども二者択一を迫られ、自然か人間かということになれば、自然がどれほど美しく、人間がどれほどちっぽけでいやらしくとも、やはり人間を選ばねばならないと思います」と。日記はそのあとこうも綴る。「ぼくが、人を選ばなければならない、と結論したのは、…大学一年の夏です。…働くもの弱いものが少しでもよりよい生活をねがうとき、それをおさえようとする不合理なものがいたるところにごろごろしている。…みんなで手を組んで、不合理なものをなくしていかなければだめだ。…」（「北海道時代　尾瀬に帰るべきか—日記から」『尾瀬に死す』）。長靖は、詩作をなす文学青年であったが、同時にまた「社会派青年」でもあった。

既述のように、長蔵小屋を継ぐはずだった弟の不慮の死で、長靖はけっきょく尾瀬に戻ることになった（一九六三年）。だが、長靖の尾瀬帰還後、旧会津沼田街道の観光道路化をめざした「主要地方道大清水・七入線」は、「尾瀬保存期成同盟」（日本自然保護協会）を中心とした強い反対運動や世論を無視して、着々と工事が進行した。既述のように、一九六九年には沼田側大清水・柳沢間一・九キロ、一九七〇年には桧枝岐側御池・沼山峠間九・六キロが自衛隊の協力で完成する。また同七〇年には、当時自然保護を職掌していた厚生省は柳沢・三平峠間六・一キロの車道化工事を認可する。これにより三平峠までの工事が進行した。三平峠山麓のブナやミズナラは伐採され、掘削された土砂が谷筋を埋めた。七一年六月には、ついに岩清水の湧水が枯れた。同年七月長靖、大石武一・環境庁長官に面談。同月下旬大石長官、現地視察、「車道計画中止もしくは路線変更」を表明。同年一一月、自然公園審議会「三平峠～沼山峠間の工事中止」を答申。翌月下旬、同区間の工事中止を閣議決定。この間、同八月には「尾瀬の自然を守る会」が結成され、いっそう大きな「尾瀬保護」の世論形成を促した。

長靖は、自然公園審議会の「中止答申」の結果を伝え聞いていたが、一ヵ月も経たない翌月一日、不運にも豪雪の中、斃れてしまう。文字通り「身を挺して」尾瀬を護った。もちろん、尾瀬保存を希求する大きく強い市民運動やそれを報じたメディアの力も与った。

また、工事中道路の「中止」を決断した大石の「良心」も大きかった。東北大助教授も務めた彼の、並みの政治家にはない研究者・教育者としての矜持だったろう。後日、大石は語っている。

「…工事をしている現場に出た。ひどいもんだった。山はみんな削られて、木はみんな伐られて本当にひどかった。自分の肌を傷つけられたような気がしたね。こんな道路は造らせられないと思いましたよ。そこで決心したんです。三県の知事に自発的にやめさせるしか方法がないと思った。環境庁にはやめさせる権限はありませんでしたから。説得を重ね、最後には気力で知事の方が負けたんですね」（『山と渓谷』一九九七年一月号　インタビュー記事）。

ともあれ、「自然より人間を選びたい」と語っていた長靖の「尾瀬愛」が「道路中止」に結実した。後に「国道四〇一号」になったこの道路は、今も「中抜き」（途中の車道がない）の世にも奇妙な道路として存在する。

既述のように豪雪の中、帰らぬ人となった長靖。気を失いつつあったその脳裏には、「無念」の想念が湧くなか、一縷の「矜持」が巡っていたにちがいない。「尾・瀬・は・護・ら・れ・た…」。

四　市民運動への教訓

工事が進行し、三平峠と沼山峠の足元まで拡幅車道が完成していた計画道路が中止となるという「奇跡」のような決定で、尾瀬は「生き残った」。尾瀬保護「成功」の要因は、もとより、尾瀬がもつ自然的潜在力（希有な湿原と高山植物などの生態系、類まれな景観美など）の高さと貴重さであったことはまちがいない。それゆえに、一度でも尾瀬を訪れた者は皆その魅力に惹かれて、「保護」の世論形成に加わった。

しかし、本稿は、むしろ市民運動への「教訓」を学ぶ目的から、この尾瀬保護運動そのものに焦点を絞って「成功要因」を考えてみたい。

およそ以下のような諸点が挙げられるだろう。

① **保護運動の核となった平野家三代の長年の「不屈の精神」**
② **内務省や環境庁など中央行政に直接に「問題提起」をした叡智と法的制度化への工夫**
③ **保護運動を「現場」の者だけに限定せず、学者・文化人・登山家などに拡げた「連帯」の力**
④ **広範な市民運動と「自然保護」の社会的理念浸透の相乗効果**

各項目について簡単な、コメントを付す。

① 平野家三代の「不屈の精神」

尾瀬に永住し、あるいはそこで生まれ育った人間として、最も「尾瀬を知り、尾瀬を愛する」者の矜持と責任感が運動の「核」になったことはまちがいない。しかも明治期から昭和戦後まで三代の長きにわたる開発反対の粘り強い精神の持続。この「核」の存在がなかったら、おそらく尾瀬は残らなかったろう。尾瀬ヶ原は発電用の巨大貯水池になり、その淵を幅員二〇メートルの自動車道が通る、ただの観光地になっただろう。しかも、自動車の排気ガスで貴重な高山植物も動物・鳥類・昆虫も大影響を受け、生態系は大きく損なわれたにちがいない。平野家三代はまさに「尾瀬保護の開祖」である。市民運動の「核」には、この持続的で強靭な「精神」が必須なのだろう。

② 行政・政府等への問題提起（政治問題化）と法制化

見たように、尾瀬が水力発電用地として初めて着目されたのは、一九〇三（明治三六）年であった。大正時代になるまで大きな動きはなかったが、電力会社が尾瀬一帯の土地を買収したり（一九一八）、「水利権」を獲得したり（一九二二）の発電事業への具体的行動が起こされて、「尾瀬の危機」が実際のものとなった。

平野家初代の長蔵は、この時、単身での「反対運動」に固執することなく、内務省に大臣・水野錬太郎を訪ね「水利権不許可」の訴願を行った。同時に有力政党である憲政会群馬県本部も訪れて「水利権阻止」を訴えた。県本部はすぐさま県民大会を開き、「内務省の認可阻止」を決議する。「尾瀬問題」が初めて広く「政治問題化」したのである。長蔵の「問題の拡大」「政治問題化」の戦略・戦術の叡智だった。

三代長靖が、観光道路化阻止に向けて行動した時に、環境庁長官・大石武一に直接面談し、大石の尾瀬視察⇒「道路の工事中止、路線変更」を導き出したことも、中央行政・中央政治への直接行動の「成果」であった。

一方、二代長英の時代には、「法制度」による「開発抑制」のブレーキをかける工夫も行われた。一九七〇年に、尾瀬は特別天然記念物の「天然保護区域」の指定を受けている。まさに、観光用自動車道が三平峠山麓に達して、一帯が掘削・伐採されつつある時であった。文化財保護法による規定で、天然保護区域は「保護すべき天然記念物に富んだ代表的な区域」であり、文化庁長官の許可がなければ動物・鳥類・昆虫の採集や樹木の伐採はできないのである。自然環境としての尾瀬の価値の高さが国民に広く周知された時期の「法制度」活用による「開発阻止」は、有力な戦術になりえたのである。

③　学者・文化人など広範な人びととの連帯

初代・長蔵が登山家で植物学者の武田久吉を訪ねて面談し、「尾瀬自然保護」の戦略・戦術を語り合ったことはすでに記した。長蔵は、中央官庁や有力政党に働きかけるだけでなく、こうして学者・文化人らとの「連帯」を運動の基本方針にもしていた。

二代・長英が一九四九年に旧会津沼田街道の車道化計画に対して「尾瀬保存期成同盟」を結成したときも、この「方針」は父から継承されるように活かされた。同同盟の発起人二一人は、長英自身を除けば他の二〇人のすべては学者・文化人・知識人といった各界の著名人・有力者だった。こうした広い「連帯」の思想こそが、のちの広範な市民を擁する運動に結実していったのである。

④　市民運動と自然保護思想の相乗作用

市民運動は、幅広い市民の理解と参加をもつべきだという「量的」要素も重要であるが、その「量」を得るためには、運動の基本理念の「質」の高さ・深さも求められる。尾瀬自然保護運動の場合、自然保護の思想や理念が問われていた。折から、高度成長期のわが国では、行き過ぎる開発による環境破壊が社会問題化して、生態学的視点に基づく学問研究を背景とした「環境保護」の思想が急速に発展した。一九七〇年の尾瀬の「天然保護地域」指定は、こうした思想浸透の結果でもあったが、この「環境保護思想」は一般市民の間でも広く共有されるところとなって、尾瀬保護運動の「質」をいっそう高めることになった。一九七一年に「尾瀬の自然を守る会」が新たに結成され、「車道化推進を許さない」という主張が国民の間に広まったのも、この「環境保護思想」の浸透という運動の「質」の高まりのゆえであった。

市民運動が広範な層を擁して展開されるには、こうして運動の原点になる思想・理念の深化も必須要件である。それがまた、多くの市民を運動に参画させるようになる。この「相乗作用」は、わが国有数のナショナルトラスト運動になった、後の「知床一〇〇平方メートル運動」（一九七七）でも顕著に見られたものであった。

何はともあれ、尾瀬自然保護運動の重要な「基幹」は、「成功要因」の第一項目に掲げた、平野家三代の「不屈の精神」であった。長蔵・長英・長靖のそれぞれが、ある時には、強力で強引な権力の前に「反対運動」の限界や壁を痛感し、あるいは「現地人」としての無力感や孤絶感を味わったこともあるにちがいない。長靖が自嘲的に記した文が残っている。「…自己運動のように車のための道が伸びてきて、自然保護の世論とはかかわりなく、山はだを食いつくしている。やがて鳥たちの声が消えるとき、なによりも人間そのものが荒廃してゆく。…あまりに非力だった私たち自身を責めあざけるのみだ。倒された木々と、涸れてゆく泉の前に、それに日本の次の世代の前に、重要な共犯者は頭を垂れ続けるだろう。自然に心を寄せる各地のみなさん、お笑いください」（『朝日新聞〈投書〉一九七一年六月二四日』『尾瀬に死す』）。運動者も人間である。いつもポジティブでいられる訳ではない。それでも彼らが運動を放棄しなかったのは、「尾瀬愛」に根差したその「不屈の精神」のゆえだったろう。見たように、長靖は、この投書の約一ヵ月後、東京に出向いて環境庁長官・大石に面談し、結果的に「計画道路中止」の「逆転ホームラン」を導いたのである。

私は、このたび、あらためて種々の文献・資料を通して彼らの「人生」とその「不屈の精神」に触れて、フト思い出した文言があった。それは、「旧会津沼田街道」の車道化計画が中止決定される少し前にあった大学闘争〈東大闘争一九六八～六九〉で残された有名な文言である。闘争の「始まり」と「終わり」を象徴した安田講堂の壁に遺されたものである。

「連帯を求めて孤立を恐れず。力及ばずして倒れることを辞さないが、力尽くさずして挫けることを拒否する」

前半の文言は、谷川雁の『原点が存在する』にある言葉だそうだ。※後半は、闘争の主人公のひとり（おそらく東大全共闘で実質的なリード役を担った「全闘連」（大学院生の横断組織）のメンバー）の「加筆」だったのだろう。

かつて、有明海に巨大な堤防を建設してその内部を干拓するという農水省の計画が進行したとき、「諫早干潟緊急救済本部」を結成して、諫早干潟の保全運動を果敢に展開した山下弘文を訪ねたことがあった。氏には諫早湾だけでなく、球磨川のダム建設によって水没する五木村も案内してもらった。氏との雑談のなかで、氏が、ふとこの安田講堂に遺された文言を口ずさみ、「私の好きな言葉です」と語ったことがあった。「救済本部」が当時「月一回」発行していた「諫早通信」に寄稿した私は、その文中にあらためてこの文言を挿入した。氏への連帯と、自らへの「叱咤」の念を確認するために…。

果敢な闘争、運動を「不屈の精神」で実践する人たちに通底する思念を、この文言は示すものなのだろう。「平野家三代」の長蔵・長英・長靖も、そして山下弘文も、黄泉に召されてしまった。今、私たちがなすべきことは、彼らの精神と行動を学び活かしていくことであるにちがいない。

※　後日、谷川雁の詩文集『原点が存在する』（現代思潮社）にあたってみた。同書中の「工作者の死体に萌えるもの」（一九五八年六月『文学』初出）にその文言はあった。前後を含めて引用する。

「大衆の沈黙を内的に破壊し、知識人の翻訳法を拒否しなければならぬ。すなわち大衆に向かっては断固たる知識人であり、知識人に対しては鋭い大衆であるところの偽善の道をつらぬく工作者のしかばねの上に萌えるものを、それだけを私は支持する。そして今日、連帯を求めて孤立を恐れないメディアたちの会話があるならば、それこそ明日のために死ぬ言葉であろう」

この一節は、まさに谷川雁の「人となり」いや、彼の人生哲学を最も象徴的に示す文言ではなかろうか。市民運動に重要な意義を見出そうという者には、「明日のために死ぬ言葉」という谷川のこの「心情」は実に染み入ってくる。しかし、今、「連帯を求めて孤立を恐れない」言論を発するメディアなどどこに存在するだろうか。むしろ、それは、市民運動体そのものとその構成員が自らに課すべき「信条」と解すべきなのだろう。

6 「庶民的政治批判」について

――「諧謔精神」の効用と活用

昨今の「全体主義化」を思わせる政治情勢に並々ならぬ危機感を覚える者なら、そうした状況に対して「政治批判」の思いを強くもつのはむしろ自然の成り行きであり、だからこそ、そうした危機感を広く国民的・市民的レベルで共有するための「手段・方法」、つまり「政治批判の表現」についてどのような「表現」がより有効なのかということに大いなる関心を寄せることが大切だろう。

政治批判が文字通り意味をなして政治転換に役立つためには、それが多くの人びとに違和感や抵抗感なく、しかも解りやすく「受容」されることが必須である。いわば「国民力」「市民力」を形成することになる「種」としての批判であることが要請されるのだ。

政治学者や政治評論家などによる学問的、専門的な政治批判ももちろん存在意義があるが、国民力・市民力の幅広い形成に資する政治批判は、むしろ「庶民的」「大衆的」であることが求められるにちがいない。

庶民的・大衆的な批判の「表現」とは、どういうものなのか。この課題について掘り下げてみたい。

一九世紀の後半まで封建時代が長く続き、欧米諸国より近代化が遅れた日本だが、「庶民的な政治批判、社会批判」の精神がその封建時代に「開花」して独特な「文化」を築いた歴史をもつことを、われわれは再認識する必要があろう。川柳や狂歌、戯画に代表される風刺や洒落の庶民文化・町人文化として知られる「化政文化」である。

危うく怪しげな現今の政治情勢に、「対抗」する市民運動が本来の市民力形成に寄与しようというのであれば、この庶民文化に通底する「風刺の精神」が再評価されるべきであろう。そこには、「粗末で醜い政治」を笑い飛ばす、庶民の逞しい批判の根本精神があるからである。

今日の「時事川柳」や「政治漫画」は、こうした風刺の精神――洒落やユーモア――つまり「諧謔」を真骨頂とする庶民文化の伝統的本質を継承する表現体である。今日、国民力・市民力形成を目指す政治批判を為そうというなら、この庶民文化に根差す「時事川柳」や「政治漫画」の表現とその精神を謙虚に学ぶ必要があろう。市民運動は、時に、この「表現」と「精神」の真髄を賢く活用することを心掛けるべきである。

(一)「諧謔の精神」

政治批判の方法は、二通りあるだろう。

一つは、学者・専門家や活動家・運動家によるきちんとした論説や論拠に基づいた批判文や集団的議論（集会・討論会など）によるもの。他の一つは、大衆的表現形式によるもの、すなわち「時事川柳」や「政治漫画」などの類である。

前者については、書籍や雑誌での評論、新聞社説、政治的集会など日常的に広く「実践」されていることも多く、いまさら取り上げて多くを論ずる必要はないだろう。

ここでは、後者の政治批判としての「大衆的表現形式」に焦点を当てて考えてみたい。

それは、今日、既述のように、「庶民文化に通底する風刺の精神」をもっともよく体現しているからである。

「大衆的表現形式」の典型例は、「時事川柳」や「政治漫画」といった、新聞や雑誌などの日常的な印刷媒体で見られるものである。それらの優れた「作品」に出くわした時、おそらく多くの読者は思わず笑みがこぼれて同感することが多いにちがいない。共感・共鳴がそこに生じる。

見る者にそう思わせる時事川柳や政治漫画の真骨頂こそ、「諧謔の精神」である。

『広辞苑』の「諧謔」の項は、こうである。「おもしろい気のきいた言葉。おどけ。しゃれ。滑稽。ユーモア」

日常性のなかで、フト出くわして笑みがこぼれる、そして「そうだよね」と共感・共鳴を催す…。それは大上段に振りかざした「正論」よりも、日常の政治や社会に問題や不満を抱く人びとの「思い」にしばしば沿うものになる。それを可能にするのは、「しゃれ（洒落）」気であり、「ユーモア」の機微である。「洒落」や「ユーモア」は、発する者も受ける者も双方に「心の余裕」があるときに成立する。切羽詰まったような精神状態にある時、人は「洒落やユーモア」を解することは難しい。「送り手」と「受け手」との間のスムーズな「思い」の共有が、「笑み」を生起させる。まさしく、共感・共鳴として政治や社会への「不満」や「批判」の共有の輪が拡がる…。

「諧謔の精神」こそは、かくして人の心に「染み込む」、ある意味「高度な」作法なのである。

世の矛盾や不正、不条理に対して「怒り」を覚えるのは普遍的な感情であるが、「笑み」を誘う「洒落」や「ユーモア」をもってそれらを「糾弾」する行状は、人間のみが保有する高等な精神作用であり、表現方法なのである。その「高等さ」――人類がもつ高度な「諧謔の精神」――をわれわれはあらためて再認識する必要があろう。

(二) 庶民感覚による政治・社会批判――時事川柳

元来、人びとに共感・共鳴を惹起する「諧謔の精神」は、特定の表現媒体によるものとは限らない。日常性のなかで人々が政治や社会に抱く矛盾・不正・不条理への「思い」は、さまざまの形で「表現」されうる。個的なものは、自分のための記録としての日記や随想であったり、あるいは少数の友人や家族、ご近所どうしの間での会話であったりする。しかし、より社会的な存在である「表現」となると、それは「個人」間における「個的意味作用」を超えた「社会的意味作用」をなす手段を取ることになる。

それは、「文字」や「画像」によって、より社会性をもつ表現媒体となることを通じて社会的意味作用を獲得する。つまり、政治・社会風刺の「手段」としての「文字」であり「画像」である。

今日最も一般的な、大衆的・庶民的な文字媒体による風刺は、「時事川柳」などと通称されるものであろう。川柳の史的な「存立」は次節に譲るとして、ここは現今の川柳について見ようと思う。新聞や雑誌によく見られる「時事川柳」は一般読者が作者として応募・投稿する「作品」で、まさしく大衆的・庶民的な表現体である。それら作品は、読者一般の共感・共鳴のしやすさが肝要であり、難解であっては意味をなさない。「そうだよね。わかる、わかる」といった解りやすさが命であり、そして思わず笑みを誘う「諧謔精神」が伴って初めて「作品」たりうるのである。

もちろん、川柳はそれを生業にするプロとしての川柳作家が存在するが、こうした時事川柳は一般大衆自身が作者であって、最も身近で代表的な「庶民感覚」に満ちた、「政治・社会批判」の表現形式といえるだろう。

事例として手近にある新聞の「時事川柳」をいくつか引用してみる。それらは、特別な「解説」も要せず解りやすく、「諧謔の気味」が備わっているから思わず笑みを誘う。それは、活字化された表現媒体として、大概の読者に共感・共鳴の思いを起こさせるにちがいない。川柳の川柳たる所以であり、わが日本文化が誇る「庶民感覚による批判」の代表的な表現体である。

＊米・中の顔色見つつボイコット（高野伸二）

＊「もり・さくら」問わず追わずで幕を閉じ（素ランプ永井）

＊積んどくも廃棄するのも民のカネ（村田卓）
＊おもいやりお返し米国オミクロン（遠藤左奈美）
＊基地じゃなく選挙決めたの交付金（中村滋）
＊オミクロン株で続落岸田株（渡辺富士夫）
＊前任の声はそのまま聞く総理（大澤秀雄）
＊属国か踏まれて蹴られて金を出し（関口実）
＊三回目下火の頃に行き渡る（永井恒太郎）
＊最悪を想定してもまたも後手（斉藤明男）
〔いずれも「東京新聞」「時事川柳」二〇二二年一月～二月から〕

これらは、「時事」であるには違いないが、むしろ、昨今の政治情勢や政治家に対する痛烈な「風刺」であり立派な「政治批判」として、五・七・五の僅かな語句にみごとに凝縮して表現されている。オリンピック開催国の少数民族抑圧への日本政府の曖昧な対応、身近な者たちへの「優遇」を行った権力犯罪の可能性のある事案の不解明、巨額国費を投じた不良マスクの巨額保管費、思いやり予算と米軍基地からのコロナ汚染拡大、名護市長選の帰趨を左右した国の交付金、コロナ対策にあいかわらず後手後手の新首相…、いずれも、市民・庶民の巧みな「諧謔の精神」に満ちた「庶民感覚」の政治批判そのものである。

㈢ 「化政文化」――庶民の諧謔精神の開花

時事川柳の一般原型である「川柳」は、周知のように江戸時代に成立した「町人文化」を代表する文芸表現体である。もともとは、五・七・五音から成る俳諧に準じたものだから、川柳もまた基本的にその五・七・五音の定型律をもつ。

より詳しい「成立構造」に触れると、こうである。和歌（短歌）形式の「連続」によって連歌が成立すると、五・七・五・七・七の前半五・七・五は「長句」（上句）（前句付）、後半七・七は「短句」（下句）（付け句）と呼ぶようになる。俳句はこの冒頭の「長句」の部分（発句）を取って、その一七音の中で完結した意味や思想を表現する形式として自立した。そこには、季節感を表す「季語」が含まれることが必須とされた。

川柳は、「前句付」一般から派生したもので、季語などの制約もなく、字余りや破調など自由な形式で成立した。俳諧の世界では「雑俳」とも称された。

こうした「自由な形式」としての文芸媒体である川柳が生まれたのは、その時代の「社会環境」の変化ゆえであった。

時代は、江戸後期、経済活動の進展によって町人の「財力」が強大になるとともに、さまざまな文化活動も盛んになる。文化・文政時代（一八〇四～一八三〇）に開花したので、この時代の町人文化は「化政文化」といわれる。格式を尊ぶ「武士文化」とは趣を異にするこの町人文化は、文字通り多くの制約・掣肘《せいちゅう》を排する「自由形式」や「諧謔精神」を身上とした。もとより、「士・農・工・商」の封建制身分階級の最下段に位置づけされた「商人」の「武士」支配階級への反骨精神が根本にあったが、また、財力を蓄えた彼らが多くの文化面に「存在理由」を見出して一つの「文化」時代を成すには、当時の幕府による度重なる「改革」――享保・寛政――の政治・経済・文化の多面にわたる「規制」に対する町人・民衆の「反発」「反抗」の精神が大きく与ったといわれる。

この町人・民衆による新たな文化である「化政文化」については、より詳細な実情を考究した学術研究の一連の成果がある。『化政文化の研究』（林屋辰三郎編　岩波書店　一九七九）にまとめられている。同書によって「化政文化」の成立事情・特色などを要約すれば以下のようである。

＊江戸後期に生産・流通等の「経済集団」（「株仲間」）の力が大きくなって「新文化」を担った（「化政文化の歴史的位置」林屋辰三郎）

＊寛政改革の「異学の禁」によるイデオロギー統制への「反作用」の風潮（「化政文化の前提」熊倉功夫）

＊江戸への農村からの人口流入と市街地形成による都市エネルギーの開花（「江戸の文化」芳賀登）

＊民衆信仰の「流行」の活発化による寺社詣の激増（同右）

＊幕府の文化抑制に対するレジスタンスとしての鶴屋南北に代表される芝居の隆盛（同右）

＊「和学」「蘭学」など非体制知識の成立と浸透（「序説としての化政文化の構図」吉田光邦）

かくして、「化政文化」においてさまざまな文化領域が開花した。

文学面では、山東京伝などの「黄表紙」、十返舎一九や式亭三馬の「滑稽本」、上田秋成や曲亭馬琴の「読本」、与謝蕪村や小林一茶の「俳諧」、大田南畝（蜀山人）などの「狂歌」、柄井川柳の「川柳」などがあり、美術面では鈴木春信・勝川春章・喜多川歌麿・東洲斎写楽・歌川豊国・歌川広重などの「浮世絵」、池大雅・渡辺崋山らの「文人画」、円山応挙らの「写生画」などが挙げられ、芸能面では四代目鶴屋南北の「歌舞伎戯作」、三代目坂東三津五郎・七代目市川團十郎などの「歌舞伎演者」など、音楽面では、松浦検校らの「地歌」、山田検校らの「箏曲」などが知られる。

学問分野では、従来の幕藩体制の公的学問である儒学（朱子学）のほかに、賀茂真淵・本居宣長・平田篤胤・塙保己一らによる「国学（和学）」、杉田玄白・前野良沢・平賀源内らの「蘭学」が盛んになった。

こうした多面的な文化面の開花・隆盛は、既述のように享保・寛政の「改革」で行われた「奢侈禁令」などの大衆・庶民の「活動」への度重なる抑制・規制・禁止への「反作用」として増幅されたものと言えた。「川柳」や「狂歌」「滑稽本」あるいは「歌舞伎」や「浮世絵」などにおいて特徴的な「諧謔」「風刺」「悪態」などの表現は、その「反作用」の象徴でもあったのである。

当時の代表的な「川柳」と「狂歌」の一部を覗いてみる。まず、柄井川柳が選者として編んだ『誹風柳多留』から。

＊妙薬を明ければなかは小判なり
＊みんな馬だといふ所へ国家老（皆が諂（へつら）いのバカになっているのに謹厳実直な国家老一人来る）
＊浪人は長いものから喰はじめ（困窮する浪人は、槍や長刀といった類から質に入れる）
＊小侍蜘蛛と下水で日をくらし（鳥のエサの蜘蛛と金魚のエサのボウフラを取って日当を稼ぐ）
＊一思案ござると藪医こわい事
＊紫宸殿よく化け物の出るところ（故実：源頼政の鵺《ぬえ》退治など）
＊雷はおもねる公家の上へ落ち（故実：道真の怨霊たたりとされた京でのしばしばの落雷事件）
＊西行も野郎頭で一首よみ（故実：伊勢参宮では出家は付け髪などで俗の姿になる必要があった）
＊始皇帝壁の中には気がつかず（故実：焚書坑儒のあと、孔子の旧宅から『論語』が発見された）

次に、大田南畝（蜀山人）の代表的狂歌である『狂歌百人一首』から。これは、風刺というよりも、パロディの典型だろう。名歌を詠んだ優れた歌詠みも、もはや「台なし」である。江戸庶民に歓迎された徹底した「笑い」「ユーモア」の象徴とも言えよう。そこには「権威」を揶揄する庶民の風刺精神を見ることができる。「反権威」は、反権力すなわち「反幕府」の心根に通底した。

＊いかほどの洗濯なればかぐ山で衣ほすてふ持統天皇（元歌：春過ぎて夏きにけらし白妙の衣ほすてふあまのかぐ山――持統天皇）

＊月みれば千々に芋こそ喰ひたけれわが身ひとりのす（好）きにはあらねど（元歌：月見ればちゞにものこそかなしけれわが身ひとつの秋にはあらねど――大江千里）

＊人はいざどこともしらず貫之がつらつらつらとよみし故郷は（元歌：人はいざ心もしらずふるさとは花ぞ昔の香に匂ひける――紀貫之）

＊夜もすがら物思ふ頃は明けやらであらふものなら世界くらやみ（元歌：夜もすがらもの思ふ頃は明けやらでねやのひまさえつれなかりけり――俊恵法師）

＊何ゆへか西行ほどの強勇が月の影にてしほしほと泣く（元歌：嘆けとて月やは物を思はするかこち顔なる我が涙かな――西行法師）

＊この広い浮世の民におほふとはいかい大きな墨染の袖（元歌：おほけなくうき世の民におほふ哉わがたつ杣に墨染の袖――前大僧正慈円）

戯画についても覗いておこう。浮世絵師は美人画や風景画ばかり描いていたのではなかった。歌麿、写楽、国芳らの「戯画」は、滑稽やユーモアに満ちた新しい絵画表現を得て当時の町民・庶民の「笑い」を誘って大いに歓迎された。これらの戯画がしばしば「漫画の元祖」と言われるゆえんである。

『富嶽三十六景』の風景画で名高い葛飾北斎だが、初めから「正統派」の画風で世に認められたのではなかった。若い頃は、「狂歌絵本」の挿絵や摺物に集中し、まずその世界で脚光を浴びている。またその後も「読本」の挿絵に傾注して、この分野でも第一人者としての評価を得ていた。その数は、『椿説弓張月』や『新編水滸画伝』などの長編読物二〇〇冊を超えていたという。膨大な量の挿画である。そうした「画歴」を踏んだ北斎が、庶民的な「笑い」や「ユーモア」の精神を重視したのは、必然でもあったろう。

図1　北斎「十編十八丁表」祐天和尚と累

その集大成が『北斎漫画』である。それは、北斎五五歳の時（文政一一年、一八一四年）の初編から死後の明治一一（一八七八）年まで一五編が刊行されるほどのベストセラーであった。

「図1」はその『北斎漫画』の第十編のうちの一つである。説話「累ケ淵」に題材を取って戯画化した。後に幕末から明治初期にかけて活躍した初代・三遊亭円朝が怪談噺の名作として語った「眞景累ケ淵」でもある。「図」は累の怨霊を鎮めた祐天和尚の逸話を漫画にしたものである。「累ケ淵」の主題は、亭主の身勝手な女房殺害という「不実」「不条理」への非難・指弾という庶民の正

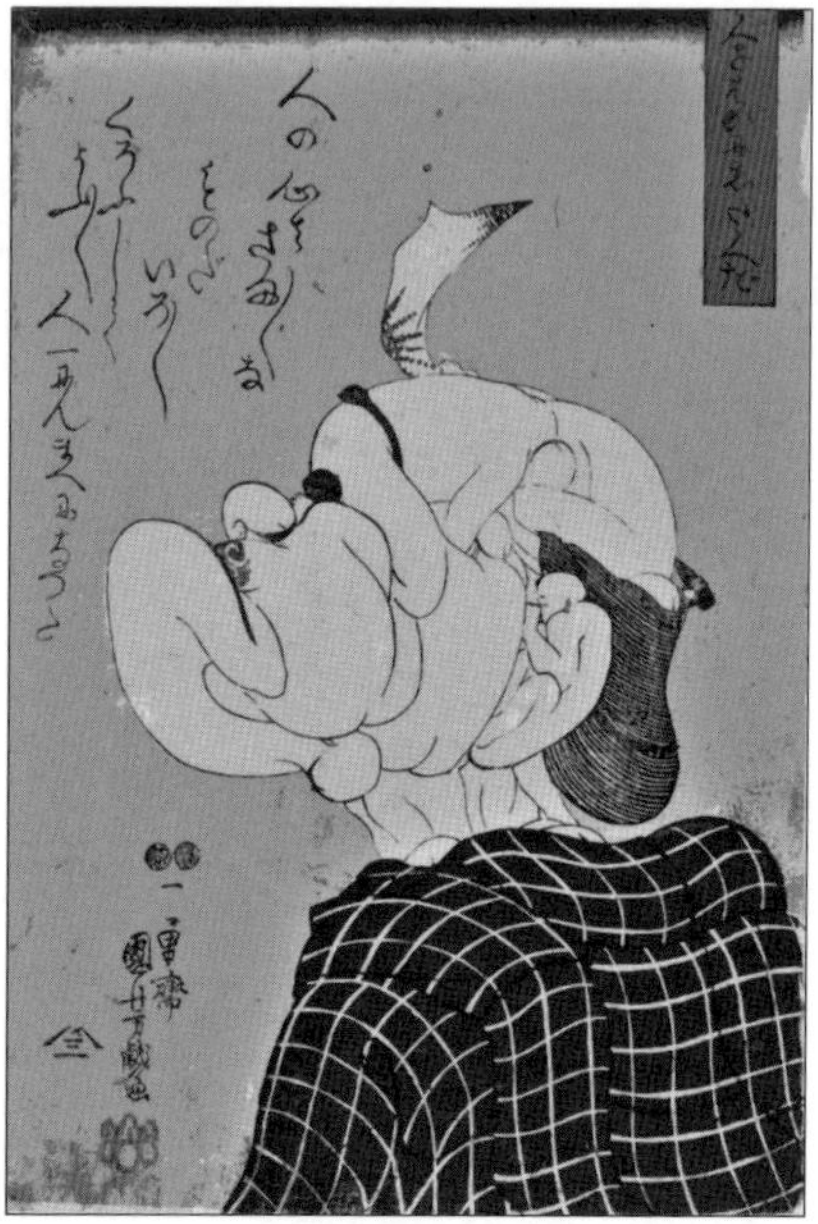

図２　国芳「人をばかにした人だ」

義感を代弁するものだった。当時の江戸庶民の好んだ怪談人情話を巧みに表現し、一世を風靡したといわれる。

歌川国芳もまた、武者絵・美人画・役者絵・風景画に加えて戯画をものとし、多彩な画業を残している。文化・文政期の国芳はもっぱら役者絵や武者絵の世界で名をなし、とりわけ一連の「水滸伝」の錦絵で浮世絵師としての地歩を固めたとされる。

水野忠邦による「天保改革」によって役者絵や遊女錦絵などの出版が禁止されると、国芳ら浮世絵師は改革風刺の「判じ絵」の制作をもって応じ、「諷刺画」が盛んになった。「図２」は、そうした風刺画の流れを汲む諧謔心によって描かれた作品である。裸身の男たちを寄せて一人の町人の顔に仕立てたパズルのような戯画で、まさしく「人をばかにした」ユーモアに満ちている。

化政文化で開花した「町人文化」の多面的領域の表現形式は、既述のように度重なる幕府の「改革」を称した町民・庶民に対する規制・抑制・禁止に対する「反作用」の産物といえた。逆に、町民の社会的・経済的・文化的な「力量」が権力の統制を超えつつあることを示していた。それは、また長期に渡った封建幕藩体制の凋落をも意味していた。化政文化の隆盛から僅か四〇年足らずで封建幕藩体制は終焉を迎える。諧謔精神がその真髄である町人文化こそは、「権力崩壊」を導く礎《いしずえ》であった。

四　現代の全体主義化情勢とその批判としての「諧謔表現」

現今のわが国の社会情勢は、とみに「保守化」が進んでいると言えよう。とりわけ若年層においてその傾向が顕著である。最近の国政選挙における自民党への投票率が最も高いのは二〇歳代、次いで三〇歳代である。某大学の大学新聞が最近の学生の政党別支持率を調べたら、何と自民党が七〇％と驚くべき高率であった。

この二年、コロナウイルス感染症のパンデミックで世界が困難に直面している。そんな中、わが国政府のコロナ対策は「後手後手」で国民の評価もすこぶる悪かった。しかし、そのコロナ禍のもとで行われた二〇二一年の衆院選では、政権与党自民党は惨敗するどころか単独過半数をはるかに超えた。

第一次安倍政権の「教育基本法」の強行改正（二〇〇六）による「国家主義・伝統主義」の導入以来、第二次政権でも同じように強行採決で成った「秘密保護法」（二〇一三）「安保法制」（二〇一五）「共謀罪法」（二〇一七）などは、「戦前回帰」路線を猛進する「全体主義化」法制の連続展開といってよかった。その一方で、同政権は公共放送であるべきＮＨＫの会長に安倍首相の「お友達」を据える傍ら、政権に批判的な報道を行ったメディアに執拗な「同調圧力」をかけ続けた。言論統制である。さらに、第二次安倍政権は内閣人事局を創設し（二〇一四）、人事権を行使して官僚組織を徹底的に統制した。結果、前代未聞の国会虚偽答弁や公文書改竄など「忖度」官僚を多数排出させた。人事上の束縛・恫喝による官僚支配もまた全体主義の特徴である。

そして一連の「全体主義化」政策推進の中心であった菅官房長官が首相になって最初に行った「仕事」が、学術会議推薦者の任命拒否であった（二〇二〇）。「知の世界」弾圧の典型である。自民党は、それをテコに学術会議の「法人化」を中心方策とする「報告書」を発表し、国立大学の法人化によって大学自治を剝奪して大学を完全支配下においた方式に倣って、最後の「知の世界」である学術会議の完全支配を目指しているのである。「知の世界」の弾圧と支配は、古今東西、専制政権や独裁政権が独裁的・全体主義的政情を形成・推進する「導火線」や「テコ」にしてきた常套手段であった。

こうした全体主義化が進行するなかで、保守化の国民的傾向は、戦後初めて衆参両院において改憲発議に必要な三分の二議席以上を「改憲会派」に与えるところとなっている。二〇二二年の参院選においてこの「三分の二」を再び「改憲会派」が占めることになれば、改憲への方向が加速するのは間違いない。「非改憲会派」の衆院選における後退情勢を考えると、このままではその可能性は大きい。政治情勢に日頃厳しい視線を向けている新聞は、「参院選　憲法の命運」の見出しをつけた報道を行った。その改憲は、「自民党憲法改正草案」（二〇一二）が示すように、国家主義、非立憲主義への方向転換である。全体主義は、この改憲でほぼ完遂・完結することになる。

わが国の民主主義と立憲主義は、今や「風前の灯」、危機的状況にある。全体主義化情勢がここまで進んでいるのである。

こうした全体主義的政治動向への対抗としての市民運動は各地で展開されている。だが、それら市民運動の集団・団体の多くは、「市民を動員・結集できる有効な方法がなかなか見当たらない」としばしばその「困難」を吐露する。しかし、市民運動の「正統的な」活動によって市民の「動員・結集」に困難さを覚えるというのであれば、その活動のあり方にいっそう「創意工夫」が必要なのではなかろうか。

かつて、「若者文化」が隆盛だった一九六〇年代は、学生たちを中心に若者がすべからく政治や社会の情勢に「敏感」であり、「政治的呼びかけ」に応じてデモなどの大衆行動が頻繁に組織された。その時代の「若者文化」もまた、思想・文学・映画・演劇・音楽など多くのジャンルで活発な活動が展開されていた。政治・社会への敏感さの根底には、そうした多くの文化活動に底流する「生」の実感――生きていることの感得――があった。その「生」の実感はまた、「不当」「不条理」「不義」「不正」などへの感受性の強さとして働いた。結果、不当な政治情勢に「異議」を唱える行動を促した。

文化文政時代に生きた江戸庶民もまた、封建制身分差別への反発はもとより度重なる幕府の「改革」を称する庶民への規制・抑圧・禁止に対して必然的に鋭い「反作用」の感性を育んでいった。そして諧謔精神に満ちた「化政文化」を開花させた。

今日、保守化傾向が著しいと言われる若者層…。市民運動が彼らをも対象にして、昨今のきわめて「危うい」政治情勢に対抗する活動を行おうというのなら、大衆・庶民の「感受性」の根源に働きかける工夫が要るのではなかろうか。

その重要な「解」の一つこそ、「化政文化」を担った町人の「諧謔精神」ではなかろうか。

ここでは、その一端としての「戯画」の効用について、あらためて考察してみたい。

前項において北斎と国芳の戯画に具体的に触れた。戯画は「化政文化」がもたらした有力な「諧謔精神」の発露としての表現体であった。

図3　鳥獣戯画（甲巻第11紙）部分

だが、絵画における「諧謔」表現は、化政文化に始まったことではなかった。わが国には古くから社会を風刺し、あるいは大衆の信仰心・道徳心に働きかけるユーモアに満ちた絵画表現が存在した。

平安末期に描かれた「地獄草子」「餓鬼草子」「病草子」は、宗教的色彩の強い教訓的なものとして、災害や飢饉、人間道の末世を描いた。そこには、大衆の「感受性」に訴える洒脱やユーモア、つまり諧謔精神が満ちていた。

平安末期から鎌倉初期に描かれた「鳥獣戯画」もまた、サル・ウサギ・カエルなどが擬人化されて表現され、「日本最古の漫画」とも言われている。サルは権威の象徴として、ウサギとカエルは庶民を代表するものという説もある。その絵画表現がユーモアに溢れているのは周知のことである。

図４　鳥獣戯画（甲巻第18紙）部分

さて、冒頭、「政治漫画」の可能性について触れた。それは、「時事川柳」と並んで当世の庶民的政治批判の代表的な表現媒体であることも。

昨今の政治漫画においてひときわ精彩を放つのは、佐藤正明が描く一連の作品である。氏は、二〇二〇年に「日本漫画家協会賞」カーツーン部門で大賞を受賞するなど、政治・時事を対象とする「風刺漫画」の多くの秀作で知られる。

氏は現在、東京新聞に政治漫画を連載中であるが、そのうち筆者が「秀逸」と思った作品について触れてみたい（二〇二二年二月一三日付朝刊掲載の政治漫画「お返しは参院選の時でけっこうです」）。〔著作権の関係で図像を転載できないので、ぜひ実際の新聞紙面にあたっていただきたい。〕

それは、時の首相と思しき人物がケース入りの注射器型チョコレートをかざして「どうぞ義理チョコです」と言い、画面の「外」から「チヨコっとだなア…」という「フキダシ」がある漫画である。

描かれた人物を「特定」する表記は見当たらない。だが、それが、「誰であるか」は見る者にはすぐに判る。時の首相であると。政治漫画の人物は似顔絵として特徴を摑んでいることが必須である。氏の描く人物はいつも一見してそれが誰であるかわかるほど秀逸である。「政治的時事」としては、政府がコロナ対策で「後手後手」を踏んでいる「三回目ワクチン接種」であることも、そのチョコレートの注射器の形状で判る。当漫画が掲載された翌日一四日はバレンタインデーである。女性（女子）が好きな男性（男子）にチョコレートを贈呈する昨今の風習を巧みに織り込んだ。しかも、権力者から国民一般への「献上」である。国民の声が聞こえる、「チョコっとだなア」。ワクチン接種量の不十分さの批判を、「チョコ」の駄洒落にかけて揶揄している。おまけに、それはあくまで「義理」であって「本心」ではないよ、と。さらに、「お返しは参院選の時でけっこうです」という大きな「表題」。権力者の選挙目当ての「行動」への実に「風刺」に富んだ漫画である。この漫画を見て「笑み」をこぼさなかった者はいないだろう。諧謔精神に満ちた政治漫画の代表的な傑作といっていい。


五感刺激のなかで視覚への刺激がとくに受容されやすいという。画像が人びとの共通理解を得やすい理由でもあろう。「動く」画像であれば、その効果は増すにちがいない。映画もまた、時に政治批判の有力な表現体になってきた。

チャールズ・チャップリンの「独裁者」（一九四〇）は、その代表例であろう。

床屋の普通の市民が相貌が似ているということで独裁者に間違われるという「喜劇」であるのだが、単なる喜劇ではない。制作年代からしても、ヒトラーに対する風刺・揶揄に満ちた痛烈な批判であることは明白だった。

図5　映画「独裁者」の最後の演説場面

チャプリン扮する主人公の床屋がヒトラーの「シンボルマーク」ともいえた鼻の下のチョビ髭をつけると、見事に独裁者に成りおおせた。この映画は、当時欧米各国で上映され、反全体主義のための「大義」が広く受容され、反戦への精神高揚に大いに貢献したといわれる。

図5は、チャップリンが試行錯誤の末に選んだ、独裁者に扮したその床屋のオヤジの長い——映画としては異例の六分間——演説の名場面である。この映画のまさに「掉尾」と言えるクライマックスである。世上、高い評価を得た「反戦」「反独裁」のセリフであり、チャップリンの映画人としての評価を確固たらしめたものと言われる。一部を引用する。

「私は皇帝などなりたくない。私には関わりのないことだ。支配も征服もしたくない。できるなら、皆を助けたい。ユダヤ人も、ユダヤ人以外も。黒人も、白人も。…絶望してはいけな

ベルリン国会議事堂炎上（1933年2月27日夜）

図6 「緊急事態条項批判集会」(2019/03/23) のチラシの一部

い。私たちに降りかかる不幸は、ひとえに過ぎ行く貪欲であり、人間の進歩を恐れる者たちの憎悪なのだ。…憎悪は消え去り、独裁者たちは死に絶えるだろう。…諸君の力が人を自由にし、人生を自由に、美しくするのだ。民主国家の名のもとに、その力を使おうではないか。皆でひとつになろう。新しい世界のために闘おう。…嫌悪と苦難をなくすために。理性のある世界のために闘おう。科学と進歩が全人類の幸福へ、導いてくれる世界のために…」

最後の事例として、われわれの「憲法を考える会」が二〇一九年三月二三日に開催した集会「緊急事態条項の危険性——ナチスの手口を通して考える」のチラシの一部を掲載する（［図6］）。ナチスのワイマール憲法の「国家緊急権」を悪用した独裁政権樹立を念頭に置いて、安倍政権の「緊急事態条項」創設の改憲動向を批判するのが集会の目的であった。

ベルリンの国会議事堂炎上の写真と並ぶ「人物像」。そこに固有名詞などのキャプションはない。知る人ぞ知る。ナチスの「自作自演」ともされた議事堂炎上は、即、ワイマール憲法「国家緊急権」の発動となって、ヒトラー独裁が一挙に加速した。隣の人物像は、あのチャプリン「独裁者」の主人公同様、チョビ髭の御仁。ヒトラーと「重なる」ことは一目瞭然。仮に、チラシを見て議事堂炎上の「故事」を知らなかったとしても、集会においてナチス研究が専門の石田勇治東大教授の話を聞けば、「ああ、あの自作自演の放火。そして緊急事態条項発動による独裁化だ」と、独裁化・強権化の危うさを容易に理解するだろう。その議事堂炎上写真に並ぶ「人物像」！　キャプションは要らない。この国の全体主義を目指す人物への、われわれの「諧謔精神」の発露…。この集会は少ないチラシの枚数で多くの参加者を得た。市民との「風刺とユーモア」の共感の「成果」だった。

大衆・民衆に働きかける市民運動の「創意工夫」の必要性について述べてきた。一つの方向性としての「諧謔精神」の活用を、と。それは、市民運動の主催者・団体が、「問題意識の不十分な大衆・民衆に働きかける」という「意識」のあり方の根本的見直しの作業でもある。そうした「上からの意識」のもとでの働きかけ・呼びかけは、それ自体が「高みから見下ろす」発想ではないか。市民運動の「担い手」は確かに問題意識の高い者たちであるにちがいない。だが、それゆえ、知らずのうちに、あるいは当然のこととして、政治批判の「高みからの呼びかけ」の表現になっていないか。

「時事川柳」や「政治漫画」の諧謔精神は、見てきたように、その内容を理解するのに「高み」の知識も教養も問題意識も必要としない。しかも、そこに風刺やユーモアが溢れていて、「笑み」をもって同調できるのだ。素朴な共感・共鳴がまさにそこから始まる。

それこそが、政治批判の「大衆化」の根本ではなかろうか。

いま、市民運動は、「諧謔精神」の効用をもっと追求すべきなのであろう。

7 「無名性」「匿名性」考
――市民運動の「本領」に向けて

プーチンの「思惑」による一方的といえるロシアのウクライナ侵略を目の当たりにして、二一世紀、つまり民主主義が世界におおかた浸透しているこの時代において、なお、独りの政治家が国内ばかりか世界に向けてもその身勝手な独善ぶりを振りかざすという「独裁制」とは、いったい何故に生じうるのか？　なぜ、こうして歴史上くり返し独裁者が出現し存在し続けうるのか？　という思いが改めてめぐり始めた。それは、独裁者を生む人間社会の基本的な「弱点」に起因するのではなかろうか？　その「基本的な弱点」――いやむしろ「基本的な習性」というべきか――というのは、一般大衆のなかにある「ヒーロー待望」「ヒーロー依存」の性情であるにちがいない。「負の習性」と言ってもいい。

「日常社会の問題」として、私が、昔から考えていたことは、市民運動はこの「ヒーロー待望」や「ヒーロー依存」とは無縁のはずの運動理念において展開されるべきものではないのか、ということであった。

だが、実際は、必ずしもそうではないというのが実情である。有名人・著名人がリレーして壇上で「講話」を垂れ、それを集まった大衆が「拝聴」して集会が成り立つ…。確かに、彼ら有名人・著名人は「話し上手」ではあろう。だが、市民運動はそもそも「名もなき」民衆の運動ではなかったか。多くの市民運動体が集合しての「集会」なら、なぜ、それぞれの運動体の「名もなき」民衆一人ひとりが語り合う――いや、「決意表明」の交換であってもいい――という「方式」を取らないのだろう。現在の市民運動における有名人・著名人と大衆との関係は、つまるところ、双方が「ヒーロー待望」「ヒーロー依存」という問題の「習性」に甘んじているのではなかろうか。こういう「関係」が温存されている限り、真の社会変革に繋がるような市民運動の内実は稔らないのではないか…、そう私は永らく考えてきた。

「大学名誉教授なら何も市民運動をやらなくても、《発言》《発信》の場や方法はいくらでもあるだろうに」。しばしば人はそんなことを言う。その場は笑って済ませるが、そういう人にひと言言うとすれば、こうしかない。「君は、市民運動の何たるかが解っていない」。

なぜ、市民の「集団活動」に意義があるのか。市民を民衆・大衆と置き換えれば、解りやすい。民主主義社会では、民衆・大衆が主人公であるからだ。世の「近代化」に大きな影響を与えたジョン・ロックの思想が示すように（『統治二論』一六九〇）、為政者の為す統治・政治は、その主人公である大衆が「信託」したに過ぎないのである。ロックが重ねて主張したように、主人公の大衆は、その統治が自分たちに「不都合」なものとみなせば、いつでも為政者の統治を変更させ、あるいは為政者そのものを交替させる「権限」を有するのである（「抵抗権」「革命権」）。「運動」は、つまり、大衆による統治への「異議申し立て」の大衆的活動なのである。であればこそ、「個」ではなく「大衆」の運動に、重要な意味があるのである。

「負の習性」の現れ方の別の典型は、市民運動体の幹部を名乗る者が、別の市民運動体で「講話」をして「謝金」を当たり前のように受け取ることである。それは、講話を垂れる者と聴く者との「上／下」「ヒーロー／大衆」の対置・相対関係を示す構図ではないのか。市民運動体で話をすること自体が運動の一環のはずである。そもそも市民運動は「対価」を求めるものではない、つまり換言すれば「無私」の精神において成立するものなのである。自らを大衆・民衆とは別次元の特別な人間だと思うこと自体、「運動」の理念とは相容れない。そこには、もとよりはなから「上／下」「ヒーロー／大衆」の対置・相対関係が存在する。大衆運動、市民運動においては、もとより「上下関係」などありうべからざるものだ。対置・相対関係を是認・容認しているようでは、とても真の市民運動にはなり得まい。

市民運動はいかなるものか、どうあるべきか、その「本領」について、さまざまな「分野」「領域」の民衆営為・活動の存在理由とその意義――「無名性」「匿名性」に象徴される――を探訪・吟味することを通して、あらためて考えてみたい。

(一) 「ナポリ市民戦争」――ヒーローの「不在」

二〇歳頃の学生時代に街の映画館で観た映画が、この歳になっても忘れがたい「メッセージ」を刻んだ。暇な時間があったので何気なく覗いた映画だった。イタリア映画で、邦題は「祖国は誰のものぞ」(原題は「ナポリの四日間」)。一九六二年制作で、監督はナンニ・ロイ。後で知ったことだが、一九六四年のアカデミー賞に脚本賞でノミネート、同じく六五年に外国作品賞でノミネートされているから、それなりに評価を受けた作品だったようだ。

内容は、第二次大戦末期一九四三年の、実際にあったナポリ市民の対ナチス・ドイツ軍へのパルチザン「市民戦争」を描いたもの。

一九四三年五月、ドイツ・イタリアの「枢軸国」軍はアフリカ・チュニジアでイギリス・アメリカの「連合国」軍に敗れて戦局は枢軸国側敗北の様相を示していた。七月にはナチスと組んだムッソリーニは逮捕され、新政府が生まれる。だが、ナチス・ドイツ軍は戦局挽回を図って再度イタリアに兵力を投入し、投獄中のムッソリーニを「救出」して「イタリア共和国」を樹立させ、中部都市・ナポリ以北のイタリアを占領する。南部イタリアから攻め上がってくる連合国側との対戦に備えて、ナチス・ドイツ軍は、ナポリ市を防衛拠点とすべくその徹底掌握・支配の諸策を実施する。沿岸部住宅地住民の「立ち退き」、一七〜三三歳男子の「強制労働」など。強制策に市民の抵抗が始まる。鎮圧のための「見せしめ」としてドイツ軍は五〇人の男子市民を競技場で「公開処刑」しようとするが、それを契機にパルチザンが捨て身の攻撃を開始する。この行動に呼応して老若男女の市民が一斉に「反ドイツ」の闘いに参加し、ドイツ軍との間の「市民戦争」になる…。

この映画の忘れがたい「メッセージ」というのは、この市民戦争にいつしか参入してきた「元軍人」と思われる人物の存在だった。ナポリ市民ではない、自ら望んだ「助っ人」のようだ。彼は、銃の扱いはもとより、戦闘体験のない市民の闘いを的確な「指示」でリードしていく。何者であるかも名乗らない。映画原題にあるように、この市民戦争は市民総ぐるみの熱い戦闘精神によって四日間でケリがつき、ドイツ軍はナポリから撤退する。「勝利」に沸く大勢の群衆。そこに市民をリードした「元軍人」の姿はない。彼は、勝利を確信すると、市民たちが気付かないうちに黙ってナポリを去っていったのだ。

実際の「ナポリ市民戦争」にそういう「匿名」の指導人物がいたのかどうか、つまり史実だったかどうかは問題ではない。この人物の設定が映画のための「脚本」上のものであったとしても、彼の存在そのものが語るメッセージは意義深い。

若者風に言えば、「彼はカッコイイ」というところだろうが、その「カッコ良さ」は、われわれ社会に沁み込んでいる「ヒーロー待望」「ヒーロー依存」という「負の習性」を否定し、あるいは超克するところにあるといえる。つまり彼は、けして「ヒーローたる」ことを初めから求めず、いや、否定していたのである。「名乗り」もせず、事が成っても自分の「指導力」を誇ることなく黙って「去る」…、「真の男」のすがすがしさ、いや、それ以上の、人物としての「大きさ」ゆえの「カッコ良さ」なのだろう。

「大衆・民衆行動」というものは、その大衆・民衆が主人公であり、場合によっては犠牲を蒙るのも彼らであって、そして結局のところ彼らの「マスの力」「総力」によって事は決するのだという「真理」の前には、たとえ、指導的な役割を果たす人物がいたとしても、彼に大衆・民衆に替わる「主人公」の名を付与すべきではないということなのである（それは、明快である。どんなに彼が優れていても彼ひとりで戦争は勝てるものではない。まさに「大衆・民衆の総力」なのである）。その意味で、彼が「無名」「匿名」であり、勝利を目前に静かに「消える」というその存在の仕方が、意義深い「メッセージ」たりえたのである。私は、「無名性」「匿名性」の意義を、この映画によって強く印象づけられた。それは、後世、つねに「己が立ち位置」を考えさせる人生訓的な示唆になった。

(二) 「建築家なしの建築」――〈ネガティブ〉なるものの復権

高校生の時に、たまたま雑誌で、ある有名建築家の壮大なプロジェクトに出逢い、その「作品」の表現力や壮大さに魅せられた。多感な少年の多くが強い感銘を受けたものに傾倒するように、私もまた、建築の世界が人生を賭けるに値すると思われようになり、大学で「その道」を目指すことになった。

私は旅が好きで、夏休みや春休みを利用してはバイトで稼いだ資金で旅行をした。ガイドブックなどに載るような名所旧跡は「年老いてから行くところ」と自らに言い聞かせて、むしろ「目立たない」地方の市町村を巡った。車でないと廻れそうもない北海道を残して、大学四年のうちに東北から四国・九州までおおかたの地を巡った。

そして、四年生の時に自分の専門である建築関係のある外国図書に出逢った。Bernard Rudofsky, “Architecture without Architects”（「建築家なしの建築」一九六四）という本である。世界中の「名もなき」町や村の家々の集合的な「姿」を写した数々の写真で構成されていた。「自然発生的」とでも言うべき群建築の「素晴らしさ」に満ちていた。

それは、また、私がこの国の地方を巡って出逢ってきた、静かに佇む古くからの街や集落の「姿」とも重なった。建築家や都市計画家という専門家たちが計画して造ったものではない群建築が、その一つひとつの構成要素である一軒の家々が皆微妙に異なる形態の「個性」をもちながら、それらが集合した「群」としての形態と空間を巧まず構成して、いずれも実に「人間味豊かな」表情と雰囲気を醸していたのである。

クリストファー・アレグザンダーは、その著“Pattern Language”（一九七七）で、こうした民衆が自らの手で造り上げるような街や村の成り立ちについて“unconscious culture”と呼んだ。直訳すれば「無意識（無自覚）文化」となる。アレグザンダーは、意図的な「パターン」の組み合わせ構成によって地域や都市の空間を計画する——つまり意識的な（conscious）形成——という方法論を提起することが目的で、対比的に自然発生的な村落形成を「unconscious」と形容したのだった。だが、厳密に考えれば、自然発生的とはいえ、「人間味豊かな」建築群や空間は、民衆の奥深い創意工夫がなくしてできるものではない。つまり、本質的には決して「無意識」でも「無自覚」でもないのである。そこには、永い時間の中で民衆の代々で培われてきた試行錯誤の「微修正」の積み重ねによる「叡智」が込められているにちがいないのである。そこに、隠れた「叡智」があるからこそ、われわれはしばしば「名もなき」群建築の「人間味」に大いに魅せられるのだ。ルドフスキーは、そのことをあらためて「実例集」をもって提示してくれたのである。代々の民衆の「叡智」の前に、「その地」の自然や歴史に疎いよそ者の専門家の「意識的な計画」が、それらの「叡智」に勝るとは必ずしも言えないのである。いや、むしろ、専門家が及ばない「美」と「趣」をもたらす「叡智」が「無名のモノ」の中に存在するともいえるのである。

そんな「思い」を抱きつつあった私は、二〇歳代の終わりころ、ある文章を建築雑誌に寄稿した。「盛り場の都市空間――『無名性』なるもの」（原題「ビヨンド・ザ・コモンセンス！もしくは〈無名性〉なるものへの共鳴」『商店建築』一九七二年三月　のち『三村翰評論集』二〇〇六所収）という小論である。そこで、私はこう記した。

「…デザイナーやプランナーの内的対象が〈ポジティブ〉なるものであるとき、形象化されたモノとしてのデザインやプランが〈ネガティブ〉なるものを表出するどころかそれに迫りうることもできないのは必然である。…

界隈性の名のもとに、人びとの賑わいをもつ商業空間が脚光を浴びる。…界隈性とは、なんの屈託もなく人びとどうしが行き交うなかに、その建築群の一つひとつのファサードを織りなすモノの眼差しが人びとと交感するときに現出する表情の総体であるにちがいない。そしてそれは、〈ポジティブ〉なるものの埒外に、つまり〈ネガティブ〉なるものとして存続してきたことにより獲得した〈意味〉であったはずである。…近代の真の終焉（つまり真の現代化）とは、〈ネガティブ〉なるもの、〈無名性〉なるものが、その正当な意味を了解可能な領域に見出すことなのであろう」

㈢　民芸の世界――民衆の「無想」が生む美

「無名性なるもの」の中に「秀作」があることに関心をもった私は、自分が研鑽する建築の道以外にも次第に

「眼」を向けるようになった。工芸・民芸の世界に興味をもつようになったのは、ある意味必然であったかもしれない。それらの「伝統」は、およそ全国津々浦々の土地に継承されている。そうした土地から一流の作家が輩出することも多い。

工芸についていえば、その全国的な作品を集めた展覧会が毎年開催されてきた。「日本伝統工芸展」である。二〇二一年で六八回目を数える。審査を通った作品の展覧会だから、それなりの「質」を保っており、私は三〇歳になった頃から毎年のようにこの展覧会に足を運んだ。

何回目かの同展鑑賞のあと、たまたまある建築雑誌の時評の連載を「担当」していたので、この展覧会について触れたことがある（「日本伝統工芸展とアールヌーボー・アールデコ展について」〈土着的文化論・その三〉『SA』一九七五年一一月　のち『三村翰評論集』所収）。そこで、こんなことを記した。

「日本の伝統工芸は、今もってすぐれたものである。…伝統工芸に問題があるとすれば、それがまた本質的なことがらだが、この展覧会の主催団体である日本工芸会に加盟している『エリート』たちだけが守り育てるのではなく、もともと職人・職方であったそれらの無名の担い手たちが時々刻々少なくなってしまっているといった現象に見られるように、底辺からそれを支えることが肝要である。底辺を支えるということ、それは伝統工芸が大衆レヴェルできちんとした評価を受けることが前提だ。われわれ大衆に『見る眼』をもっともっと養わせること。底辺の広さと『見る眼』の確かさとは相互に原因であり、結果である…」

特定の「底辺」「無名」の職人・職方を意識していた訳ではないが、益子や笠間の「陶器市」なども毎年のように訪れて、無名の作者の製品に「ハッと」させられるような経験をしばしばしていたこともあり、「底辺」の広さと厚さの重要性は理解していたつもりだった。

そんなむしろ趣味的ともいえる工芸・民芸の世界への関心だったが、その文化的重要性をきちんと理論化し、自身「蒐集家」としても日本民芸館を創設して民芸の「良さ」を世間に示したのが柳宗悦《やなぎむねよし》であった。私の場合は、既述のように自身に身近な建築や空間の造作・形成における蓄積された「叡智」の無名性に強く惹かれて「眼を開く」ようになったのだが、柳宗悦は、「民藝品」のなかに美術品に劣らぬ「美」を見出していったのである。彼の「民藝」に対する信念は確固としたものだった。

「私の信念では、将来造形美の問題は必ずや工藝を中心とするに至ると思うのです。中でも民衆と工藝との関係、言葉を換えれば生活と美との交渉が最も重要な問題となるでしょう。その時民藝が何より重大な意義を齎すことは疑う余地がないのです」（『民藝とはなにか』初版一九四一　講談社学術文庫二〇〇六）

「民藝」が民衆や日常性と密接に結びついていることを強調する。いわば「生活」にかかわる世界にこそ新たな「美」が存在することを主張するのである。そこには、特別な専門家や富貴な好事家の存在は無用である。前章に倣って言えば、まさに、「名人なしの逸品」「無名なるものの美」なのである。

また、彼は、「民藝の美」が生まれる必然を次のように語る。

「なぜ特別な品物よりかえって普通の品物にかくも豊かな美が現れてくるか。それは一つに作る折の心の状態の差異によると云わねばなりません。前者の有想よりも後者の無想が、より清い境地にあるからです。意識よりも無心が、さらに深いものを含むからです。主我の念よりも忘我の方が、より深い基礎となるからです。在銘よりも無銘の方が、より安らかな境地にあるからです。作為よりも必然が、一層厚く美を保証するからです。個性よりも伝統が、より大きな根底と云えるからです。人知は賢くとも、より賢い叡智が自然に潜むからです。人知に守られる富貴な品より、自然に守られる民藝品の方に、より確かさがあることに何

の不思議もないわけです。華美より質素が、さらに慕わしい徳なのです」（同前）

さらに、柳宗悦は記す。

「誰があの『大名物《おおめいぶつ》』（初代茶人たちが見出した茶器・茶道具——引用者）を造ったのであろうか、…不思議にもそこには何の某という者がないのです。誰もがそれを作ったからです。…それは民衆の作なのです。名もなく学もない貧しい大衆の作なのです。…あの雅致とか渋さとかは、貧しい質素な世界からの贈物なのです。…民衆あっての美なのですから」（同前）

柳もまた、民衆・大衆の「無名性」の中に「美」が生じることに着目した。そして、その「美」を生じさせるものは、「心のあり方」によるのだ、とも。それは「無想」であり、「無心」「忘我」「無銘」「必然」であり、さらに作り手を育んだ「伝統」によるのだと。

また、他方で彼は、紹鷗や利休らの「初代茶人たち」が朝鮮や中国伝来の日用品としての「道具」のなかに、茶入れ・茶碗・水差しなどの茶器・茶道具の名品を見出した「慧眼」と「精神」が、初期茶道の「清貧の深さ」にあったことを強調した。

「清貧」といえば、『清貧の思想』を著わしたのは中野孝次であったが（文春文庫一九九六）、氏は、「清貧」があらゆる日本文化の底流にあって、その文化に独特の「質」をもたらしたことを語った。彼が対象とした「文化」とその担い手は、必ずしも「無名の」文化事象や民衆ではなかったが、それでも「清貧」の思想と理念が日本文化を特徴づける重要な要素であることを、あらためて示したのである。

「民藝」という呼称は、そもそも柳宗悦や陶芸家の浜田庄司や河井寛次郎らによって一九二五（大正一四）年に提唱された、「民衆的工藝」を意味する造語だった。工芸の一般名称に対して「民」を冠することで、民衆の存在と役割の重要性を示し、従来の美術品との明確な違いを図ったのだった。

民芸の世界もまた、日常性の「清貧」のなかに、また「無名」の民衆のなかにおいてこそその価値の真髄が宿ることを示しているのである。

(四) 歌詠みの心得――「証得せざること」「余情《よせい》」

「やまと歌」の世界は、文芸の分野のみならず日本文化総体においても最もわが国独自の「固有性」を誇るものといえるだろう。「記録」に残るものとして最古の『記紀歌謡』や『万葉集』(ともに奈良時代末期に編纂)に遡るその原型は、「五、七調」を中心とする語音のリズムをもつ特徴をすでに備えていた。仮名《かな》が発明されるまでは、「万葉仮名」に象徴されるように漢字を用いてはいたが、それはあくまで「音」の表記としての手段であって、中国伝来の漢詩とは明らかに別種の「歌」としての文芸世界を形成していた。

長歌に対する「三十一文字(音)」の短歌の存在を前提とした奈良時代までの「長歌」「短歌」の区分けは、平安期には短歌が主流となって「和歌」と称された。そして近世以降、現代までは「短歌」の呼称が「復活」して一般化した。

全二〇巻四五〇〇首超の歌を集めた『万葉集』以後、しばらくは「やまと歌」の作歌の風習は下火となっていたが、最初の勅撰歌集として『古今和歌集』(九〇五年または九一四年)が編まれてからは、その道は再び盛んになった。その序文である「真名序《まなじょ》」(漢字表記文、紀淑望作)と「仮名序」(かな表記文、紀貫之作)はある意味初の「歌論」ともいうべきものであったが、平安末期から鎌倉期になると歌人・文人が多くの「歌論書」を著わして、「歌」の本質・理念・手法などについての理論や評論を展開した。

その「理念」ともいうべき「和歌」「短歌」の重要なものに、「幽玄」があるのはよく知られている。「幽玄」は、周知のように後発の「語り・謡い」「舞」「地謡」「囃子」による「総合芸術」ともいわれる「能」においても重要な理念としての位置を占めている。

「幽玄」の呼称自体は、すでに『古今和歌集』真名序に現れていたが、そこではその趣旨や定義は必ずしも明確ではなかった。その内実をより深く探究した最初の人物は、歌論書『古来風體抄』（一一九七年）の著者で歌人でもあった藤原俊成だったといわれる。しかし、武田元治「俊成歌論における『幽玄』について」（『大妻女子大学文学部紀要』一九七七年三月）によれば、俊成の「幽玄」は「声調」と「景気」を重視する点にあるとし（前者は「趣向や理よりも重要な要素」であり、後者は「美的形象を核とする観念」）、中世以降重視されるようになった「余情（よせい）」に象徴される趣意とは必ずしも一致するものではないと述べている。

この稿は、多くの「歌論書」や「歌論研究論考」を通読・分析して、「和歌」「短歌」の本質や理念を究明する場でもない。

ここでは、歌論が多く著わされた中世以降に定着した「和歌」「短歌」の重要理念に焦点を当てて考えたい。それは、前述のように民藝の世界において柳宗悦が「美」を生じさせるための「心のあり方」――「無想」「無心」「忘我」「無銘」など――と共通の精神を示しているからである。

こうした問題意識において着目したのは、鴨長明の歌論書『無名抄』である。平安末期から鎌倉初期にかけて活躍した鴨長明は、周知のように随筆『方丈記』で名高いが、歌人・俊恵に師事しその歌会・歌合の場「歌林苑」

の会衆として歌の道に精進し、後鳥羽上皇が新設した「和歌所」にも務めた宮廷歌人でもあり、また琴や琵琶の名手としても名を馳せた文化人であった。『無名抄』は長明晩年の歌論書。他の歌論書が「作法書」の性格をもったのとは趣きを異にし、しばしば師・俊恵の歌論を紹介しつつ、八三段の歌に関する随想や説話を中心にした構成となっている。「作法書」とすべく強く「構えて」臨んでいないことが、逆に、「歌を詠む」ことの重要な意義や心構えなどが自然に表出されたともいえよう。「無名抄」の命名にも窺われるように、それは長明自身が意図したことでもあったろう。ちょうど前述のように、民藝において作り手の「無心」によって銘品が生まれた事情に符号するようでもある。

『無名抄』（久保田淳訳注、角川ソフィア文庫 二〇一三）から主要な「作歌における理念・作法」を抽出してみた。

① 気品・謙虚・節度

「『われ』と『人』と」と題する段（四段）で、小因幡の女房の次の歌をめぐって「人」表記の是非が議論されている。

惜しむべき春をば人にいとわせてそら頼めにやならむとすらむ

〔去ってゆくのを惜しむのが当たり前の春をわたしに厭わせておいて、あの人は夏になったら逢おうと約束したものの、それは結局空頼めになるのだろうか。〕

「人」ではなく「われ」とすべきだという意見が多くあったことについて、俊恵はこう評したという。

「『我に』といひては、うたてことのほか品なく聞こゆるものを」。「われ」では我執や自意識・自己主張が前面に出て、品がなくなるというのである。これは、歌の心得に限らず、すべてに言えることであろう。「私が」「俺が」…の自己主張は、確かに奥ゆかしさや品性に欠ける。

また、五十段「歌人は証得すべからざること」では、同じく俊恵の教えを紹介している。

「あなかしこあなかしこ。われ人に許さるるほどになりたりとも、証得して、われは気色したる歌詠み給ふな。ゆめゆめあるまじきことなり」

「証得する（解ったような気になる）な」、「気色したる（思い上がった）歌を詠むな」、歌の世界は奥深いし、そんな心得ではとてもその奥深さに達することはできない。高慢をたしなめ、謙虚さや節度の大切さを説いている。これも歌詠みに限らない、広く人生訓として捉えることのできる「心得」でもある。

② 余情《よせい》・幽玄

四十一段「歌の半臂《はんぴ》の句」で、「余情」の本義が、遍昭僧正の歌を題材にして俊恵と長明の「問答」の形で述べられている。

「たらちねはかかれとてしもむばたまのわが黒髪をなでずやあらむ

〔わが母は、わたしがこのように出家するだろうと思って、わたしの黒髪を撫ではしなかったであろうに。〕（遍昭僧正）

…この半臂の句はかならず品となりて、姿を飾る物なり。姿に華麗極まりぬれば、またおのづから余情となる。これを心得るを、境に入るといふべし」

「かかれとてしも」という一見無駄な言葉を間に置く「半臂の句」（装束の「半臂」のようにさして重要な機

能をもたないもの）をもつことで、歌に「余情」が生まれると、俊恵は説いている。

七十一段「近代の歌体」は、この『無名抄』のなかで歌そのもののあるべき姿・風体について最も多くの紙幅を割いて、長明が「歌論」らしい説を展開しているものである。ここでは「余情」や「幽玄」の語が何度か語られている。

「今の人、歌のさまの世々に詠み古されにけることを知りて、さらに古風に帰りて、幽玄の体を学ぶことの出できたるなり」

「…幽玄の体、…よく境に入れる人々の申されし趣は、詮はただ言葉に現れぬ余情、姿に見えぬ景色なるべし。心にも理深く、言葉にも艶極まりぬれば、これらの徳はおのづから備はるにこそ」

ここで長明は、「幽玄」を、優れた歌詠みの考え方だとしつつ、「言語で表現しきれない情趣（＝「余情」）」、「視覚的に捉えられない気配・様子」と明快に定義している。

ここで、「抽出」した、気品・謙虚・節度、余情・幽玄といった歌の心得や作法は、近現代において独自の美的世界を明示することになる「民衆の工芸」（民芸）の本領である「無心」や「無銘」にも連なるわが国芸術の基層をなす「理念」として、中世以降広く深く定着していったのである。

㈤「謙虚」「無銘」「無私」「品性」——市民運動の本領

ここまで「市民運動」という言葉を用いてきたが、もとよりその実態は多岐に及ぶ。児童虐待やイジメ・男女差別・障がい者差別・外国人差別などの撤廃を追求する平等・人権擁護運動、原発（再稼働・新設）反対・廃棄や道路・ダム等建設反対を追求する環境・生存権運動、憲法擁護・改悪反対の護憲運動、「九条」擁護／基地建設・

拡大反対の平和・自治追求運動、言論弾圧・表現の自由抑圧反対の自由権追求運動などなど、実にさまざまである。したがって、それら各運動は、その目的・目標の違いによって運動自体の態様も当然異なってくる。たとえば、特定道路の建設反対運動の場合のように、その道路計画が撤廃されるか、あるいは反対に強行建設されるかすれば、運動の目的・目標がなくなり、運動自体は消滅することになるだろう。

しかし、列記した市民運動の多くは、憲法にも明記された「平和・人権・平等・自由・生存権・自治」といった基本的理念が遵守・履行されておらず、また遵守・履行されそうもないという深刻な「非立憲的現実」――権力の怠慢と意図的政策による――に対する「異議申し立て」運動であれば、それらはきわめて本質的な「問題提起」と「目的」をもつものであり、そうそう「目的が達成された！」として簡単に終息するようなものではないだろう。

そこに、市民運動に「共通の」あり方が見えてくるにちがいない。本稿において、多様な「分野」「領域」における「民衆行動」「民衆表現」の緊要な「あり方」や「心得」、「作法」について見てきたことを踏まえつつ、今日の市民運動が具備すべき重要な精神と心得、つまり「本領」について整理してみたい。

① 謙虚と節度

鴨長明の師・俊恵が歌詠みの心得の一つとして挙げた「証得すべからざること」（解った気になるな）は、歌の世界に限らず、市民運動においても各メンバーにおける基本的な「心得」「精神」であるはずである。どんな課題を目的・目標に掲げようと、その課題について運動体がより深く理解し、その目標達成に向けた方法・手段を探究していくのに、「これで十分だ」などということはあり得ない。メンバーが問題意識をもつのは「出発点」にあたって当然であるが、その問題意識をより深くより広く高めるのは、まずは地道な「自己啓発」が必須である。個々の地道な研鑽と運動体全体の「あり方」は相互依存的なものである。謙虚や節度は、メンバー個々の自覚というべき運動体自体がもつ「内的な」共通精神であると同時に、それはまた、外部に自然と滲出する運動体そのものの「姿」を表象する特質にもなろう。それは、運動体にとって、説得力や共感を得るための重要な要件であるにちがいない。

② 無心と無銘

文初で「ヒーロー依存／待望」の「負の習性」について触れた。市民運動体には通常、「その道の」専門家はいない。仮に専門家がいれば、その団体は、おそらくその専門家の専門的な知識と主張をつねに拝聴・学習し、その専門家の「色」を強く持つ「私塾」や「勉強会」のようなものになるにちがいない。

それは、メンバー個々が切磋琢磨し、全体的な議論・討論によってより「有効」「有力」な方途を見出していく、運動体がもつべき合議・合同の理念と方法を軽視・欠落するものになるだろう。

市民運動の原理・原則は、「専門家なしの市民・民衆」の営為であろう。まさに、「無名性」においてその運動の存在価値や効用が問われるものである。民衆の素朴で真摯な、そして「無心」の制作への傾注こそが、民芸の「美」を生み出すように…。

③　無私と無償

市民運動は「対価」を求めない、とも述べてきた。問題意識をもった、つまり志を同じくする市民が集って、共通目標に向けて研鑽し、「外」に向けてその主張を拡大していこうという行動を、自分たちの日常の職業活動から離れて展開しようというのが、市民運動である。いわばボランティア活動である。

それは、無償の行動であるのが当たり前だ。むしろ、どの市民運動体も、その活動は、メンバー個々の自主的出費によって賄われるのが常である。「世のため人のため」という大義を自覚しようがしまいが、その目的・目標は、社会の「あるべき」姿・方向に向けた自主的行動という、ある意味「高潔」な活動であるにちがいない。そうであれば、その活動は「対価」によって価値づけされるようなものではない、「尊い」営為のはずである。まさに「無私」の営為というべきものだ。

あるいは、運動展開にあたって莫大な費用が必要なものもあるかもしれない。そんな場合は、昨今はネットやSNSを利用した「クラウドファンディング」などで広く寄付を募ることもある。クラウドファンディングの場合も、運動や行動の目的・目標の「社会的趣意」を訴えて大衆の理解・同意を得るのが前提であり、こうした場合も立派に市民運動としての性質をもつものといえよう。

④　無我と気品

市民運動がメンバーの集合体としての団体営為において成立するものであれば、団体としてのメンバー間の融和や親和は不可欠な要素であろう。個々が「私が、俺が」の自我が強ければ、和みの雰囲気は生まれまい。もちろん、運動体において問題意識を深めたり、目標に向けたりの議論・合議は不可欠であり、それぞれが意見を交わすことは当然である。が、建設的な議論を交わすことと、自我が強くて自己存在を強調することはまったく別のことである。換言すれば、団体営為を成立させるには「自制」「無我」という全体への「志向」や「気遣い」が肝要だということである。

歌人・俊恵が「われ」と言わずに「人」と表現するところに歌の「気品」が生じると、歌詠みの「心得」を説いたように、市民運動においても、この「理」は重要な本領であるにちがいない。

市民運動は、当然のことであるが、市民の「集団」において行われる社会的活動である。「個人」がその思想・信条に基づいて行う活動はふつう「運動」とは言わない。したがって、市民運動において、個人的・単独的活動はまずありえない。それはむしろ個人プレイ、スタンドプレイとして、集団活動においては最も忌避されるものである。

冒頭、大衆運動・市民運動について、ジョン・ロックの「抵抗権」「革命権」の提起に事寄せして、その社会活動は彼らが「信託」した為政者の「統治」に対する「異議申し立て」の大衆的活動であることを、あらためて確認しておいた。

まさしく「統治」への「抵抗権」「革命権」という基本的権限の行使である大衆運動、市民運動であればこそ、その内実や要件が、いっそう問われる所以である。

まず、運動体内部において、問題意識を共有する構成員の個々が切磋琢磨して問題・課題の理解を深め、活動の方向性を検討していくものである。いわば運動体はメンバーが互いに学ぶ場、「協学」の場である。運動体がその存在理由を示すためには、構成員それぞれの自己啓発による全体の質の向上が不可欠である。その啓発は、集団においてなされるものであるからこそ、構成員相互の「学び合い」（＝協学）として追及されるのである。

そして外部に向けては、運動・活動の目的・目標を達成すべくその趣意を世間に喧伝して同感者・同調者をふやし——つまり「発信」「拡大」——、運動・活動の「力」をより強大にして目的・目標達成を目指すものである。

これら市民運動における当然の「協学」「発信」「拡大」は、前述の「謙虚と節度」「無心と無銘」「無私と無償」「無我と気品」によって、その内実の如何が問われるといえるのである。それらは、**「無名性」「匿名性」**の本性に由来するものでもあった。

まさしく、これらの「要件」こそが、市民運動の「本領」といえるだろう。

第三章　現行統治に抗して

――その無体・独断・傲慢・不実・暴走

8　座談会・道路建設はなぜ止まらないか

雑誌「世界」の道路問題特集についての三村企画原案（二〇〇八年一二月）に基づき、「世界」編集部との調整によって最終案を得た（二〇〇九年五月）。同特集掲載は、二〇〇九年八月号。

同特集の一部である座談会「道路建設はなぜ止まらないか」〈出席者〈人選は三村原案に基づく〉：五十嵐敬喜（法政大学教授・弁護士）、神野直彦（関西学院大学教授・財政学）、篠原義仁（弁護士）、橋本良仁（道路公害反対全国連絡会）、三村翰弘（筑波大学名誉教授・都市計画／環境計画）、司会・「世界」編集長岡本厚〉における、三村発言部分を抜粋した。

(一)　道路の現状について

三村　道路の無駄遣いは昔から批判されていましたが、小泉政権時代、構造改革という御旗の下、事業者である建設省、のちの国土交通省が、ある程度それに対応するポーズをとってきていて、それゆえにわかりにくくなってきた面がある。一つは、一〇年間で道路建設五九兆円という計画が相当な批判を浴びて、〇八年の一二月に国交省が「新たな中期計画」をつくって対応した。道路計画は社会資本整備重点計画の中で取り扱うということになって、事業の具体性を隠してしまったので、道路事業の計画、あるいはその実施が、国民の目に見えづらくなってきた。

特別会計の問題もあります。国交省が扱っている特別会計制度は、道路、港湾、空港、治水（河川）、都市開発の五本ですが、これも小泉構造改革路線の中で批判を浴びると一本化してしまった。それで、道路にどれだけのお金が使われるのか、わかりにくくしてしまった。

経済協力開発機構（ＯＥＣＤ）は加盟各国の環境政策や財政政策、あるいは政策一般を調査し、勧告をしていますが、九九年に日本は事業評価の制度がないと批判された。それもあって小泉時代の二〇〇三年に政策評価法（行政機関が行う政策の評価に関する法律）ができますが、これが実に甘い。二つの省庁にまたがる事業以外は、各省庁の報告書がそのまま認められてしまう。道路についても、国交相が自分で評価し公表しておしまいです。

私は、道路問題というのは、結局公共性を我々がどうとらえるかにかかってくると思う。公共性は二面あって、政策を立案したり、法律や制度をつくったりする政治や行政の側、つまり政府の公共性と、それを監視し、評価し、参加したり抵抗したりする、国民の側、市民の公共性です。身の回りの地域、町のことについて関心をもち、評価し、あるいは参加していくのか、反対するのか、「市民公共性」にかかわる根本問題です。それが道路問題にもいえると思う。

(二)　止まらない道路建設の構図

三村　なぜ道路がとまらないのか、その大きな要因は、先ほど五ヵ年計画の話が出ましたが、その五ヵ年計画を実施させていくだけの財源、つまり道路特定財源があったことです。それが道路をやたらにつくらせてきた元凶です。

もう一つ、環境基準によって道路を押さえていくべき環境庁が非常に脆弱で、各省から派遣された役人が担ってきた現状がある。環境基準の緩和・後退は三度あり、（篠原さんが言われた）七八年のＮＯ２の三倍の緩和、八六年の大気汚染指定地域の廃止、二回目は、九八年の騒音基準の緩和です。三回目の基準緩和については、私は朝日新聞紙上で批判しました。その後、新聞社が内幕を取材しているのですが、建設省出向組が中心になって基準の緩和をやったのです。

それともう一つは、道路行政の妥当性を誰がどうチェックするのか。政策評価法は骨抜きで、事業者の役所が自分で報告をつくり、自分で評価している。そういう法制度を許しているのは政治の責任ですが、それは我々市民の監視が足りないという問題でもある。

㈢　公共事業中止法の制度を

三村　どうしたら止まるか、やはり制度的な整備で、河川法と同様、道路法を改正して、影響を受ける当該住民の意向を反映する住民参加方式の計画にするすることが一つです。

もう一つは、たとえば、イギリスには調停審査庁という独立した役所があります。プランニング・インスペクトレイトといって、道路計画がつくられ、住民たちに公開した時に、土地を奪われる住民とか、沿線の住民とか、意義申立てが出てくる。それを全く独立した専門家が聞いて、計画の妥当性を審査する。問題があれば、問題があるという報告書がつくられる。それが政策規制になるわけで、そういう制度を日本でもつくるべきではないか。

次に、訴訟制度の問題。圏央道のあきる野についての地裁判決では、計画段階で訴訟を受け付ける制度にすべきだという判決が出ています。予算がつき事業が起こされた段階で、訴訟を裁判所が受け付けることが多い。計画段階では、まず門前払い。これも名実ともに変えていく必要がある。

㈣　道路「植民地主義」に抗して

三村　ハーバーマスが、近代社会というのは行政システムと貨幣システムによって市民社会を植民地化していく過程なんだ、と言っていますが、私たちは道路を媒介にして市民社会が植民地化されてきた典型的な状況を見ているわけです。では、ハーバーマス的に言う「反植民地化」はどうしたら可能か。

私は結局、市民の側が自分たちの地域空間をどうしていきたいのかという構想力を持つ以外にないだろうと思います。市民の自覚と責任において身近な自治体から変革する。市民とその自治体がパートナーシップを組んで望ましい都市像、地域空間像をどうつくっていくか。道路問題の解決、つまり「反植民地化」は、そういう市民の自覚的課題だと思うのです。

9　将たらざる者と矜持なき者たちへの葬送曲

――ポスト・コロナの「社会構築」を！

二〇二〇年のその日五月二一日は、朝からメディアが騒がしかった。前日の「週刊文春」WEBが黒川東京高検検事長の「賭けマージャン」問題を報じていたからだ。

政府側の「動き」は速かった。二一日夕べのニュースは、黒川氏が法務省の調査に、月二～三回、一人掛け金数千～二万円程度の賭けマージャンをしていた事実を認め、辞意を表明したことを伝えた。そしてその日のうちに「電光石火」下された法務省の処分は、監督裁量の「訓告」という最も軽微なものだった。事件の重大性を考えれば、人事院の定めに依る「懲戒」が当然だろうに。しかも、「賭けマージャン」の調査は済んでいないのだ。またしても胡散臭い「幕引き」である。世間の大半が、驚き呆れ、そして納得しない「顚末」であろう。何しろ刑法上の犯罪になる賭博をやっていたのだから。プロ野球界では、いわゆる「野球賭博」に関与した選手は、球界からの「永久追放」の処分が下される。選手生命を絶たれる厳罰である。ましてや、「法の番人」として犯罪者を公訴する権限をもつ唯一の機関のナンバー2幹部の「刑法違反」である。「事件」のお粗末さもさることながら、法務省の処分対応そのものもまた世間常識から逸脱していよう。

前例のない検事長「定年延長」の閣議決定をした政権の責任問題に「飛び火」するのを防ごうという、「軽微」処分であることは明らかだ。

〔五月二五日の新聞報道で判ったことだが、黒川処分について法務省案は「懲戒」だったものを、官邸が「訓告」にしたという。ここも政権のゴリ押し介入か。「定年延長決定」の「後ろめたさ」ゆえであろう。〕

「どうにもこうにも、この政権、腐りきっている…」身近な友人のため息まじりの呟きだった。

かつて中世の末期に、数千万～一億人規模の死者を出して西欧を震撼させたペストの大流行は、ルネサンスの新時代を「決定づける」一大契機となったとされる。このたびの検事長賭博問題は「お粗末」すぎる事案だけに、せめて、コロナ禍によっていっそう「尋常ならざる」社会・政治情況に陥っているこの国の現状を「正常」に向けて方向転換する契機、すなわち「安倍時代の精算」という時代情況の全面転換の契機にしたい…。「外出自粛」と「感染への不安」…未曽有の「歴史的体験」は、図らずも遙か昔のヨーロッパにおける疫病大流行後の「新時代」到来を思わずにいられない。

そんな思いが書かせた一文である。

(一)「類は友を呼ぶ」

「定年延長」検事長の賭けマージャン。文を綴るに値しない一連の「できごと」だ。この件について二〇日夜のテレビニュースが「速報」で伝えた時、脳裏にすぐに浮かんだのは「類は友を呼ぶ」という成句だった。そして、安倍政権が世間を騒がして来た一連の「事件」が頭を駆け巡った。国有地を不当に大幅値引きして日本会議会員の「友人」に譲渡したモリトモ事件、財務省理財局長だった佐川某(国税庁長官に栄転)の公文書改竄・国会虚偽答弁疑惑、公文書改竄の直接の当事者だった近畿財務局職員の自殺、「友人」加計氏が経営する加計学園の獣医学部新設をめぐる国家戦略特区利用の便宜供与疑惑、「桜を見る会」での国費による安倍選挙区住民の大量供応疑惑…、いずれも身辺清廉な政治家なら絶対に起きないことだ。そして、「ネット・デモ」と称されたS

NSによる検察庁法改正反対の強力な世論。法案は、珍しくもこの世論の力で「継続審議」となって見送られた。元を正せば、「違法」「脱法」の閣議決定による強引なこの黒川氏の定年延長だった。「ボスがボスなら、テシタもテシタ」「ボスにふさわしいオトモダチ」…まさしく「類は友を呼ぶ」という印象である。

安倍首相は、パンデミックの猛威を振るう新型コロナ感染症の課題に対しても、失敗を繰り返して国民の信頼を損ねた。その一番の象徴は「アベノマスク」と揶揄された、一世帯当たり二枚のマスクの全国配布問題だろう。「そんなことより、ほかにもっとやるべき大事なことがあるだろう。各地の病院で崩壊をおこしつつある医療体制の支援策や、諸外国からもその少なさへの批判の多いPCR検査体制の拡充などなど」、巷の主婦たちの間でも起きていたまっとうな声である。

「賤《いや》しい」眼には「根本」は見えないのだろうし、「浅ましい」根性では「正道」も思い浮かばないのだろう。小人に大人の統治を信託するのが間違い。これに尽きるのだろう。

少しの「脱線」を許されたい。

「類は友を呼ぶ」が脳裏に浮かんだ時に、「ああ、やはりそうだったか」という思いとともに、なぜか、同種の成句を思い出そうとしていた自らがいた。おそらく、こんなテイタラクを眼前にして、そのやりきれなさに、何か「理（ことわり）」を見つけて自らを納得させようという心の欲求があったにちがいない。

"Birds of a feather flock together."（同じ羽をもつトリはいっしょに群れをなす）

確か、英語ではこういう表現だった。「羽」がここでは含意に富むキーワードなのだ。

成句ではないが、「似た者同士」という言葉もある。通常あまりいい意味では使われない。「似ている」のである。顔や表情が似ているような場合には使わない。内面的な「似」である。まあ、心根とか性根というところが一般的だろう。

こういうのもあった。「類を以て集まる」。中国古代の『易経』が典拠という。調べたら、単に「類聚」との漢語表記であり、『故事辞典』にはこうあった。「方以レ類聚、物以レ群分、吉凶生矣」。この「方」は仲間の意。「味方」「敵方」の「方」である。なるほど、「類」の中味は、ずっと太古の昔から「お仲間」が集まることの「習い癖」「同質性」なのだ。

「オトモダチ」…、この政権になってよく聞かされてきた言葉だ。まさしく「彼ら」は「類」なのだろう。「方」すなわち「お仲間」でもある。しかも、それぞれけして世間の「評判」が芳しくない「お友達」「仲間」として…。「同じ羽」のトリといっても、安倍を中心とする集団のトリは、羽の「質」そのものが問題なのだろう。思想的には超保守、性格的には陰湿、傲慢、吝嗇、不誠実…。

週二でわが家の掃除をしてもらっているヘルパーさんがいみじくも言ったものだ。「マスク二枚で国民の歓心が得られると思うところがねえ」と。「ねえ」の先はさすがに言わなかったが、こういう言葉が続くのだろう。「浅ましい！」と、あるいは「(国民をなめて) 傲慢だ！」と。そう、人の精神、心のあり方なのだ。「類」は、むしろ「同じ羽」ではなく「同じ精神」「同じ心」というべきなのだろう。

そこで、新成句はこうなる。「同心、群れをなす」　この「心」はまあネガティブなものだろう。「同じ心」といってもポジティブな人たちは、ふつう群れを成さない。なぜならその必要がないから。オープンマインドの人は、いつでも、どこでも、誰に対してもオープンマインドなものだ。だから、この「同心、群れをなす」もネガティブな群れ形成を指すことになる。「腹にいち物」の集団、言ってみれば「一味」とか「郎党」とか「徒党」

といったところだろうか。

閑話休題。

つくづく、ネガティブな意味で、同じ「精神」、同じ「心」と思ったのが、このたびの黒川検事長の賭けマージャンの件である。検察の独立性・公平性に則って、検事長は辞職すべし、というのが世間一般の声だろう。この場合の「精神」「心」は、言うまでもなく、検察のあるべき姿に対する「責任感」そして「矜持」であろう。その精神・心があるなら辞職しろ、と。まさしくそれはポジティブなものではないか。

だが、実際はまるで違ったネガティブな「志」ゆえの「事件」による辞職である。犯罪としての賭けマージャンをした！　しかも常習性！

刑法第二三章　賭博及び富くじに関する罪

第一八五条　賭博をした者は、五十万円以下の罰金又は科料に処する。(後略)

第一八六条　①常習として賭博をした者は、三年以下の懲役に処する。(同)

黒川の賭けマージャンの詳細な事実は、いまなお「不明」である。法務省への本人の「説明」と同席した新聞社関係の人物の「話」として伝わるのみである。法務省の「調査報告書」なるものは公表されていない。これまでに巷間伝えられた情報では、黒川は賭けマージャン歴は判っているだけで五年、月に二～三回、掛け金は一回一人数千～二万円。五年の「総額」をはじいてみる。六〇～三六〇万円。小さい額ではない。しかも、常習性だ。法律の所管官庁の法務省は、刑法を無視して「訓告」の監督裁量…。

さらに、時は、緊急事態宣言発令下で、外出自粛や「三密」回避をうるさく要請されていたのである。この世界を震撼とさせているパンデミックのコロナ禍の非常時、どんな犯罪や事件が突発的に起きるか判らない。商売が立ち行かなくなり自殺者も出ている。あるいは自暴自棄になった者が「怨恨晴らし」の事件を起こすかもしれない。現に、ロックダウンの措置をとった欧米では、「自由は奪われない」と反発した市民の暴動も起きている。法の厳正な執行者である組織の長が、そういう重大時に、賭けマージャンに興じていた！「朝方まで約六時間のマージャン」とも伝えられる。長時間の「三密」そのものではないか。国民が驚き呆れるのも当然である。犯罪を摘発する組織の最高幹部が、である。こういう人物に、「独立性」だの「公正性」だのはまったく意味のないことなのだろう。

けっきょくは、法の番人たるを放擲して「違法」「脱法」を甘受して地位に恋々とするような人物である。こういう成句もあったか。「小人閑居して不善を為す」。

そこに、われわれは、霞が関の中央官僚たるの矜持を一片たりとも見ることはできない。矜持を持たざる者に矜持を求めるのが、そもそもの間違いだったか。

だが、「黒川個人」の問題で済ます訳には行かない。例によって姑息な政権は、「黒川個人の素行の悪さ」という個人問題にして、一件落着と早々と「幕引き」を図っている。件の週刊誌が発売された五月二一日のうちに、法務省事情調査⇓黒川辞意表明⇓法務省処分決定⇓黒川辞表提出の一連の「動き」が進み、翌二二日閣議で辞表受理、というこれ以上ない「スピード処理」であったことにも、それは読み取れる。「回帰路線」法制成立の「功労者」も、権力にとって都合が悪くなれば「切り捨てる」。トカゲのしっぽ切り。モリトモの場合も同じ。

政治思想研究が専門の早稲田大学・水島朝穂教授がこう言っていた。「安倍はしばしばヒトラーになぞらえるが、私はむしろスターリンだと思う。その陰湿さがよく似ている…」と。なるほど…。
性格の問題もさることながら、モリ・カケ・サクラの問題に限らず、任命した大臣の不祥事・失態による辞任続き、そしてこのたびの黒川問題などは、安倍の人間関係、人材登用のあり方に問題があるのだろう。安倍の政権・政府は「すり寄る者」「甘言する者」「ご機嫌を取る者」たちで固められていたのではなかったか。部下やお友達、お仲間の「もち方」は、その人間の「器」を反映するものだ。
「将たる者、追従なす者これを遠ざけ、諫言なす者こそ重用すべし」（徳川家康）
「諫言する者」などはいまの政権・政府にはいないのだろう。いや、「任命者」がそもそも問題なのだから…。安倍は、「将たる器」でなかったということに尽きるのだろう。

(二)　事実経過と「迷走」の確認

安倍本人とその政権の「統治」は、このところ無様な様相を呈している。「統治」の態を為さないほどの「迷走」ぶりである。航空機に喩えれば「ダッチロール」という現象。主翼を水平に保てず、右に左に傾いて蛇行する。どこに着地点があるのやら滑走路も定かでない、「操縦不能」状態。メディアも最近その「迷走」ぶりを報じてきわめて暗示的である（「安倍政権の迷走　国民と向き合わぬ末に」「東京新聞」社説五月二三日など）。

「迷走」は、この新型コロナの問題が生起した以降がとりわけ顕著だと見るが、筆者がこれまでも何度か指摘してきたように、迷走の「助走」はもっと以前からあったにちがいない。いずれにしても「末期症状」とも思われる政権迷走の実態を、きちんと見ておきたい。事実確認と整理のために、コロナ問題直前辺りからの「政治動向」を時系列で追うことにする。

［検察官定年延長］等	［新型コロナ対策］等
2019/11「桜を見る会」批判を受け次年度中止 /11-12 大学入試改革、批判受け導入中止	2019/11 中国武漢で新型ウイルス性肺炎まん延
/12 黒川東京高検検事長の２月退官後の法務省人事案（林真琴就任）を官邸が拒否	
2020/01 黒川検事長の定年延長を閣議決定	2020/01 日本厚労省、「感染者」１号を発表 /01 中国、武漢ロックダウン決定
	/02 WHO、新型コロナ COVID-19と命名 /02 横浜港寄港中のクルーズ船で感染者発生 /02 厚労省全国事務連絡「受診」目安「37.5℃以上４日間以上……」/17 /02 首相、全国小中高の休校要請 /27
/03 検察庁法改正案国会に上程（要職者の63歳以上定年延長は内閣が認定する）	/03 西村新型コロナ対策担当大臣就任 /06 /03 WHO パンデミック宣言 /11 /03 新型インフル特措法改正案成立 /13 /03 特措法に基づく政府対策本部設置 /03 フリーランスへの助成、急遽決定 /03 WHO「検査、検査……」隔離指示 /17
	/04 ７都府県に緊急事態宣言発令 /07 /04 布製マスク全国配布決定 /07 問題多発「配布前検査」実施 /04「緊急事態宣言」全国に拡大 /16 /04 特定給付金30万円を全家庭10万円に変更　/17
/05 広島地検、河井前法相選挙法違反を立件決定 /05 ネット SNS で検察庁法改正反対 900件超 /05 松尾元検事総長ら同法改正案反対意見書提出 /05 黒川検事長の賭けマージャン発覚 /20 辞表提出 /21 承認 /22 /05 黒川処分「訓告」（官邸が決定；後に判明） /05 政府、同法の継続審議へ。廃案決定 /21	/05「緊急事態宣言」延長 /04 /05 厚労省「37.5℃４日間」を削除 /05「同宣言」関西３府県 解除 /21 /05 緊急事態宣言、全面解除 /25

あらまし、時系列表を整理してみた。「迷走」を示す詳細の事実は、すべてをここに掲げるのが難しいほどである。

時系列表「事実」の「迷走」を、事項ごとにまとめて整理してみる。

桜を見る会

モリ・カケのいかがわしい問題だけでなかった。「サクラ」が加わった。首相主催の「桜観賞会」は、いわば首相個人の公式園遊会の趣をもって公費での恒例行事としてながらく続いてきた。ところが二〇一九年の「見る会」は、顕著な社会貢献のあった者が本来の招待者のところ、安倍の地元選挙区民八五〇人が「招待」されていた。不当な公金支出（政治資金規正法違反）、公職選挙法違反の疑いが世間を騒がせた。安倍の国会答弁。「招待者の名簿はすでに廃棄。地元民八五〇人の前夜祭参加者は各人が個別に会場ホテルと契約。前夜祭費用のホテル明細書も廃棄」こんな答弁がまかり通るのか。当然、納税者である一般市民の一部は刑事告発した（二〇一九年一一月）。本年五月には全国の弁護士・法学者ら五〇〇人以上が同じく、公選法違反と政治資金規正法違反の容疑で刑事告発した。

大学入試改革

「現行センター入試は、より適切な選抜試験になっていない。英語は聞く・話す能力。国語や数学は思考力を見ることが必要」という「要請」（財界など）が文科省方針となり（時の文科相は下村博文、「博文進学ゼミ」前経営者）、センター入試を廃止し、民間業者に委託することに。大学入試の民営化。入札で決まった業者は「全国入試受託」

を宣伝に利用。また五〇万人強受験生の採点はアルバイト学生を使っての処理。さらに、思考力を見るとした記述式試験の採点の難しさ、など問題が噴出して、文科省が「延期」に追い込まれるところとなった。途中、この民間業者のテストを利用しないとしていた東京大学に、文科省が「圧力」をかけた（予算絡み）こともメディアが報じた。そもそも「民営化」の動機・背景が「怪しい」上に、センター入試それ自体は「一次試験的」な活用が多くそれほど「大過」はなく、「話す・聴く」「思考力」などは各大学が必要に応じて二次試験で行えばいい、という「世間の声」のまっとうさに押された形。受験という聖域を、営利が目的の民営企業に安易に託した「民営化」対して、「受験も喰い物にするのか」と政権の経済路線と非常識が問われた。

ダイヤモンド・プリンセス号検疫

中国・武漢での新型ウイルス性肺炎の「騒動」から間もない二月、横浜港に停泊中の大型クルーズ船、ダイヤモンド・プリンセス号から最初の感染者が出て、国がにわかに大規模な検疫態勢を敷いた。乗員・船客三七一一人が上陸することなく船内に「隔離」された形となり、結果、船内感染の「オーバーシュート」（感染爆発）を招来した。計六三四人の感染者を出した。多くの国が、特別機を派遣して乗客を帰国させた。「船内閉じ込め」の国の方針に対して、諸外国から「感染誘発」の原因として批判が殺到した。

全国小中高校への休校要請

安倍首相は、「対策本部」ができるずっと前の二月二七日、突然全国の小中高校の休校を要請した。感染が全国に蔓延している状況でもなく、「思いつき」要請と批判を浴びた。三月二日以降、学年末になって休校を余儀なくされた学校も困惑し、何よりも児童・生徒の精神的動揺が大きかった。「学習権・教育権」の侵害という声も出た。根拠のない大袈裟な要請は、ポピュリズムそのものであり、コロナ対策への真摯な科学的配慮の欠如はもとより、国民軽視の姿勢そのものだった。

新型コロナ対策（ＰＣＲ検査、対策本部、専門家会議）

日本における最初の感染者判明は一月一六日（厚労省記者会見発表）。その割に、対策はきわめて「悠長」だった。中国の前例を見ればその「市中感染」の強さは容易に予想できた筈で、ＰＣＲ検査の徹底がまずは対策の第一となるべきだった。だが実際は、二月になって、厚労省が全国に発した「連絡」は、「三七・五℃以上、四日間以上の発熱」などの条件を「相談」の目安として、検査を「抑制」することから始まった。しかも「帰国者・接触者相談センター」の承認を得るというきわめて限定的な「行政検査」一本やりの検査対策だった。ＷＨＯが「検査、検査、検査…何よりも検査を」と世界に発した呼びかけ（三月一七日）以降も、その方法を変えようとはしなかった。さらに、政権は、現行の「新型インフルエンザ等対策特別措置法」で対応できるものを、その国会での改正に拘《こだわ》って時間を「浪費」する。同改正措置法のもとに「対策本部」を設置したのは三月二六日、最初の感染者「発見」から二ヵ月以上経っていた。そして担当責任者が、「経済再生担当相」である。なぜ、厚労大臣ではないのか。この時点で、すでに政権の新型コロナ対策への「真剣な」対応に疑問符がついた。「人の命や健康より経済か？」

また、改正特措法に基づく「緊急事態宣言」の発令や解除の「判断」に大きな影響をもった「専門家会議」も、対策方針の適切な助言をなしたとは言えなかったばかりか、会議の「議事録」さえ作成していないことが判明。国民生活や企業活動にこれだけ甚大な影響を与えた「コロナ禍」の第二波、第三波への「備え」や今後の感染症対策への「教訓」の整理など、議事録のもつ重要性は明白だが、その「イロハ」さえわきまえていない「お粗末」専門家集団の「会議」だった。

ちなみに、国際的な評価を得た韓国では、最初の感染者判明は一月二〇日で日本より遅かった。そして対策本部の陣頭指揮には、予防医学の博士号をもつ鄭銀敬女史を登用してその指揮権限のもとに、ＰＣＲ検査の大量かつ新方式の方法を生み出し、徹底した。わが厚労省の医療行政の硬直性も、政権の不定見もともに露呈したと言えよう。

緊急事態下の経済的「支援」策

四月七日の緊急事態宣言は、「外出自粛」「事業自粛」「催物自粛」を要請するものだったが、諸外国のように企業・商店や個人事業者（フリーランス）に対して「休業補償」を行う発想はまったくなかった。四月一七日に、国民一般に対して特定条件の「減収世帯」に一律三〇万円を給付することが発表され、その経済支援策は補正予算案にも組み込まれた。ところがのちに、「特定世帯三〇万円」よりも「全世帯一〇万円」給付がいいということになり、補正予算の組み換え、提出し直し、という前代未聞の国会を巻き込んだ「迷走」ぶりだった。また、フリーランスへの給付金も、後々になって事業者に対する「持続化給付金」のなかでようやく位置付けられた。

その中小企業向け「持続化給付金」も、問題が多い。事業予算二兆三千億円。電通などが設立した団体に七六九億円もの委託費を払って行う事業。給付遅れが相次いでいるという。その委託先団体の電話番号は非公開、登記所在地は無人という。幽霊団体の「怪しさ」がつきまとう（「運営団体 実態不明」東京新聞 五月二八日）。しかも、後日この事業費の九七％の額七四六億円で電通に「再委託」されている。「再委託」は七六九億円が「行方不明」ということだ。そもそも企業支援になぜ広告会社が関与？　胡散臭《うさんくさ》さがつねにつきまとう。

ドイツではすでに三月には、個人のフリーランスも「文化の担い手」として手厚く対応し、申請二日目で五〇〇〇ユーロ（約五九万円）の助成金が出ていた。

マスク配布も国民の失笑を誘う「迷策」だった。「アベノマスク」と揶揄された、「お門違い」対策。四六六億円も計上してのマスク配布、しかも、不良品続出で出荷前再検査が必要になり、六月になろうというのに配達達成率二〇％未満、発注先業者の一つはマスク製造販売の実績がない企業と判明、アベノマスクにもさらに「怪しさ」が付加する顚末。

いずれにしても、まともな政策遂行能力のなさを示す事実の数々である。ちなみに、政権の新型コロナ対策に対する国民の評価も低かった。政府の対応を「評価しない」五七％、「評価する」三〇％（朝日新聞世論調査、五月二三日、二四日）。

検察庁法改正・黒川検事長

この事項については、すでに前段で詳述したので割愛するが、この半年間における安倍政権の最大の「政治問題」といっていい。

「違法」「脱法」の幹事長定年延長閣議決定、「後出し」検察庁法改正の継続審議（今国会見送り）、検事長賭けマージャン問題…。大きな政治問題、違法問題。政権の帰趨に直結するはずである。

あらためて新型コロナ対策について。日本政府の施策は如上のように初めから「愚策」で失敗だった。ところが、ＰＣＲ検査の少なさが諸外国からも強い批判を浴びたにも拘わらず、政府発表の限りにおいて（どこまで信憑性があるか）、日本では感染者数も死亡数もきわめて少ない。多くの外国メディアの「ニュース・ネタ」にもなり「日本の奇跡」「日本の幸運」とも言われている。余計なことに（?・）ＷＨＯのテドロス事務局長は会見で「日本の成功」と評した。頭《ず》に乗ったか、安倍は緊急事態宣言解除の会見で「日本モデルの成功」と自画自賛したものである。

データを信じるとして、この「日本の奇跡」は、何ゆえ生じたのか。「奇跡」でも何でもない。結果的には、日本の「ＰＣＲ検査数」の絶対的な少なさに依るのではなかったか。検査数は欧米の数十分の一だったのだから、同じような「感染率」だったとして、感染者数が欧米の数十分の一になるのは当たり前だった。むしろ、検査数の少なさこそ、「市中感染」の感染拡大を促進したのではないか。検査が少なければ、「無症状感染者」が町中を闊歩して「感染源」になるのは当然である。その「連鎖反応」で感染は当然拡大する。のちの、わが国のコロナ感染者の「急増」ぶりが、その「理」を実証もしていよう。

ここで、ポスト・コロナを考察するためにも、人間の歴史におけるウイルス由来の「疫病」について思いをいたしつつ、その発生源のウイルスの「存在」について考えておくことが必要である。

ウイルスは、周知のように、それ自体で生存することはできない。動物や鳥類の体内で生存する、いわば「居《い》候《そうろう》」のような存在である。従って、動物や鳥類が自然界における生物であるように、ウイルスもまた自然界の「生き物」である。なぜ、自然界のウイルスが人間界に「侵入」するのか。答えは、ただ一つ。「自然が壊され、行き場がなくなったから」われわれ人間の開発行為が、逆にウイルスを「呼び寄せて」いるのだ。最近のエボラ出血熱、MERS、SARS…、いずれも本来なら自然界に存在したウイルスの人間界への「侵入」である。森を開き、道路や住宅地、農場、牧場、工場用地などに転用する…。ウイルス感染は、だから自然破壊の「しっぺ返し」といえるのだ。

飽くことのない「開発」、「利」を貪る資本主義経済…。とりわけ、社会や環境への配慮の乏しい現代の新自由主義は、その意味で、ウイルス感染を必至とするにちがいない。

身近な日本の現今の「政策」が何よりも雄弁である。

第二次安倍政権成立（二〇一二）後の一連の「問題政策」については、すでにレビューをおこなってきた（別稿「ジョン・ロック《抵抗権》《革命権》回顧」）。ここでは、この「自然破壊」に関連する安倍政権の施策について考える。

・農協法改正（二〇一五）
・漁業法改正（二〇一七）
・水道法改正（二〇一八）
・種苗法改正（二〇二〇年三月、閣議決定、四月、国会上程）

農協法改正：農協（農業協同組合）は、周知のように、戦後日本農業の近代的発展をめざして「農業者の協同組織の発達を促進」すべく制定された（一九四七）。その「中央会」は全国の農協を束ねて、国の農業政策の決定に対して大きな影響力をもってきた。同法改正の「眼目」は、組合の株式会社を含む「法人化」促進と「中央会」の解散にあった。政府の農業政策のイニシアチブ確保と同時に、株式会社制などによる「近代経営化」をめざす新自由主義的な日本農業の大転換を目論んだものである。

漁業法改正：漁業協同組合にのみ認められた特定海域の「漁業権」について、株式会社の取得を可能とする、これも新自由主義的な漁業転換である。

水道法改正：現在の水道事業は自治体にのみ認められているが、株式会社の事業参加を可とすることにした。同じく新自由主義的改革（諸外国ではことごとく失敗、問題山積）。

種苗法改正：眼目は、種苗の管理処理を行ってきた「農家と農協」に対して、「農水省と特定企業」に転換しようというもの。新自由主義的転換。日本農業の発展の根幹にかかわる問題法律を、この「コロナ禍」最中の国会で議決してしまおうという、これも「火事場泥棒」的立法行動。

要するに、日本の第一次産業の根幹とその発展に関わる「運営」「運用」の基本ついて、いずれも、新自由主義的な民営化路線を強行しようというもの。この路線を行く民間資本が、この国の海・川・林・森・山の自然と環境、また生態系を損なうであろうことは目に見えている。なぜなら、「新自由主義は、すべての資源、生産要素を私物化し、すべてのものを市場を通じて取引するような制度を作り、…社会的共通資本を根本から否定する」（宇沢弘文「農業協同組合新聞」二〇一一年二月一四日）からである。

コロナ禍との関係でいえば、むしろ「アグリビジネス」こそ世界の各地で自然環境を破壊して、「ウイルスの居場所」を奪ってきたのではなかったか（斎藤幸平「コロナショック・ドクトリンに抗するために」「群像」二〇二〇年六月）。

一連の一次産業民営化は、まさしく安倍政権の政策である。いわば、新自由主義そのものの安倍的施策の方向こそが、人類にウイルス惨禍をもたらすものである。

(三) 安倍政権に葬送曲を、そして「新時代」を拓こう——ポスト・コロナの社会構築

ポスト・コロナは、新自由主義的発想や世界観の否定の先にあるはずである。見たように、安倍政権が一次産業以外の諸施策の展開においても、ことごとく「ダッチロール」をくり返してもはや政策遂行能力にも疑問があるとすれば、われわれの執る「道」はただ一つしかない。ロックの政治思想をあらためて想起し、われわれの信託先の「統治」を交替させるしかない。

「敗軍の将」の退場におけるBGMは、葬送曲がふさわしかろう。ヒトラーがこよなく愛して止まなかったリヒャルト・ワーグナーの葬送曲などどうか。「神々の黄昏」（全曲は長すぎるから、前奏曲で…）なら上等だろう。

ポスト・コロナは、単なる統治交替を超えた「新時代」の構築にしなければならない。あのルネサンスが、ペストの大惨禍後、すなわちポスト・ペストに「開花」したように…。そう、再生!!

いま、新時代転換を目指すに当たって、ルネサンス Re-naissance（再生、復興）の史的事蹟を覗くことはけして無意味ではないだろう。少々、史的逍遥の「寄り道」をしてみたい。

史上著名なルネサンスは一四世紀中ごろに北イタリアで始まったといわれる。もとより、イタリア語にすれば「リナシメント Rinascimento」であるが。時は、まさしくペストがその北イタリアの諸都市を襲っていたころでもあった。

当時、ジェノヴァを拠点とする地中海交易の商船群は、はるか黒海まで交易ルートをのばしており、一三四七年にクリミア半島で取引を行った際に、船員たちが「その病」に罹患した。当商船は、帰路シチリア島に寄港し

て同島に「病」を蔓延させた。シチリア島もまた交易の中心地であり、そこから地中海各地に感染が広がった。翌四八年には、南仏アヴィニヨンやイタリア各地に広がっている。

感染者の皮膚が内出血で紫黒色になることから「黒死病」と呼ばれたが、もちろん、当時はその感染源や治療法などは知られていない。近代になってペストとよばれるようになったこの黒死病は、一三五二年までには東ヨーロッパを含む全ヨーロッパを席巻し、推定一億人が死亡したといわれる。当時のヨーロッパ全人口の三分の一に相当する大惨禍だった。元来はクマネズミに寄生していた菌が、ノミを介して人に感染する病気であったが、菌はヒト―ヒト経由でも感染しパンデミックに至った。

ちなみに、ペスト菌を突き止めたのは、よく知られているように日本人の北里柴三郎である（一八九四年）。

北イタリアにあって、新しい「文芸」の世界を拓いたのは、ダンテ、ペトラルカ、ボッカチオだった。ダンテ（一二六五―一三二一）は、一四世紀前半にトスカーナ方言で韻文の長編叙事詩『喜劇』（のちに『神曲』）を著して古代ローマの古典文学とキリスト教精神の「融合」を図り、ペトラルカ（一三〇四―七四）は、人間性が貴ばれた古典古代に比してキリスト教の教義と教会に抑圧された中世を「暗黒時代」とする思想を表現するような「人文主義的」な多くの詩作・著作を著し、ペトラルカを崇拝して交友関係をもったボッカチオ（一三一三―七五）は「十日物語」ともいわれた『デカメロン』を散文体で著し、散文形式の物語文学の「祖」となった。ボッカチオは、またダンテのよき理解者でもあり、その著作『喜劇 Commedia』に「神聖なる Divina」の形容をかぶせた新タイトル〝Divina Commedia〟を案出した。これが『神曲』である（日本語訳「神曲」は森鷗外による）。ペトラルカもボッカチオも「人文主義者」（ウマニスタ Umanista）と呼ばれ、「暗黒の中世」には見られなかった「人間主義」の世界を拓いた。

ボッカチオが一三四八年から一三五三年まで五ヵ年を要して執筆した『デカメロン』は、よく知られているように、黒死病（ペスト）の感染を怖れた一〇人がフィレンツェ郊外の別荘に引き籠り、一人が一〇話ずつ話をする一〇日間を描いた物語集。まさしく、ペスト大流行が「背景」となっていた。フィレンツェでは人口の半分が死亡したといわれる。その生々しい描写は実際の「目撃者」しかできない「歴史証言」でもある。

「一三四八年のこと、イタリア中でも最も美しい町、フィレンツェに恐ろしい悪疫（ペスト）が流行しました。どんな予防法も信心も役に立たず、治療法もなく、人々は次から次へと感染して死んでゆきました。この病気にかかると体の各部分に黒い斑点ができ、それはすなわち、死の兆候でした。死人は町にあふれ、悪臭は町に満ち満ちる有り様、…」（『デカメロン』（一）野上素一訳　岩波文庫）

「ここから一歩外へ出ると、死体やら病人やらが次々と運ばれて行くのが見えます。また悪行や犯罪のためにすでに当局によって罰せられて市外追放の処分を受けた者どもが、法律の執行者が死んだり病気に罹ったりしたのをいいことに、お上の法律を嘲笑うかのように、市中を横行闊歩しています。…」（同）

イタリアでルネサンスが最初に「開花」したのには、当然その要因があった。この「黒死病禍」からの脱出・解放の強い欲求はもちろんだが、それだけではなかった。自治都市国家・コムーネの存在が大きかった。一一～一二世紀のころ、交易によって富を蓄えた富裕商人を中心とした市民層が「代表制」（コンスル制）の都市運営を始め、やがて都市を所領していた封建領主から次々と「自治」の諸権能を獲得・確立していった。裁判権、立法権、軍事防禦権、警察権、課税権…。通常、「市会」（市議会）は市民の直接参加の民主制もとられていく。そして独立した自治都市国家となっていった。市民はもはや封建領主の搾取の対象ではなくなり、「自由」を手にした。

のちにドイツの中世都市が「自治」を獲得していったときに「都市（の空気）は自由にする」"Die Stadtluft macht frei."の格言が生まれたが、その実態はイタリアのコムーネがずっと早く実現していた。その「自由」の空気がダンテやペトラルカやボッカチオを生んだ。

〔番外：一〇〇〇年近くも歴史が下ったこの二一世紀に、中国と香港との間で、自治都市国家成立とはまったく逆の「圧政化」「不自由化」の諸権能剝奪の事態が起きていることは、なんという歴史の皮肉であろうか。一党独裁の怖さ…。〕

ダンテ、ペトラルカ、ボッカチオの「トスカーナ三人衆」は、その「文筆」の力で人文主義の扉を開け、のちの諸領域におけるルネサンス――「芸術・学芸・建築・文化」の全面開花――の先駆となったのである…。

さて、長い「寄り道」から本道に戻ろう。

われわれ自身の「コロナショック・ドクトリン」からの脱出・解放の課題である。無様で無能な権力者（将たらざる者）を引きずり降ろして「統治」の交替を実現する政治的転換はもとより重要だが、それだけでは十分ではない。「新時代」にふさわしい「精神」とそれに基づく「新たな統治」の内実が必須である。現政権が遂行する政策・施策に通底する全体主義・新自由主義を徹底的に否定する新たな「時代思潮」とその「実像」とをもたなければならない。しかも「新時代」の課題は、政治経済事象のみにとどまらない。かつてのルネサンスが文芸・芸術の開花が先行して、学問・思想、そして産業や統治の内実が転換していったように、「こと」は社会の「全容」に渡らねばならない。「新時代」の構築は、まさに全的な社会変革になる。それこそが、「ポスト・コロナの社会構築」といえよう。当然、構築の「過程」プロセスも重要になってこよう。現代日本が、また現代の「地方」や自治体が直面する「課題」も、射程に入れることも必要である。社会変革は、中央からも地方からも、双方向のベクトルをもつことが肝要である（沖縄・辺野古の新基地建設問題を見れば一目瞭然。それは、民主性の根幹をなす「地方自治」や「自己決定権」の本質を照射している）。

わが国のコロナ禍は、五月二五日に「緊急事態宣言」の全面解除がなされたが、簡単に終息するとは思えない。「交差免疫」によって仮に多くの市民が「免疫性」を得ていたとしても、とりわけ基礎疾患をもつ人たちの感染・発症は当分起きるだろう。

だが、「新時代構築」の「構想」はコロナ禍が完全終息してから考えるというのでは遅い。ボッカチオがフィレンツェでの眼前の「黒死病」（ペスト）に怖れおののきながら『デカメロン』を執筆し続けてルネサンス開花の先陣を切ったように、いま、このコロナ禍の最中に、われわれはポスト・コロナの「構想」を持たねばならない。もとより、完全無欠の「構想」などあり得ない。試行錯誤をくりかえしながら実現性を追求することになる。たいせつなのは、コロナ禍のこの今、「新時代」を拓こうという未来への情熱なのであろう。

最後に、われわれが持つべきポスト・コロナの「社会転換構想」――現代のルネサンス（再生）開花全容、その事例――を整理・提起して、この一文を締めることにしたい。

1　現行憲法の基本理念「平和・民主・人権・地方自治」を遵守する政権への「統治」の交替。
2　新自由主義的経済から「分配・持続可能の経済」への転換。
3　一次～三次産業の均衡発展と雇用の安定（非正規雇用の抜本見直しを含む）。
4　生態系保全や温暖化防止の地球環境重視の施策と法制化。
5　放射性廃棄物の処理不能の原子力を廃棄し、再生可能エネルギー依存へのエネ政策の転換。

6　憲法九条の遵守と自衛隊の「災害対策部隊」への再編。
7　「地方と国の対等」を遵守・推進すべく、「地方自治推進特別法」（仮）の制定。
8　中央・地方とも重大施策に関する「国民投票」「住民投票」の民意直接反映重視の法制化。
9　伝統・新興を問わず、文芸・芸能・音楽等芸術文化への国の補助・助成策の拡充。
10　教科書検定制の廃止、国公立大学授業料無料化、奨学金給付制、教育委員会委員選挙制など。教育関連政策の抜本改革。
11　医療・福祉政策の抜本改革（障碍者、難病者、高齢者、乳幼児等社会的弱者への支援拡充）。
12　性差、障害の有無等による「差別」の徹底的排除（特別支援学校制度の抜本改革、国会・地方議会における女性議員の定数割合、企業役職者の定数割合など）と関連法制の拡充。
13　虐待・ハラスメントの徹底排除（児童相談所等関連施設の拡充、罰則規定強化など）と法制化。
14　新たな文芸・芸能・音楽等芸術文化を奨励・表彰するノーベル賞級「日本文化賞」（仮）の制定。

やや総花的になったキライがあるが、とりあえず「新時代」の望ましい「あり方」を整理した。気づいたが、この「構想」はすべて安倍政権の施策とは「真反対の」のものばかりである。同政権が、まともな市民、とりわけ社会的弱者にとってどれほど冷酷な政策を推進してきたかをあらためて実感する。

「試行錯誤」。時と共に「構想」も豊かにされるべきものである。「新ルネサンス」を裡に秘めつつ…。

10 最高裁よ、お前もか！

――辺野古上告審「不当判決」に接して

二〇二〇年三月二六日、沖縄の辺野古新基地建設をめぐる訴訟に関して最高裁の判決があった。結論的にはまったく酷い判決である。沖縄県側の弁論を許さずその訴えを棄却し、全面的に政府の立場を擁護したものだった。関連法律の解釈も無理筋、直接民主主義の県民投票による「辺野古新基地反対」の県民総意への配慮もまったくない、ひたすら政権に「媚びる」無様なものだった。三権分立など、おこがましい限りで、「法の番人」の最高裁が自らその責務を放棄し、行政に「肩入れ」する、「見るに堪えない自堕落ぶり」と言っても過言でない。

実は、同様の最高裁による沖縄県への「上告棄却」の酷い判決は、二〇一六年にもあった。この時は、選挙で勝利した翁長新知事が、仲井眞前知事が行った「埋立て承認」（公約違反だったが）を取消したことに関する一連の訴訟だった。国交相による沖縄県の措置の「是正指示」という経緯は、今回の訴訟経緯とまったく同じである。そして最高裁の上告棄却も。まったく同じ「国家権力」の不当な行使が繰り返された。それだけでも、主権者の国民として看過できない事案である。

この二度にわたる最高裁の「行状」は、司法の独立性と権威とを放擲したという点において、あの東京地裁の「米軍駐留違憲」・伊達判決を覆すべく、事前にアメリカ側に「ご機嫌伺い」をした当時の最高裁長官・田中耕太郎の行状と「統治行為論」導入による憲法判断放棄の判決の無様さ同様、戦後司法史に悪名高く刻まれるにちがいない。

これほどの問題判決であったにもかかわらず、世情は、新型コロナ感染の情勢如何に多くの注意が注がれていたために、この最高裁判決はそれほど強い関心を惹かなかったようである。

だが、事柄の重大さを考えれば「コロナ禍」の渦中においても広く社会的関心は払われるべきである。ただでさえ、安倍政権の、全面的改憲を睨む、徹底的、強硬的な「戦前回帰路線」が進行中の政治情勢において、司法の自堕落は、単に三権分立の崩壊にとどまらず、司法が行政傘下に下る、いわば現代の「翼賛化」を意味して重大である。このところ、原発裁判や障碍者裁判など、およそ世間の常識にすらそぐわない劣悪な判決が下されて「司法の劣化」が目立つご時世である。だが、単なる「劣化」を過ぎて、それが「翼賛」ともなれば、事情はいっそう深刻である。「翼賛」の果てに無謀な大戦に突入して、多くの不幸と惨禍をもたらした歴史は、まだ記憶に新しい。悪しき歴史は、繰り返されてはならない。

主権者はわれわれ国民である。司法をまっとうな司法たらしめるべく、正当な監視と批判を常に行うこともわれわれの責務である。

県民投票の結果の後だけに、法学の専門家ではない者にすらこのたびの最高裁判決の「問題性」は明白である。とりわけ、沖縄の近代以降の本土政府による構造的差別と非立憲状態に少しでも関心を寄せる者にとっては、そのさらなる典型事例として、詳らかに検討せずにはおけない事案でもある。

(一)「辺野古」最高裁判決へのメディアの反応

「コロナ騒動」のさなか、メディアの反応は必ずしも大きくはなかった。テレビのニュースはいつもながら、まず「論評」などなく「事実」を伝えるのみで、ほとんど取るに足らなかった。いくつかの、とくに地方の新聞が、それぞれ個性的な反応をした。ここでは、「社説」を中心に見てみる。

＊「辺野古訴訟県敗訴へ　司法の政府追従許されぬ」（「琉球新報」社説　三月一八日付）
＊「結論ありき　ご都合主義の最高裁判決　辺野古の国関与裁判で本多滝夫龍谷大教授」（「沖縄タイムス」記事　三月二七日付）
＊「辺野古最高裁判決　国勝訴でも移設は無理だ」（「徳島新聞」社説　三月二七日付）
＊「辺野古訴訟　国の奇策を正当化」〔一面〕、「民意ないがしろ　司法追認／『国と地方は対等』ゆがむ原則」〔三面〕（「東京新聞」記事　三月二七日付）
＊「辺野古最高裁判決　国へのお墨付きでない」（「中國新聞」社説　三月二九日付）
＊「辺野古最高裁判決　国は県と話し合いを」（「茨城新聞」社説　三月三〇日付）
＊「沖縄県敗訴　構図のゆがみ地方が正せ」（「信濃毎日新聞」社説　三月三〇日付）
＊「辺野古問題　無理に無理を重ねる愚」（「朝日新聞」社説　三月三一日付）

沖縄の地元二紙が、この裁判に大きな関心を寄せるのは当然である。

琉球新報の社説は、判決以前に出されている。それは、最高裁が三月一六日に沖縄県に「弁論」をさせずに二六日判決言い渡しを決めたからである。「弁論」をさせることは原判決（高裁判決）を覆す場合なので、逆に「弁論」を認めないということは沖縄県敗訴を意味していたのである。それ故、最高裁判決前に、判決批判の論を展開した。一八日のこの琉球新報の社説は、係争経緯もよくトレースし、高裁判決の問題点もきちんと指摘していて、具体的で解りやすい。

沖縄タイムス記事は、最高裁判決の翌日に法学者の談話を批判記事として載せるという手法を取ったが、それはそれとして、別途社としての「主張」を社説で展開すべきではなかったか。地元紙であるからこそ、その姿勢が求められる。

徳島新聞社説は、判決への批判とともに、埋め立て地軟弱地盤の問題性や県諮問機関（万国津梁会議）の提言の妥当性（海兵隊の県外分散化）にも言及し、最後に「辺野古再考」の議論を米国と始めることを求めていて、きわめて正当な論調である。

東京新聞の記事は二面にわたって大きな誌面を割き、署名解説による「権力乱用をチェックすべき司法の役割」への厳しい批判を載せるなど、判決の「問題性」を詳細に指摘している。また、玉城県知事の談話を紹介しつつ、地方自治をないがしろにした最高裁の姿勢も批判している。しかし、東京新聞もまた、社説として扱っていないのは、日ごろのリベラルな論調が特色だけに残念である。

中國新聞社説は、軟弱地盤問題、行政不服審査法問題、万国津梁会議提言などに的確に言及し、辺野古への国の固執を改め、県との協議を行うよう求めて結びとしている。ことに、この最高裁判決が、単に「行政上の手続きを判断したにすぎず、お墨付きが与えられたものでない」と強調していて、論調明快である。

茨城新聞社説も、「行政手続き上の判断」にすぎないと指摘し、ことに県民投票の事実と地方自治の尊重、万国津梁会議提言の積極的評価に言及して、最後に辺野古を見直すべく国に県との協議を求めている。

信濃毎日新聞社説は、行政不服審査法の原点に戻って、この判決が「国が私人になりすまし、審査員も兼ねる茶番を認めた」と厳しく批判し、また、こうした司法の姿勢では沖縄県に限らず国と地方の対等関係が根底から揺すぶられるとして、全国知事会などが辺野古工事の中止を求め、国に対話の席に着くよう迫るべきだとの提言を行って結びとしている。地方自治の重要性を強調している点が目立っている。

朝日新聞社説は、タイトルの「愚」にあるように、全体的に強い口調で判決の「非常識さ」を指摘した。「手続きの当否が争われたにすぎず、埋め立て行為にゴーサインが出たわけではない」とも強調する。最後に、辺野古建設の行きづまりを改めて指摘し、新基地建設は「理にかなう」ものでないと断定して結んでいる。

既述のように、新型コロナ感染拡大の「騒ぎ」が大きな社会問題となっている折柄、最高裁判決を批判した社説や記事は、見たようにけして多いものではなかったが、上掲の社説や記事の内容は、それぞれ的を射ており、辺野古新基地建設強行の不合理性はもとより、判決の不当性や限定性を強調し、また、地方と国の対等を謳った地方自治一括法の規定にも反することを強く指摘するものが多かった。本稿で後述のように、この最高裁判決は、多角的に見てまことに問題の多い判決であり、社説の「愚」の表現にもあったように、現政権下でことさらに進行している霞が関中央官庁や検察、地裁・高裁の「劣化」と歩調を合わせるような、トップ司法の堕落を具象化するものといえる。その意味で、司法史に銘記される事案といっていい。

(二)　辺野古訴訟とは——辺野古新基地建設と訴訟の経緯

このたびの最高裁判決の対象となった沖縄県による「上告」には、周知のように、「世界一危険な基地」とされる普天間基地の「撤去・移設」問題に始まる、太田・稲峰・仲井眞・翁長・玉城の県知事五代にわたる長い経緯がある。訴訟の内容を正確に理解するためにも、この経緯をあらためて抑えておきたい。これまでの主たる「動静」の時系列年表を見てみる（「移設問題の動向〈年表〉」名護市役所を参考）。

- 1995/09　米兵による少女暴行事件
- 1996/04　橋下首相・モンデール駐日米大使会談、5～7年以内の普天間基地全面返還表明
- 1996/12　SACO最終報告書に普天間代替施設として「沖縄本島東海岸」が盛り込まれる（SACO：「沖縄における施設及び区域に関する（日米）特別行動委員会」1995設置）
- 1999/11　稲嶺知事、辺野古地域を普天間基地移設先と発表
- 2008/03　県議会が辺野古沿岸への新基地建設に反対する決議・意見書を賛成多数で可決
- 2009/12　鳩山首相、「国外、県外移設」を表明
- 2010/01　名護市長選で辺野古移設反対、国外・県外移設を掲げた稲嶺進が当選
- 2010/02　県議会、普天間飛行場の国外・県外移設を求める意見書を全会一致で可決
- /04　普天間飛行場の国外・県外移設を求める県民大会　9万人参加
- 2013/12　仲井眞知事、公有水面埋立を承認
- 2014/11　翁長雄志、知事選で仲井真を破って当選
- 2015/10　翁長知事、埋立承認取消を沖縄防衛局に通知
- 2016/03　石井国交相、埋立取消に対して是正を指示
- /03　沖縄県、国交相の指示を不服として国地方係争処理委員会に審査申し出
- /07　沖縄県が国交相の是正指示に応じないとして国、違法確認訴訟を福岡高裁那覇支部に提起
- /09　高裁那覇支部、国の請求を認める判決
- /09　沖縄県、高裁那覇支部の判決を不服として最高裁に上告

  /12　最高裁、上告を棄却
- 2017/02　防衛局、海上工事を開始
- 2018/08　翁長知事死去
- /08　沖縄県、公有水面埋立承認取消を沖縄防衛局に発出
- /09　県知事選で新基地建設阻止を掲げた玉城デニー当選
- 2019/02　県民投票、72%強が辺野古新基地建設反対
- /04　国交相、沖縄防衛局の行政不服審査法による訴えに対して、沖縄県の埋立承認撤回を「違法」として取消の裁決
- /07　沖縄県、国交相の「取消裁決」を違法として福岡高裁那覇支部に提訴
- /10　福岡高裁那覇支部、県の訴えを却下
- /11　沖縄県、福岡高裁那覇支部の決定を不服とし、最高裁に上告
- 2020/03　最高裁、沖縄県の訴えを却下

辺野古問題をめぐる年表をこうして見ると、あらためて、この問題の尋常ならざる「いびつさ」が目立つ。整理すれば、以下のようになろう。

①そもそも「世界一危険な」基地とされた普天間飛行場の「返還」が、基地負担の軽減にならない「移設」になったことの不条理。

②県知事や議会、県民の総意である辺野古新基地建設反対の沖縄県の民意が少しも考慮されていない。

③県との真摯な協議を行わず、また、防衛省・国交省を交えた国（内閣・官邸）の非民主的な強行建設の姿勢が顕著。

④司法（那覇地裁・高裁那覇支部・最高裁）の「決定」がほとんど「却下」という、沖縄県の弁論も許さない異常な強行姿勢が顕著。

①については、もともと米軍の沖縄駐留継続については、日本政府の強い意向の結果とされる。[※] 普天間飛行場を拠点とする海兵隊のグアムおよびハワイ移転の「米国再編計画」に対しても、西太平洋地域の防衛戦略上、沖縄における米軍基地の存続を求めたという。はたして、西太平洋地域の将来にわたる平和・安全を単に同盟軍事力に依存することが適切か。軍事力増大と緊張増幅が何も産み出さないことは歴史が証明済みだ。

※　「米軍の駐留、日本政府の意向　モンデール氏証言」（「琉球新報」二〇一四年九月一四日）ＳＡＣＯは日本政府の発案で一九九五年に作られ、こうした日本側の意向が反映された。

②、③ついて。年表にはないが、衆参国会議員の選挙結果も含めて、沖縄県の民意、総意は、辺野古新基地建設反対は明白。ことに、一九年二月の県民投票は、いわば直接民主主義ともいうべき民意反映の貴重な機会だった。政府がこうした民意を一顧だにせず、建設工事を強行することは、民主社会では通常ありえない異常な姿勢。また、後述のように、司法（とりわけ最高裁）がまた民意をいっさい考慮しないことも、民主主義や地方自治法を無視しており、「法の番人」「違憲審査権者」としての責務放棄の「堕落」である。

④について。年表を見て容易に判るように、裁判所の「決定」はほとんど「却下」である。最初から沖縄県側の意見・意向を聴こうとしない司法の「異常さ」が際立っている。司法もまた沖縄県に対する「構造差別」を担ってきたことの証左でもあろう。こうした「差別」の前提に立って、辺野古訴訟は初めから司法人事を預かる最高裁の意向が反映されたものと思われる。それは、仲井眞知事の埋立承認に反対して新知事になった翁長氏の登場に合わせて、急遽、福岡高裁那覇支部長の人事交代を行って新支部長に多見谷寿郎を充てたことに見てとれる。彼は、千葉地裁時代に成田空港訴訟で国側の主張を全面的に容れ「土地明け渡し」を裁定し、住民（地権者）敗訴とした「名うての」保守的裁判官だった（「琉球新報」二〇一五年一一月一八日付）。

それはさておき、この司法の「異常」は、ことに本年二〇二〇年三月の最高裁決定に顕著であり、その「劣化」「堕落」はここに極まっているとしても過言ではない。これについては、次に具体的に検討することとしたい。

(三)　最高裁判決の何が問題か——関連法規と判決の不当性

係争に関する基本的法規

辺野古新基地建設の係争にかかる基本的な法規は、以下の三つの法律である。

①　公有水面埋立法
②　行政不服審査法
③　地方自治法

本係争は、この三法律の規定や解釈を巡って行われたといっていい。そこで、まず、この三法律の重要な規定を見ておきたい。

まず、①**公有水面埋立法**である。文字通り、海洋や河川の公共水面を埋め立てて活用するための「許認可」とその事業の遵法規定を定めた法律である。

a　申請者の別と埋立資格

＊埋立を行う者が民間の場合⇒「免許」を取得し埋立事業を行う

《法》二条一項：埋立ヲ為サムトスル者ハ都道府県知事ノ免許ヲ受クヘシ

＊埋立を行う者が国の場合　⇒「承認」を得て埋立事業を行う

《法》四二条一項：国ニ於テ埋立ヲ為サムトスルトキハ当該官庁都道府県知事ノ承認ヲ受クヘシ

b「免許」取り消し、現状回復などの措置

「法」三二条は、違反その他公害発生などに対して「免許」取消などを行うことを定める。該当項目は、一〜七の七項目がある。

《法》三二条：…免許其ノ他ノ処分ヲ取消シ其ノ効力ヲ制限シ若ハ其ノ条件ヲ変更シ、…原状回復ヲ為サシムルコトヲ得（一〜七項目の違反事項等）

次に、②**行政不服審査法**である。これは、行政が行った措置・処分に対して不服がある場合に申し立てをすることができる法律である。

a　法の趣旨・目的

《法》一条：この法律は、…国民に対して広く行政庁に対する不服申立てのみちを開くことによって、…国民の権利利益の救済を図るとともに、行政の適性な運用を確保する…。

b　審査請求資格（適用除外）

《法》七条二項：国の機関又は地方公共団体その他の公共団体若しくはその機関に対する処分で、これらの機関又は団体がその固有の資格において当該処分の相手方となるもの及びその不作為については、この法律の規定は、適用しない。

最後に、③**地方自治法**である。地方分権の拡充を図るため、二〇〇〇（平成一二）年に地方自治一括法が施行されたことは、周知のことである。改正・新設の主要点は、国と地方の対等化（役割分担の明確化）、機関委任事務制度の廃止、国の関与のルール化であった。本件係争で主な論点となったのは、沖縄県が行った処分（公有水面埋立法にちなむ「承認撤回」）についての「国の関与」の妥当性であった。

a　国と地方の対等化（権限分割）

《法》一条二項：国は、…地方公共団体との間で適切に役割を分担するとともに、地方公共団体に関する制度の策定及び施策の実施に当たって、地方公共団体の自主性及び自立性が十分に発揮されるようにしなければならない。

b　国の関与の禁止

《法》二四五条二項：普通地方公共団体は、その事務の処理に関し、法律又はこれに基づく政令によらなければ、普通地方公共団体に対する国又は都道府県の関与を受け、又は要することとされることはない。

上告審における争点

辺野古新基地建設にちなむ「係争」は、既述の年表にも見たように、沖縄県側から地裁・高裁支部・最高裁に対して提起あるいは抗告、上告など多くの訴訟があった。ここでは、議論が煩瑣になることを避けて地裁・高裁支部における訴訟は扱わず、このたび（三月二六日）の最高裁判決に絞って、問題点を明らかにしたい。

その前に、この高裁那覇支部の決定を不服として、沖縄県は最高裁に上告したのであるから、高裁那覇支部での裁判にかかる係争の経緯と高裁判決の内容を簡単に見ておく（前掲「年表」参照）。

辺野古新基地埋立区域のうち東側・大浦湾における軟弱海底地盤の存在が明らかになり、防衛局側の計画がそれに対処していなかったとして、沖縄県が埋立承認を撤回した（二〇一八年八月）。これに対して防衛局が行政不服審査法に基づき国交大臣に「撤回処分の取消し」を求めて訴えを起こし、国交大臣は沖縄県の「撤回処分の取消し」の裁決を行った（二〇一九年四月）。これに対して、沖縄県が高裁那覇支部に提訴した（二〇一九年七月）が、高裁那覇支部判決（大久保正道裁判長）は沖縄県の提訴を棄却した（二〇一九年一〇月）。

同高裁裁決の主要点は以下のとおり。

1、埋立承認と埋立免許は本質において異ならない。国の機関も一般私人と同様の立場。ゆえに、「固有の資格」に当たらない（従って、防衛局は行政不服審査法の請求人になれる）。

2、処分権限は国交省に移転し、従って国交省が（沖縄県でなく）審査請求に対する処分庁となる。

この高裁の裁決は、素人目にもヒドイ代物である。当然、多くの批判がなされた〈「脱法行為許した司法」〈「朝日新聞」・社説　二〇一九年一〇月二六日付〉、「国へのお墨付きでない」〈「毎日新聞」・社説　二〇一九年一〇月二四日付〉、「国追随の一方的判決だ」〈「琉球新報」・社説　二〇一九年一〇月二四付〉、「私人の立場容認」〈「沖縄タイムス」・記事二〇一九年一〇月二四日付〉など〉。

さて、この福岡高裁那覇支部の判決に対する沖縄県の上告であった。訴訟論点は、当然、上記高裁決定の二つの主要論点を「誤り」としたものであった。沖縄県による「上告受理申立て理由書」〈令和元年一一月一一日〉に明示されている。

①　公有水面埋立法（公水法）四二条の「固有の資格」についての原判決解釈の誤り。

②　審査請求すべき行政庁についての原判決の誤り。

この訴えに対する最高裁裁決（二〇一〇年三月二六日）は、文初で触れたように、沖縄県の弁論をいっさい許さない一方的な「棄却」であり、その判決の内容も「牽強付会」による法解釈という酷いもので、司法が政治・行政にひたすら「すり寄る」態のものであった。

最高裁判決の内容

当上告審の「判決」文に従い、上記の沖縄県側からの「争点」に沿って、「判決理由」を見てみる

沖縄県の上告理由の①は、防衛局は国の防衛を担う官庁の一つであって一般の民間私人とは異なる「固有の資

格」を有する組織体であるので、「公有水面埋立法」（公水法）四二条一の規定によって「承認」を得たのである。従って、「行政不服審査法」七条二が定めるように、防衛局は不服審査の請求人になることはできない、というものである。

沖縄県上告理由の②は、こういうことである。「固有の資格」をもつ公人は、行政不服審査法の不服申立て人にはなれない。したがって、当該法律によって国交省が沖縄県の「埋立承認撤回」の処分を取り消すことは、国の不当な関与になる（地方自治法二四五条の二）。

この上告理由に対して、最高裁の「棄却」判決理由は、結局のところ、沖縄防衛局が「固有の資格」をもつ公人として「一般私人」と異なる立場に立つのかどうか、ということに問題が帰着するという論理に立って「論」を展開した。

①について補足すれば、元来、行政不服審査法は、一条に定めるように、一般民間の「私人」が行政庁から受けた「処分」に対して不服がある場合に、その請求のもとに審査を行い、「その権利利益の救済」を図るためにある。「固有の資格」を有する防衛局が「私人になりすまし」この法律を使って、その「権利利益」の救済を求めることは法の立法趣旨に反する、というのが沖縄県の主張である。

さて、最高裁判決は、前述のように沖縄県にいっさい「弁論」の機会を与えずに「棄却」の決定をした。だが、そもそも、沖縄県が、軟弱地盤等の存在発覚により「当初計画では埋立てに支障をきたす」として埋立て承認を「撤回」し、それに抗して沖縄防衛局が行政不服審査法を用いて国交大臣に「審査」請求し、国交大臣が沖縄県の撤回を「取消した」。その「経緯」が今回の上告になっていた。つまり、沖縄県の「撤回」が、妥当かどうかが問われねばならない。最高裁判決「理由」には、次のような一文がある。

「同法（公有水面埋立法）が…埋立てにより周囲に生ずる支障の有無等については、その地域の実情に通じた都道府県知事が審査するのが適当であり、このことは国が埋立てをしようとする場合にも妥当すること…埋立ての可否の第一次的な判断を都道府県知事が一元的に行うことにするという趣旨に出たものと解される」（判決文・「令和元年（行ヒ）第三六七号」六頁）。

国の埋立て事業にもおいても、地元知事が「支障の有無」の審査や「埋立ての可否」の判断を行うことは妥当だとしているのである。そう言いながら、沖縄県に「弁論」を許さず、沖縄県が防衛局の不服申立ての審査は沖縄県がやるべきことだとした地方自治法上の「上告理由」②も、一顧だにしなかったのである。俗に言えば「言うこととやることが違う」のである。こんな矛盾した判決を臆面もなく行うのは、そもそも最高裁判決に値しない「愚決」というべきである。

さらに、驚くべきことに、最高裁判決の「理由」は、沖縄県の上告理由について、次のような「牽強《けんきょう》付会《ふかい》」の理屈を立てたのである。

「国の機関等と一般私人のいずれも、処分※を受けて初めて当該事務又は事業を適法に実施し得る地位を得ることができる…、当該処分については、（国も一般私人も）等しく行政不服審査法が定める不服申立てに係る対象となると解するのが相当である」（同五頁）

※　私人の場合は「免許」、公人の場合は「承認」――筆者

「埋立承認及び埋立免許を受けるための手続きや要件等に差異は設けられていない。…埋立てを適法に実施しうる地位を得るために国の機関と国以外の者が受けるべき処分について、『承認』と『免許』という名称の差異にかかわらず、当該処分を受けるための処分要件その他の規律は実質的に異ならない」（同七頁）

これは、理解し易いように敢て「平たく」喩えて言えば、こう言っているようなものである。

「ニワトリもトキも卵の殻を破ってヒナとなり、次第に成長して親鳥になる。そのプロセスはまったく同じだ。そして、成長したニワトリは、両の羽（翼）をもつトリになる。成長したトキも同じく両の翼をもつトリになる。ニワトリの羽とトキの翼は名称は異なるが、ツバサとしての生物学的部位の性格は変わらない。だから、ニワトリもトキも実質異なるものではない」

これがどんなに「こじつけ＝牽強付会」であるかは、小学生でも理解しよう。トキは天然記念物という「固有の資格」を有するトリであって、捉えることも、ましてや食用に供することなどはできない。

最高裁判決は「私人と公人が『処分』を得てから埋立事業を行うのだから同等だ」とする。「こじつけ」というよりこれは本来の法の解釈をねじ曲げる「粗暴な屁理屈」にすぎない。

何とも、「姑息」な論法と言う以外にない。先に「結論」ありきの、「苦しい」理屈だ。

また、沖縄県の②の上告理由には、国交相の「裁定」は地方自治法が認めない「国の関与」であり、「国と地方との対等関係」に基づく地方自治の原理に反する、という主張も付随している。

この国交相の裁定については、巷間、メディアや法律家の間でも強い批判があった。つまり、防衛局という国の機関の申立てを国交大臣が「裁定」するのは、身内どうしの「出来レース」でしかない、と。

また、地方自治の問題については、とりわけ、県民投票（二〇一九年二月）の結果が示した、圧倒的な民意の「辺野古新基地建設反対」の声があった。

こうした問題、事情に何ら配慮することなく、最高裁は、先の牽強付会の理屈でもって、「防衛局も一般私人もたいして異ならない」として防衛局が「固有の資格」に基づいていないとし、行政不服審査法の「申立て人」となれることを容認したのである。しかも、「固有の資格」によるのではない不服申立てなのだから、国交相の「裁決」も「国の関与」にはならない、つまり「地方自治」を犯してはいない、としたのである。無茶な話である。朝日新聞社説が「無理に無理を重ねる愚」としたのも当然である。

さらに、辺野古の海域は誰のものか、という根本問題もある。最高裁判決「理由」は、公有水面への「国の支配管理機能」にしばしば言及する（同六、七、八頁）が、他の海域の場合は措くとして、独立王国であった沖縄の「日本国の支配管理」は成り立つのかという根本問題である。そもそも沖縄を日本本土に併合した「琉球処分」（一八七九）は国際法違反（ウィーン条約法条約五一条違反）だ、という国際法学者グループの指摘がある。それを踏まえれば、辺野古の公有水面について「国の支配管理」に何度も言及するのは、後に見るように国連差別撤廃委員会による度重なる「沖縄県民は先住民」勧告などを併せ考慮すれば、司法の最高機関として余りに軽率である。

「憲法の番人」「法の番人」であるはずの最高裁。「地に堕ちた」と言うべきか。そこまでして、沖縄の来歴を無視し、県民投票結果の県民の民意を踏みにじり、辺野古新基地建設を推進する安倍政権の強硬な姿勢に「迎合」し、「擁護」しようというのか。司法の自堕落と言う以外にないし、もはや、それほどまでにして政治権力に「寄り添う」のは、「翼賛」というべきであろう。安倍政権下、モリカケ問題や「桜を見る会」、東京検事長定年延長などの「忌々しき」問題において、官僚の虚偽答弁や公文書改竄が跡を絶たず、しかも、こうした「政治疑惑」に対して、検察が踏み込んだ調査もしなければ起訴もしない…。まさしく、「翼賛化」の態である。今また、最高裁は、自ら「法の番人」の立場を放棄して、この「翼賛化」の流れに「合流」しようとしているのである。

まさに、「最高裁よ、お前もか！」である。「ブルータスよ、お前もか！」カエサル個人の悲嘆は、いま日本国民全体の裁判所への怨嗟の情にちがいない。

さて、本論をまとめることにしたい。最高裁判決の問題性の整理である。以下のようになろう。

1　「琉球併合（処分）」に始まる沖縄の来歴や、県知事選・県民投票など「民主主義」の本義、「係争」の本質などへの大所高所からの配慮・視点をいっさい欠如した、「木を見て森を見ざる」きわめて皮相な判決。

2　関係諸法（公有水面埋立法、行政不服審査法、地方自治法）の理念・規定を敢えて歪曲して下した「予定調和」の結論・決定（国側勝訴）。

3　広大な基地建設に伴う「環境破壊」（ジュゴン生息域、サンゴ、岩礁など）に対する根本的な理解の欠如（次節「解決に向けて」で後述）。

4　基地建設そのものにまつわる「新事実」による状況変化への無理解と視点の欠如（活断層・軟弱地盤の事実⇒沖縄県の「埋立て承認撤回」の事由）⇒「承認撤回」の無理解、無視。

5　係争の背景にある沖縄県への構造差別の無理解、無視（基地負担、日米地位協定、強行建設…）。

6　司法の最高機関としての自覚・立場の欠如と政治権力への「追従」⇒翼賛。

7　司法史に刻まれるであろう「悪判決」。

(四)　解決に向けて

最悪の最高裁判決であった。最高裁の「実情」について、自身裁判官だった瀬木比呂志はかつて語っていた。「最高裁判例は、…ことに統治と支配の根幹に触れるような事柄については微動だにしていない…」「日本の裁判所は、…奴隷・囚人たちを収容する日本列島に点々と散らばったソフトな収容所群島にすぎないのではないか…」（『絶望の裁判所』講談社現代新書　二〇一四）

既述のように、憲法条文明記の「違憲審査権」をすら放擲して「統治・支配に媚びる」のが変わらぬ最高裁であり、福岡高裁那覇支部に典型的なように「最高裁忖度」が常態なのだとすれば、国民はその「非」を徹底的に批判しつつも、それを「乗り超える」方途を探究・構築していくべきなのだろう。

最後に、そうした、情況をも踏まえて、「辺野古問題」の真の解決は、どうあるべきなのか、どうすべきなのか、沖縄県の特異な歴史性や文化性を念頭に置きつつ、将来像を見通しながらその「方途」を考えてみたい。

「風土」の尊重と住民参加――「開発抑制県条例」の制定

土地でも水面でもそこに人の手を加えることは、面積の大小にかかわらず、その場の「改変」を意味する。対象の「場」は、単なる物理的・地理的な空間ではない。長い時間をかけて多くの動植物が、その場の気候もさまざまに変動するなか、営々と築いてきた「環境」の総体である。そこに、人びとが住み着いて人の社会が形成され、また時と共に社会の歴史が積み重なっていく。それは、その人たちが住まう「環境」と無関係ではない。生きるための営みはもとより、その「環境」に包まれて人びとは歌い、笑い、泣き、癒され、安堵する…。人は環境に生かされ、そして環境に働きかける。長い時間のなかで、そこに住まう人びとと環境は、相互に影響を及ぼしながら「一体化」していく。もはや、人びとにとって、環境は、地理的、生物的、気候学的な物的空間としてあるだけではなく、そこで憩い、楽しみ、癒され、充実感を抱く、欠くべからざる精神的な心的空間にもなっている。そうした人と環境とが「相互関係」をもちながら長い時間経緯のなか形成される総合的空間を、われわれは《風土》と呼んでいる。

風土は、場と人とが織りなす物的かつ心的空間である。「場」はつねに「そこ」にしかないから、つねに固有である。したがって、風土もまた固有である。地球上に似たものはあっても、唯一の存在として風土はつねに固有であり、ゆえに個性的でもある。

場に「人が手を加える」ということは、その「固有性」「個性」に何がしかの「影響」を及ぼすことになる。「改変」といってもいい。風土は、人びとと環境とが長い時間をかけて織りなしてきた唯一無二の貴重な「固有体」。だから、本来、「改変」はできるだけ「慎ましく」あるべきなのである。

われわれが、通常「風土」に「手入れ」を行おうとするときは、その「理解」のための「資料」をまず作成する。典型的な呼称は「土地利用・保全評価書」「土地利用・保全評価図」という。もとより、「環境影響評価」をその前提として行う。そして、「改変」の影響をできるだけ抑えるために、「手をつけてはいけない」貴重な場（「保全場」）から「手をつけてもいい」利用する場（「利用場」）この「両者」の間を何段階かに「ランク付け」するのである（「評価書」）。それを地図に落としたものが「評価図」。このように、「手入れは」慎重になされるべきなのだ。

こうした考え方は、何も最近の目新しいものではない。半世紀以上前の一九六〇年代には、アメリカで確実に浸透していた。学問領域ではフィラデルフィア大学のI・マクハーグ教授を中心とするグループが、実際の地域計画において実践していたし（Ian MacHarg "Design with Nature" 1969）、「環境政策法」という法制度によってこうした考え方のもとに「現況調査」の徹底を義務付けるようになっていた（NEPA National Environmental Policy Act. 1969）。

さらに、「風土」における主人公は、地域の行政体でもなければ、ましてや「免許」や「承認」を受けたよそ者の事業者や国でもない。その風土を形成してきた住民そのものである。民主主義という政治的形態云々以前から、風土とその民衆は不可分の関係にあった。その風土に「手入れ」をしようというのである。封建時代や君主制時代ならともかく、民主制の時代、地域の改変に当たって、「主人公」の意向が反映されない「手入れ」はあってはならない。

住民（市民）参加というのは、そうした発想に基づく「地域民主制」を保証するシステム、すなわち地元住民の意向を組み入れる「仕組み」である。「原論」的には、「①世論操作」に始まり「⑧住民主導」にいたる、S.アーンスタインの「8階梯」の「参加」が最もよくその内容を説明しているが、少なくとも「⑥協同作業」「⑦部分的権限委譲」のレベル以上において「手入れ」の内容が構成されるべきである。（別稿2「地方自治と住民主権」中の「S・アーンスタインの住民参加8階梯」参照）。

また、前述のアメリカの「環境政策法」NEPAは、この住民参加を義務付け、一定以上の規模の計画では市民（住民）の意向を計画に取り入れる制度が確立している。わが国で最近行われるようになった「パブリックコメント」は、ほとんどの場合、ただ住民・市民に意見を言わせて実際には計画や政策に取り入れることをしない

「聞き置く」式の「民意無視」が実態である。行政や開発者の「意向調査実施済み」のアリバイに使われているにすぎない。「意向調査」は、このアメリカの「環境政策法」の規定のように、しっかり計画に取り入れることを「義務付ける」ものでなければならない。

　現実に目を移そう。沖縄・辺野古の海は碧い。サンゴに囲まれ、ジュゴンのエサ場もあり、大浦湾側には希少サンゴの群落がある。自然豊かな場である。名護の人びとを中心に、沖縄のウチナンチューはその海の自然と共存してきた。彼らにとって、「そこ」は文字通り何ものにも替え難い唯一無二の愛すべき固有体の「ふるさと」にちがいない。人びとの存在とその営みも含めれば、それは「辺野古の風土」である。普天間飛行場の「移転」という、降って湧いたような話で、その辺野古の碧い海が土砂で埋められるのだ。「埋立て」という大きな「改変」は、本来的に風土にとって大きな「ダメージ」であるはずだ。だから、「埋立て計画」は、どんなに慎重に、精細に対象水面とその一連の地理的空間の「性情」を「理解」してもしすぎることはない。

「土地（海面）利用・保全評価書」をきちんと作成すれば、とりわけ絶滅危惧種である西太平洋ジュゴンのエサ場や希少サンゴの群落地などは、当然「手をつけてはいけない」区域、つまり最も程度の強い「保全域」になるはずである。「埋立て区域二」などの「計画」は、簡単にはできないはずなのだ。

　法整備の話に転じよう。「公有水面埋立法」および関連の「同施行令」「同施行規則」は、こうした事前の「対象理解」のための調査と資料作成を求めていない。開発行為一般がもつ「環境改変」に対する「用意周到」、さらにいえば「尊重」すべき固有体としての風土に「手入れ」すること、つまり「改変」することの「惧れ」「謙虚さ」の精神がまったく欠如している。

しかも、その「水面」を含めた環境と分かち難く「風土」を形成してきた地元住民の立場には、さらに配慮がない。これは、単なる住民無視という以前に、風土というものに対する認識の決定的な欠如である。何よりもその地元住民の生存や生活が結びついており、「手入れ」は彼らの存在抜きにあってはならない。

現代の人類の飽くなき「経済活動」が無秩序にCO_2を排出し続けて、地球規模の気候変動と生態系破壊をもたらし、その結果人類の生存そのものに大きな「負」の影響が出てきている。このたびパンデミックの猛威を振るっている「新型コロナ感染」も、その一現象であろう。「因果応報」といえようか。「風土」においても事情は同じである。「ふるさと」と呼べる物的かつ心的空間の「原点」が喪失され、大きなダメージを受けるようであってはならない。ツケはいずれ事業の「果て」に廻ってくるであろう。

「公有水面埋立法」はもとより、開発計画に関するすべての法制は、まず、この「風土の尊重」の理念を基底にした条項の改定・再編が必要だし、またＮＥＰＡのように住民の意向を取り入れる真の「住民参加」を義務付けることが必須である。

法改正がもっぱら国会の立法に委ねられ、そうそう簡単になされることがないとすれば、叙上の趣旨を盛り込んだ開発行為に関する「県条例」を作ることは、そう難しいことではないであろう。国の「横暴」から地域を「守る」には、「国と対等」である自治体が、地元住民の参画を前提とする「住民参加方式」の独自条例を作って、住民ともども「対抗」するのも一つの「道」であるにちがいない。

主人公である地元住民の意向を反映することは、それ自体、「自己決定」の一環である。こうした自己決定の多様な積み上げが「自治」を形成する。国の行政も司法もいまだに「地方と国の対等関係」を、実際は是認しようとしていない。ならば、できるところから「下からの」実績を積み上げることも重要である。「権利」は、上から付与されることはなく、つねに「下」が努力の末に勝ち取るものであることを歴史は語ってきた。「自己決定権」も「地方自治」もその内実は、ある種の「闘い」を通じて取得するものなのだろう。

国連差別撤廃委員会が二〇〇八年以降数回にわたって沖縄県人が「先住民」であると認めるよう、日本政府に勧告してきたことは、まさに「構造差別」の存在ゆえであるばかりでなく、独立王国の武力併合という歴史的事実にもよるのである。同勧告を政府が受容するしないにかかわらず、国際的には「沖縄の固有性」は立派に認知されているのである。叙上の趣旨を踏まえた「風土」を守る「開発抑制県条例」は、夢想などではけしてないだろう。

構造差別の撤廃

沖縄における「日本政府」による構造差別の長い歴史は、すでに多くが語られてきた。

一七世紀に始まった薩摩藩の「干渉」を別にしても、一八七九年の「琉球併合（処分）」における強引な本土政府の支配化は、実質、独立国家としての琉球王国の植民地化であった。以後、一九七二年の「本土復帰」以後も、「植民地支配」のような差別は一向になくならず、しかも日本全国の米軍基地の七〇％強を押し付けられ、不平等「日米地位協定」のもと、米軍による不条理な差別もあって、二重の「構造差別」が現に存在する。

この「琉球併合」以降の構造差別について議論すれば、実に多くの紙幅を要することになるし、また多くが周知の事実でもあるので、ここでは、「年表」を整理することとしたい。いわば「構造差別年表」である。

1879/03	琉球併合（処分）〔この間、士族・農民分断身分制、警察による住民監視、皇民化教育など「植民地化」徹底〕
1945/03	沖縄戦（県民12万人余犠牲）
1951/09	対日講和条約・日米安保条約（沖縄県米軍占領のまま）
1952/04	琉球政府発足
1953/04	米民政府「土地収用令」公布
1959/06	宮森小学校に米軍機墜落　死者18名、負傷者210名
1972/05	沖縄返還（本土復帰）
1995/09	米兵による少女暴行事件
/10	県民総決起集会　8万5千人参加
1996/04	橋本首相・モンデール米駐日大使「普天間飛行場返還」共同声明
2004/04	辺野古沖ボーリング調査開始
/08	米軍ヘリ　沖縄国際大学に墜落
2005/10	普天間飛行場移転先を辺野古崎沿岸に変更
2009/07	鳩山首相「普天間飛行場移設は最低でも県外、できれば国外」発言
2012/09	オスプレイ配備反対県民大会　9万5千人参加
/10	オスプレイ　普天間飛行場に配備
2013/12	仲井眞県知事、辺野古埋立て承認を発表
2014/11	知事選で翁長雄志当選
2015/07	埋立て承認検証第三者委員会、「法的瑕疵あり」と報告
/10	翁長知事、辺野古埋立て承認を撤回
2016/09	高裁那覇支部判決で国勝訴
2018/08	翁長知事死去
/09	知事選で辺野古反対の玉城デニー当選 〔以後の辺野古訴訟についての経緯は本書163頁「年表」参照〕
2019/02	辺野古新基地建設賛否の県民投票　建設反対票72.15%
2020/03	県上告審、最高裁「棄却」決定

琉球併合（処分）、「廃琉置県」以来、前述のように徹底的な「植民地化」が行われて一四〇年余になる。一二万余の県民が落命した最大悲劇の沖縄戦。軍民一体の対米陸上戦は、「本土防衛」のための県民の犠牲を前提にした最大の「差別」でもあった。

米軍基地の七〇％強の沖縄集中。その過程での基地拡張建設では、「銃剣とブルドーザー」による米軍の土地収奪がひんぱんに起きた。

現在、普天間飛行場を拠点にする海兵隊は、もともと本土に駐留していた（岐阜・山梨）。一九五〇年代に、「基地反対闘争」の激化で大半が沖縄に移転した。「本土はダメで沖縄ならイイ」という米統治下沖縄への典型的差別。

一九七二年の「復帰」後も米軍の存在ゆえの事故や公害、事件が跡を絶たない。米軍機・ヘリの墜落、不時着、部材の校庭落下、離着陸の騒音、土壌・河川汚染…。婦女暴行事件。沖縄県警の発表では、米軍・軍属の刑法犯事件は一九七二年～二〇一四年の三二年間で五八六二件。年平均一八三件、二日に一件の割で起きている。しかも、事故も公害も事件も、大半が「日米地位協定」の不平等性ゆえに、ほとんど日本側の捜査ができないという「二重の差別」が現存する。

「非立憲状態」は、安倍政権のもと、見て来たように「辺野古新基地建設」の強行に象徴されるものとして着実に進行している。沖縄における構造差別の撤廃は、本土における「戦前回帰路線」に対する「反・非立憲」運動との両輪の輪の「闘い」によってのみ成就されるものであろう。

基地の見直し

七〇％強という米軍基地の沖縄占有率。異常な集中である。

冷戦時代のアメリカ極東戦略上の「防波堤」としての日本、東シナ海に沿って「弧」をなす列島の地理的位置の特異性によってその「要の要」として「軍事化」を担わされた沖縄。「抑止力」の前線として。

だが、冷戦終結やアメリカ軍再編計画によって、沖縄の「前線」としての位置づけは大きく変わりつつある。

一九九七年にはすでにアメリカ本国の国防諮問員会において「国防の転換」方針が発表され、二〇〇三年には「展開体制見直し」で「現状問題」が列挙されていた。

・地球規模での兵力の偏在
・駐留国との関係の「微妙化」
・駐留維持費の巨大
・攻撃に対する脆弱性

などである。この「問題点」は、すべて沖縄においても当てはまるものである。

二〇〇五年に、日米両国は、こうしたアメリカ側の抜本的「見直し」に沿って「在日米軍の再編」に合意している。沖縄の米軍基地・施設については、以下のような「返還・移転」が合意された。

・普天間移転（辺野古新基地建設）
・海兵隊（第三遠征軍）のグアム移転（一部部隊八〇〇〇人と家族九〇〇〇人）
・キャンプ桑江の全面返還（キャンプ・フォスターに移設。キャンプ・フォスター一部返還）
・牧港補給地区返還
・那覇港湾施設返還（浦添埠頭に新施設建設移転）
・陸軍貯油施設返還（普天間代替埠頭に新設）

こうして並列してみれば、実質的には「沖縄基地軽減」になっていないことは明白。ことに普天間返還が自然豊かな美しい海を埋立てての辺野古新基地への移転・新建設というのは、まったく基地縮小にはなるまい。

以上は、もっぱらアメリカ側の軍再編事情に沿った措置であり、日本独自の東アジア安定化構想（軍事強化によらない緊張緩和策、友好関係推進策など）が検討された訳ではない。もっとも、集団的自衛権を可とする安保法制制定（二〇一五）後においては、ことに自衛隊と米軍の「一体化」が顕著であり、「対米従属」をつねに批判される日本政府内部から独自の「極東戦略」が案出されるなどは、まず期待されない。

ここは、むしろ、より客観的な「基地軽減」や「緊張緩和」の将来像を検討すべく、沖縄の米軍基地縮小を主題にした「有識者会議」（沖縄県諮問「**万国津梁《しんりょう》会議**」）の提言を見ることにしたい。

同会議は、沖縄県が米軍基地問題の解決を通じ「目指すべき将来像を実現し、新時代沖縄を実現するために」（県の同会議説明）有識者に諮問した会議である。二〇一九年から第一回会議が始まり、二〇年三月に第四回会議がもたれ、「**在沖米軍基地の整理・縮小についての提言**」（A4、三二頁）が知事に提出された。基地問題に関する提言部分の要点を掲げる。

＊辺野古新基地計画と普天間飛行場の危険性除去・運用停止について

・日本政府は辺野古新基地計画を見直し、移設を前提とせず速やかな普天間飛行場の危険性除去・運用停止の方策を見いだすべきである

・日本政府・米国政府・沖縄県は、中長期的な在沖米軍のあり方を含め普天間飛行場の危険性除去・運用停止のための対話を行うべきである

・沖縄県は、普天間飛行場の早期の危険生除去のために辺野古新基地建設が現実的でなく、新たな打開策を見出すべきことをアピールし、国民的関心を喚起していくべきである

＊沖縄米軍基地の抜本的な整理縮小に向けて

・日米両政府は、アジア太平洋の安全保障環境の変化を踏まえ、在沖米軍基地の大幅な整理縮小を加速すべきであり、沖縄県の意見を反映させることが重要である

・整理縮小にあたり、海兵隊の沖縄駐留のあり方を見直すことが不可欠で、日本本土自衛隊基地への分散移転などが考えられる

・沖縄県は本土の自治体と米軍基地や日米地位協定のあり方について議論し、見直す機運を高めていくべきである

いずれも、きわめて具体的で、現実的な提言である。メディアの多くが社説などで積極的に評価していたことも、その証左と言えよう。

各紙社説・記事の見出し（二〇二〇年）

・「沖縄タイムス」［社説］　万国津梁会議が提言　辺野古に代わる選択を（三月二七日）

・「琉球新報」［社説］　万国津梁会議の提言　国民的議論喚起が必要だ（三月三一日）

・「朝日新聞」［社説］　基地縮小提言　「沖縄発」受け止めよう（四月一一日）

・「毎日新聞」［記事］　沖縄の諮問機関、普天間の段階的返還を提言　機能を本土の自衛隊基地に分散（三月二七日）

・「東京新聞」［社説］　沖縄海兵隊分散　理にかなった提言だ（三月二七日）

なお、この「万国津梁会議」の提言が知事に提出されたのは三月二六日。この日は、前述の最高裁上告審判決が出された同じ日である。おそらく、判決日は前から判っていたから、この提言の提出日を意図的に合わせたのだろう。一方は牽強付会、他方は用意周到、説得力あり…。両者の「違い」はあまりにも鮮明だ。粋な「演出」ではある。

「沖縄将来像」の実現

辺野古新基地建設問題は、米軍基地返還後の「土地活用」を沖縄県の将来的発展とどう結びつけるのかという「展望」「将来計画」に基づいて、その解決を図るべきである。

言うまでもなく、沖縄の前身「琉球王国」はその地理的特質を活かしつつ、東アジアや東南アジアの諸国と政治的・経済的に広く交流をもち、特異な発展を遂げていた。

沖縄県の「将来発展」を見据えるとき、この歴史的な特異性は大いなる「前例」になるはずである。もとより、沖縄県においてもそのことは十分に認識されているようである。前述の県諮問委員会「万国津梁会議」の名称に象徴されるように、万国の「津梁」すなわち「架け橋」「橋渡し」になるという沖縄県の将来を望むメッセージが伝わってくる。

沖縄県では、当然ながら「将来の姿」を構想する計画をもっている。「**沖縄二一世紀ビジョン基本計画**」（沖縄振興計画　平成二四年度～平成三三年度　二〇一二年五月）である。同計画は逐次改定され今日に至っている。同計画は「克服すべき沖縄の固有問題」という章のなかで、この基地問題と跡地利用の課題について考察している。

その「施策展開」として以下の五項目を挙げている。

・早期の事業着手に向けた取組
・駐留軍用地跡地の計画的な整備
・跡地における産業振興及び国際交流・貢献拠点の形成
・返還跡地国家プロジェクトの導入
・駐留軍用地跡地利用推進についての協議

さらに、跡地利用に伴う「経済波及効果」について推計し、具体的な金額を出している。参考までに引用する（「駐留軍用地跡地利用に伴う経済波及効果等に関する検討調査」二〇一五年一月）。

「那覇新都心地区」「小禄金城地区」「桑江・北前地区」の三地区の合計の「整備による経済波及効果」推計額は以下のとおり。

生産誘発額	八一二七億円
所得誘発額	二五二六億円
誘発雇用人数	六六八三五人
税収効果	五八〇億円

沖縄県では、すでに国の法制のもと「自由貿易地域制度」が適用され、動いている。同制度のもとで「国際物流拠点産業集積地域」に指定されているのは以下の地域である。

那覇・浦添・豊見城・宜野湾・糸満地区（那覇市・浦添市・豊見城市・宜野湾市・糸満市）。

他方、前述の「二一世紀ビジョン計画」において、さらに国際的な視点における沖縄の将来像が示されている。

＊アジアと日本の架け橋となる国際物流拠点の形成

・臨空・臨港型産業の集積による国際物流拠点の形成

・県内事業者等による海外展開の促進

この課題については、先の「万国津梁会議」の提言も検討、提言している。

＊アジア太平洋地域の結節点（ハブ）としての沖縄

「この地域のさらなる発展と安定を維持するために、抑止力の強化だけでなく、域内における緊張緩和と信頼醸成が重要な課題となる」

「沖縄は、アジア太平洋の過去と未来、平和と安全保障を考える上でまたとない思索の場である。そのような特性を活かし、アジア太平洋地域における地域協力ネットワークのハブとなることを目指すべきである」

「以上の認識を内外に広めるためにも、自治体外交を積極的に展開すべきである」

米軍用地の返還・跡地利用の課題はもとより、沖縄県のアジア太平洋地域における積極的な「役割」などについて、「将来像」は着実に検討され、結果も出されている。「万国津梁会議」の提言にもあったが、こうした課題は沖縄県のみで遂行できるものではない。何よりも、沖縄県に長年にわたって「犠牲」と「困難」を強いてきた日本政府が、沖縄県と真摯な協議を行い、またその場に基地使用者の米政府も引き込んで、有意義な方向性を見いだすことが肝要である。沖縄県と県民に「困難」を押し付けてきた日本政府とアメリカ政府の、それが責務である。構造差別の「継続」は許されない。

そうしたアジア太平洋地域の将来像を見据えた「前向きな」協議が三者の間でもたれるようになれば、辺野古新基地の「不要性」「非合理性」「建設不可能性」もおのずから見えてくるはずである。「民主主義・平和・人権・地方自治」の原理原則に、すべての者が立ち返るべきである。

《追記》　二〇二二年も押し迫った一二月八日（太平洋戦争開戦日が何で判決日なのか？　フト、あまりの「偶然」を思ったものだ）、「辺野古裁判」でまた最高裁の判決があった。結論は、沖縄県の「上告棄却」。またしても、である。本稿が取り上げた「最高裁判決」の訴訟争点は、「沖縄防衛局が行政不服審査法による私人たりうるか」であったが、このたびの争点は、沖縄県が埋立て承認を取り消したことに対して、国交相が沖縄県の決定を取り消せと「裁決」したことに対して、「その裁決は不当であり取消すように」という沖縄県の上告であった。要するに、防衛局の求めに応じて、同じ国の立場の国交相がなす「裁決」は不当だということである。

最高裁第一小法廷（山口厚裁判長）の判決は、「沖縄県に訴訟を起こす資格（原告適格）がない」という、またしても門前払いの「棄却」なのである。

ちなみに、今回の最高裁判決に対する新聞各社の社説を見てみる。

・「朝日新聞」　　沖縄県の敗訴　自治の軽視を憂慮する（一二月一五日）

・「東京（中日）新聞」　辺野古判決　地方自治の精神どこへ（一二月一〇日）
・「中国新聞」「辺野古」最高裁判決　地方の意志は度外視か（一二月二一日）
・「琉球新報」　抗告訴訟県敗訴確定　司法の使命放棄した（一二月九日）
・「沖縄タイムス」［辺野古訴訟　県敗訴］基地の島　自治権も後退（一二月九日）

本稿でも詳細に述べたように、こうした最高裁の論法はヒドイものだ。憲法の地方自治規定や、公有水面埋立法・行政不服審査法・地方自治法といった関連法制のすべてを「ねじ曲げて国に忖度する」司法の堕落以外の何物でもない。くり返すが、いまや法的に「国と地方は対等」になっているのだ。国交相の「鶴の一声」の裁決に県が従わねばならないのは、まさしく「上下関係」であって対等たりえない。憲法の地方自治規定違反でもある。最高裁は、とうに憲法そのものが規定した「違憲審査権」（憲法第八一条）を放棄したのであって（別稿「政治妖怪と司法妖怪を想う」参照）、もはや、憲法にかかる審査を行う資格はないというべきなのであろう。

こんな最高裁しか持ちえない国民は不幸である（瀬木比呂志『絶望の裁判所』が想起される）。憲法八一条は抹消して、他国のように「憲法裁判所」を新たに作る以外にないのだろう。

11 「政治妖怪」と「司法妖怪」を想う
――「六月一五日」にあたって

一九世紀半ば、マルクスとエンゲルスは「ひとつの妖怪がヨーロッパに現れている…旧ヨーロッパのあらゆる権力が、この妖怪にたいする神聖な討伐の同盟をむすんでいる。…」（『共産党宣言』一八四八）と記した。だが、二〇世紀後半になっても、日本では、さもしい妖怪どもが、しばしば永田町や霞が関に現れては憲法を毀損・骨抜きにしてまで、「闊歩」してきたのである。

もう歴史の彼方のことになったかのような「六〇年安保」。戦後最大ともいわれた大衆運動だったが、その「妖怪」の首の替わりに日米安保は改定され「安保体制」は確立して、「対米従属」の戦後史が確定した。その前年の一九五九年、「駐留米軍違憲」の伊達判決が最高裁によって覆される。そこに導入された論法が「統治行為論」。「高度に政治的な問題は裁判所の審査外」という超変化球だ。しかも、その論法を導入した当時の最高裁長官は裏で米国と「密談」していた。違憲審査権放棄と司法の対米従属という堕落。「五九年」「六〇年」は、連動してこの国の「哀しき」戦後体制を確定する節目となったのである。

昨今いちじるしい政治と司法の堕落・劣化は、あらためてこの「淵源」に戻って考えてみることが必要ではないか。「歴史の屑籠」に捨て置くには、ことはあまりにも重大だから。政治や外交、そして司法のあるべき「根幹」がそこに窺えるにちがいない。

「六月一五日」という、われわれには忘れ得ぬ日がまた巡ってきた。一九六〇年の「安保闘争」のさなか、デモ隊の最前列にいた東大生・樺美智子が亡くなった日である。彼女の命日であるこの日には、安保闘争の要因を「造作・案出」した当時の「司法妖怪」「政治妖怪」が「疎ましくも」蘇ってくるのである…。

この問題は、旧世代にしか共有されない、ということであってはならない。この国の「あり方」を決定づけた「重要事態」、それを主導した「妖怪」どもについては、ぜひ後世にしっかりと伝えたいものだ。

(一) 一九六〇年六月一五日と「政治妖怪」

今からちょうど六〇年前の「六月一五日」は、当時の若者たちにとっては特別の日である。「あれ」から六〇年が経つ。ほんとうに矢のように時は飛んだ。当時の若者たちは、もうほとんどが「アラエイ」(八〇歳前後)である。「当時」を知る者のひとりとして、その「特別の日」のことを後世に語り継いでいくのは、ある意味、責務のようなものだろうか。なぜなら、「この日」に象徴される戦後最大の市民運動となった「安保闘争」は、時の権力者による「対米従属路線」の決定的な「定位」への叛逆でもあったし、また、それは前年の日米安保をめぐる最高裁の「背反」(統治行為論による違憲審査放棄)への抗議でもあったからだ。一九六〇年は、この国の戦後史を決定づけるターニングポイントでもあったのである。

一九六〇年は、サンフランシスコ対日講和条約と同時に締結された日米安保条約の「改定」の年にあたっていた。対米従属の色濃いその実態と、冷戦時代における米国の世界戦略に組み込まれた運用などに対する国民の批判は大きく、国会審議においても社会党を中心とした野党の「現状維持の改定反対」の院内空気もあいまって、「安保闘争」は戦後最大の政治闘争になっていく。同年五月一九日に岸信介率いる自民党は、社会党の入室を許さず安保改定の「強行採決」に打って出た。一ヵ月後の六月一九日、それは「自然成立」する。国民・市民の反対運動の「火に油を注ぐ」ことになった。連日、数十万人規模のデモが国会を包囲した。

筆者は当時、都立高校三年生。都内の多くの高校生がこのデモに参加した（安保闘争が岸信介の首相退陣で「ひと段落」した秋になって、高校生のデモ参加を放置していたとして、東京都教育委員会は主要高校の校長を交替させ、生徒指導の「正常化」に乗り出した。筆者の高校も例外でなく、教育委員会から直接派遣された新校長は「高校生は高校生らしく勉強に勤しむべし」との説教を毎週の朝礼で行った。ほとんどの生徒は、朝礼台に「後ろ向き」に並んで、「抗議」と「嘲笑」の意志を表したものだった）。

さて、岸の「強行採決」に憤慨して盛り上がった反対運動。六月一五日、「自然成立」を阻止しようと、ついに学生のデモ隊が国会を占拠すべく突入を図った。警官隊（機動隊）との衝突が起きた。デモ参加者の樺美智子（当時、東大文学部四年）が死亡した。警察発表は「転倒」による「圧死」だったが、真相は「闇」。「腹部内蔵うっ血」という司法解剖の結果は、単なる「転倒・圧死」で説明がつくか。当時「共産主義者同盟」（ブント）のメンバーで文学部学友会副委員長でもあった「活動家」の彼女は、機動隊に狙い撃ちされたという学生側の主張もある。医師・御庄博実の所見によれば、「膵臓頭部の激しい出血は膵臓頭部が脊柱に挟まっての出血で棒状のもので激しく腹部を突かれたことによるものだろう」としている。また司法解剖を行った慶応大学医学部の中舘教授の「鈍器で腹部を突かれ膵臓挫滅出血、首を絞められた（頸部扼こん反応）」という第一次鑑定書は、検察の受け取るところとならず書き直しを迫られたという事実もある（いずれも、「樺美智子さんの『死の真相』」ちきゅう座　二〇一〇年一二月二四日）。彼女の死因はいまだに闇の中である。

かくして六月一五日は、樺美智子の命日となった。当時の心ある若者たちが忘れることのない、「特別の日」である。今でも、この日は、国会前で政権への抗議集会がもたれたり、個別に追悼集会が開かれたりしている。

いわば、政権批判運動や異議申し立て行動の「シンボル・デー」になっている。

ちなみに、東大闘争の原因となった「医学部不当処分」に対する撤回要求運動において、医学部学生が安田講堂の総長室を占拠したのは一九六八年六月一五日である。医学部生の狙い通り、すぐさま機動隊九〇〇人もが大学構内に入ったため、「問題」は一挙に全学に拡がった。「前代未聞。大学自治の聖なる構内にいきなりの大量の機動隊導入とは何事か！」のち、東大全共闘を主導することになる院生の横断組織・全闘連（全学闘争連合）に集った院生の大半は、実際に一九六〇年に樺美智子と安保闘争を闘った世代だった。

筆者は、この日「六月一五日」（二〇二〇年）にこの小文を書き始めた。樺美智子追悼の意をこめて。


樺美智子を死に追いやった「安保改定」とは、そもそも何だったのか。それを遮二無二強行採決で突破した、時の首相・岸信介と米国との「関係」が雄弁にその実情を物語る。戦後日本史を決定づけたとしても過言でない「闇」がそこには横たわっている。

敗戦後、戦争遂行内閣の閣僚としてA級戦犯となった岸は、巣鴨プリズンに勾留されていた。東條英機ら七名のA級戦犯が処刑された翌日の一九四八年一二月二四日、彼は不起訴・無罪放免で釈放された。米国の意図であった。新憲法のもと、労働組合などによる民主化運動が激しくなった戦後日本、GHQは占領統治に手を焼いていた。その年の七月には「公務員の争議禁止」のマッカーサー書簡が出ている。

「戦後日本の自由陣営としての保守政治をやらせよう」というのが米国の岸釈放の狙いだった。CIAからの秘密資金も得て、岸は政界に重きをなしていき、一九五五年の「保守合同」では鳩山一郎、三木武吉とともに活躍。一九五七年、病に倒れた石橋湛山の後を継いで首相に就任。一九五八年四月に衆議院を解散して五月総選挙で自民党が絶対多数の二八七議席を確保。この選挙資金もCIAによる秘密資金が大きく働いたという（これら、岸と米国との「裏面史」は、マイケル・シャラー『日米関係とは何だったか』草思社　二〇〇四　やティム・ワイナー『CIA秘録』上・下　文芸春秋　二〇〇八〜〇九　に詳しい）。

日米安保条約と日米地位協定が国際条約や国際協定として類を見ないほど「不平等である」ことは、今やットに知られている。その協定上で「首都圏の広大な上空が外国軍隊の制空圏域」という、独立国家として例を見ない実態になってもいるのだ。岸信介は当時からメディアで「政界の妖怪」と揶揄されていた。A級戦犯だった者が堂々と首相官邸の主に収まっている。どうやって「化け」たのか。「妖怪」でなければ叶わぬ「仕業」というわけだ。資金供与によって「対米従属」を手なずけてきた「戦勝国」米国、その米国の意図を承知で唯々諾々とその秘密資金を戴いて首相にのし上がり、戦後日本の「対米従属路線」を決定づけた岸信介。一九六〇年、日米安保条約の「不平等」を解消せずに「改定」することは、岸の「使命」でもあった。そしていまなお最大といわれる市民の反対運動を無視しての強行採決。「六〇年安保」は岸信介によって上演・演出されたとしても過言ではない。暗黒政治の暴走として。いまなお「不平等」に喘ぐ日本の対米関係の「根幹」が、そこにある。まさしく戦後最大級の「政治妖怪」が「日米劇場」の幕を開けたのだった。

蛇足だが、周知のように現在の首相・安倍晋三は岸信介の孫である。父親は、通産相や自民党幹事長などを歴任した安倍晋太郎。岸の長女・洋子と結婚。彼女は、自民党派閥「清和会」※所属議員の夫人たちのリーダーを務め「政界のゴッド・マザー」と呼ばれた。安倍晋三は祖父を尊敬して止まないといわれるが、なるほど母親経由、祖父譲りの「処世術」「政治観」ということだったか…。

※　のちに「清和政策研究会」と名称変更。自民党最大派閥。自主憲法論・憲法改正論、再軍備、反共主義を掲げるタカ派集団。

(二) 「砂川事件」最高裁判決――「司法妖怪」の暗躍

なぜ、「六〇年安保」は、あれほど盛り上がったのか？ 岸の「強行採決」は、前述したように「火に油を注いだ」ものだったが、それ以前に「火」は早くから燃え上がっていた。「油供給人」は行政のトップだったが、その前の「火付け」役は、司法のトップだった。最高裁長官の田中耕太郎である。

岸が政界で重きをなし、首相の座に就いたその年、一九五七年七月、基地反対闘争の一環で、米軍立川基地に立ち入った運動家七人が起訴された。「砂川闘争」と言われた立川基地拡張反対運動は、当時の反基地運動の象徴的存在だった。一九五九年三月、東京地裁・伊達秋雄裁判長は被告無罪の判決を出す。その理由は、「日米安全保障条約に基づく駐留米軍の存在は、憲法前文と第九条の戦力保持禁止に違反し違憲である」という画期的なものであった。日本国憲法の「平和主義」を端的に「実践」するものであった。

米国は駐日大使・マッカーサーを藤山外相と会談させ、高裁を飛び越えて最高裁に上告するよう迫った。自分たちが占領期に尽力して制定・発布した新憲法の「戦力不保持」が、自分たちの軍隊に向けられたのである。「自分で蒔いた種」である。ところが、自分の軍隊がその「戦力不保持」に抵触するとなったら、憲法も何もない。西太平洋地域での「防波堤」という「日本駐留」の世界戦略のためには、駐留国の憲法など眼中にない。「違憲判決」を「政治」の力で覆そうというのである。

この大問題は、伊達判決のあったわずか九ヵ月後に、最高裁において「原判決破棄」の「逆転」判決で決着が着いてしまう（「破棄差し戻し」によって東京地裁は、伊達以外の裁判官で審理を行い、最高裁判決を「尊重」して、被告有罪の判決を下す）。

「逆転判決」の問題点の一つは、「**統治行為論**」という論法。もう一つは、醜聞・堕落・背信ともいうべき最高裁長官の**米国との「裏協議**」（裏取引）である。

まず、後者の最高裁長官・田中耕太郎の米国との「裏協議」から見てみよう。

それは、独立国家の司法なら当然あってはならない、外国との水面下のいわば「政治的取引」であった。戦後史においてしばしば見られる最高裁の「政治への卑屈な屈従」のハシリであったろう。しかも、この場合、主権国家の最高裁が外国に「色目」を使うという、まるで植民地の三流官僚が宗主国の出先官僚に「ご機嫌伺い」をするような「卑屈さ」であった。

その「三流官僚」を演じたのが、わが最高裁長官・田中耕太郎その人だったのである。実は、そうした「日本司法の対米屈従」の実情は、当時は、日本では知られていなかったのだが、「証拠」が米国国立公文書館で見つかったのである。

「砂川事件」が米国にとってどのような意味をもったかなどについては、研究者やジャーナリストらが解禁された米国公文書を通じて究明していた。そうした一連の研究・探索作業のなかで、ジャーナリストの新原昭治や、末浪靖司、山梨学院大学教授（当時）・布川玲子（法哲学）などは、米国駐日大使と藤山外相、米国駐日大使館高官と田中最高裁長官など、「裏の会談」を明かす公文書を見つけ出した。「発掘」された「資料」は発掘者の名前を冠して「新原資料」「末浪資料」「布川資料」などと呼ばれている。それらの「原本」（コピー）や「解説」などは『砂川事件と田中最高裁長官』（布川玲子・新原昭治編著　日本評論社　二〇一三）や『機密解禁文書に見る日米同盟』（末浪靖司著　高文研　二〇一五）に詳しい。

前書『砂川事件と田中最高裁長官』から部分的な引用をしてみる。すべて、在日米大使館から本国の国務長官に送られた公式書簡である。文中マッカーサーとあるのは、当時の駐日大使の名である。

「…田中耕太郎裁判長は、在日米大使館主席公使に対し砂川事件の判決は、おそらく一二月であろうと考えていると語った。…裁判長は、結審後の評決は実質的な全員一致を生み出し、世論を〝揺さぶる〟素になる少数意見を回避するようなやり方で運ばれることを願っていると付言した。

コメント　…もし、最高裁が地裁判決を覆し、政府側に立った判決を出すならば、新条約（改定日米安保条約：引用者）支持の世論の空気は決定的になり…マッカーサー」（一九五九年八月三日発信）

「…非公式会談の中で、…最も重要な問題は、この事件に取り組む際の共通の土俵を作ることだと見ていた。できれば法廷を構成する裁判官全員が、いわば合意された、適切かつ現実的な基本的基準を基盤として事件に取り組むことが重要だと田中裁判長は述べた。裁判官の幾人かは『手続き上』の観点から事件に接近しているが、他の裁判官たちは『法律上』の観点から見ており、また他の裁判官たちは『憲法上』の観点から問題を考えている、ということを裁判長は示唆した。…」（一九五九年一一月五日発信）

「砂川事件についての日本国最高裁判所判決は、日本におけるアメリカ合衆国軍隊の存在は、日本国憲法の下で合法であるとの判断を全員一致で下したが、これは、もちろんとてつもなく有益な展開である。…田中裁判長の手腕と政治力に負うところがすこぶる大きい。…この裁判における裁判長の功績は、日本国憲法の発展のみならず、日本国を世界の自由陣営に組み込むことにとっても、金字塔を打ち立てるものである」（一九五九年一二月一七発信）以上、いずれも「布川資料」。

日本の司法の「暗黒面」を証言する貴重なものである。

さて、「砂川事件」とその地裁判決（駐留米軍違憲）について、安保条約上、その対応を日本政府外務省が米国と協議をするというのなら、それは当然ありうることだ。ところが、行政とは離れて「独立」しているべき司法が、しかも最高裁長官が、率先して、外務省を飛び越して米国側と直接「非公式」協議を重ねていたのである。何をか言わんや、である。司法の堕落、司法の対米従属の「原点」「出発点」がここにある！

田中と米側の秘密会談は、田中側から一方的に「情報」が伝えられたのではない。米側からも「砂川地裁判決」を「覆す」ための「情報」が伝えられている（末浪靖司『機密解禁文書に見る日米同盟』）。

最高裁判決は、いわば「黒々とした出来レース」だったということだろう。裁判所法にはこうある。

裁判所法第七五条（評議の秘密）

① 合議体でする裁判の評議は、これを公行しない。…

② 評議は、裁判長が、これを開き、且つこれを整理する。その評議の経過並びに各裁判官の意見及びその多少の数については、この法律に特別の定めがない限り、秘密を守らなければならない。

田中耕太郎は、自らこの裁判所法七五条違反を行った。最高裁長官失格というべし。「哀しき話」。

田中耕太郎については、「布川資料」の発掘者・布川玲子が、「司法の独立毀損」「対米従属」という世間の評価に対して、少々別の評価を与えている。素通りすべきでないと考えるので、少々、ここで触れておきたい。

その論考「田中耕太郎最高裁長官と砂川事件」（既出『砂川事件と田中最高裁長官』日本評論社　所収）において、布川は田中の積極的な評価対象二点を指摘する。その「法哲学」と「世界観」である。前者は、「裁判官の叡智と良識による判断が客観性を与えうる」という「自然法論」の提起であり、後者は「国際主義の理想に基づく国際的使命の遂行」という「国際感覚」である。

だが、田中の「法哲学」は、書かれた文字の中だけで存在を主張するものなのか。その人間の「哲学」というのは、言葉にのみ在るのではなく、むしろ「生き様」にこそ顕現するのではないか。筆が達者なら、いくらでも美辞麗句は書き連ねることはできる。だが「言行不一致」であれば、書かれた文言は「虚言」ということになろう。言うところの「国際感覚」について言及すれば、布川自身が引用した論考で、田中の「思想性」「国際感覚」は明白である。ひと言でいえば「ソ連敵視イデオロギー」の持主。そういう「国際感覚」を積極的に評価するのは、評者の同調的イデオロギー表出と取られかねない。それは措いたとして、田中耕太郎のとりわけ「砂川事件」裁判に当たっての「行動」は、彼の「哲学」とやらが、まったくの「虚構」だったことを証しているのではないか。米国国立公文書館で重要な「資料」を発掘し、そこで田中の諸「行動」をつぶさに「見届けた」はずの「発掘者」の、如上の評価は「残念」というほかはない。

後述するように、法学者・芦部信喜は「統治行為論」適用の「範囲と限界」を指摘するなかで、「司法の政治化の危険性」を考慮すべきとしていた。誰もが首肯できる指摘である。ところが、田中は自ら進んで「司法を政治化」させ「統治行為論」を導入した。その彼の「行動」に盲目であってはならない。くりかえすが、「哲学」は文字だけに宿るものではない。「言」「動」の双方を通じてこそ、全体像は明らかになる。

最後に、「布川資料」にも見られた田中耕太郎がしきりと唱えていた「全員一致の評決」のための「適切かつ現実的な基準」について触れたい。結論を先にいえば、これが「統治行為論」である。くりかえすが、「高度に政治的な問題は裁判所の審査外」という論法である。権力者にとって、これほど重宝な理屈はないだろう。政治的な「問題」が生起して裁判沙汰になったら、つねにこの「論法」を使えば、裁判は必ず勝利する。なにしろ、「最高裁判例」なのだから（補遺「憲法五三条…」で見るが、最近の「国会不召集」裁判（那覇地裁判決　二〇二〇年六月一〇日）で、被告・国側はこの一九五九年の最高裁判例の「統治行為論」を持ち出して、「棄却判決」を求めていた）。

確認しておくが、日本には「憲法裁判所」——憲法条項に叶っているか否かを判断する裁判所——がない。日本では替わりにその「役割」を果たすのが最高裁である。日本国憲法八一条がその条項である。

「憲法第八一条：最高裁判所は、一切の法律、命令、規則又は処分が憲法に適合するかしないかを決定する権限を有する終審裁判所である」

「裁判所の審査外」という論法を自ら使うということは、この唯一最高裁に認められた終審「違憲審査権」を放棄することになる。前記したように、砂川事件最高裁判決において用いられた「論法」「手法」は「最高裁判例」として、今日にいたるまですべての裁判を縛りつけている。その後、この国の「政治的問題」において、ついぞ、「違憲」判決が出ることがないのは、この五九年最高裁判決の「睨み」なのである。

「統治行為論」について、あらためて法曹界におけるその「淵源」や「評価」を簡単に見ておきたい。

「統治行為論」は、もともとフランスの司法において採用された論法といわれる。“Theorie de acte de gouvernement”の直訳が充てられている。

この論法が生まれた「根拠」は、「司法判断が立法・行政判断と異なる時には、国民の選良としての立法側の政治判断を優先する」というところにある。

だが、法曹界における「評価」も、肯定・否定の両論がある。

とくに、否定論は、とりわけ行政が専制的な権力を持つ場合には三権分立が成り立たなくなり、その専制に抑制が効かなくなる、というものである。「統治行為論」の最大の「弱点」であろう。

芦部信喜は『憲法』（第七版）のなかで、以下のように、「統治行為論」の利用・適用の「範囲と限界」を強調している。
① 憲法の明文上の根拠もないので、機関の自律権・自由裁量権で説明できるものなどは除外する
② 基本的人権とくに精神的自由権の侵害を争点とする事件には適用すべきでない
③ 権利保護の必要性、司法の政治化の危険性など具体的事情を考慮しつつ、ケースバイケースで判断する。

さて、「砂川事件」最高裁判決に戻る。「全員一致の評決のための適切かつ現実的な基準」としての「統治行為論」のはずだったが、最近、朝日新聞がこの判決合議の「裏面」の事実について「特ダネ」報道を行った。一面と二八面を使っての詳報である。判決合議に与った調査官のメモが見つかったのだ。二〇二〇年六月一三日朝刊。一面記事見出しは、「最高裁判決直前　原案批判メモ」「担当調査官名で」。二八面記事見出し、「異例メモ　判決の矛盾突く」「相対立する意見を無理に包容させたもの」。このメモは、「統治行為論」が「全員一致の評決のための適切かつ現実的な基準」ではなかったことを明かすものだとしている。

最初にして、しかも六〇年後にも依然として「睨み」を効かせる砂川事件最高裁判決の「統治行為論」。田中耕太郎の恥ずべき「無理筋」が生んだ、邪悪な「隠し芸」というべきか。「…これは田中裁判長の手腕と政治力

によるところがすこぶる大きい」（既出、米国駐日大使・マッカーサーの国務長官宛書簡）と相手国を大礼賛させた「芸」である。「妖怪」にしてはじめて可能な「離れ業」であった。

《補遺》　憲法五三条初の司法判断――国会不召集訴訟

先に、筆者は別稿「10　最高裁よお前もか！――辺野古裁判の上告審「不当判決」に接して」において、辺野古新基地建設をめぐる訴訟において最高裁が法理論を曲げて政治の横暴を「容認」し、自ら三権分立を放棄した現実を厳しく批判した。

続いて、「準司法」たる検察をめぐる醜聞。東京高検検事長の「定年延長」と賭けマージャン。別稿「9　将たらざる者と矜持なき者たちへの葬送曲――ポスト・コロナの「社会構築」を！」で、「類は友を呼ぶ」と批判した。

「このまま司法の堕落・劣化が続いたら、この国は国家の態を為さなくなる」という危機感が、門外漢に筆を執らせたのだろう。政権中枢の数々の疑惑に加えてそれを擁護するかのような官僚の「忖度」…もはや行政は「死に体」である。その上、司法が堕落・劣化を深めている…。

最近、最深部の底辺から少しは「這い上がろう」という志向が見られるのは、諸手を上げるほどではないが、注目していい兆候ではある。一つは、「国会不召集訴訟」判決、もう一つは河井夫妻をめぐる公選法違反事件における広島地検の「がんばり」である。

後者については、「目下進行中」なので、ここでは触れないことにする。

「国会不召集訴訟」の発端事情はこうである。二〇一七年、安倍政権の重大疑惑、いわゆる「モリ・カケ問題」を審議するため、野党議員が署名を集めて臨時国会召集を求めたのに対して、安倍内閣はなかなか応じず、ようやく九八日後に衆議院を召集したが、その日に解散をしたため、「モリ・カケ問題」は審議されることなく終ってしまった。訴訟の趣旨は、この安倍内閣の対応は「憲法五三条違反」であることを眼目としたものだった。

「憲法五三条：内閣は、国会の臨時会の召集を決定することができる。いづれかの議院の総議員の四分の一以上の要求があれば、内閣は、その召集を決定しなければならない」

この訴訟は、沖縄県選出の国会議員四人が損害賠償（一人一万円）を国に求める形でなされた。舞台は、那覇地裁だった（山口和宏裁判長、中澤崇晶裁判官）。同地裁は、これまで基地問題に対してことごとく県民の期待に反する判決を出し続けてきただけに、このたびの訴訟についての判決が注目されていた。

六月一〇日に「判決言渡」があった。主文は「原告らの請求をいずれも棄却する」であった。損害賠償は成らなかった。

内容を見る前に、主だった新聞の「社説」をながめてみる。

・「国会召集訴訟　物足りなさと収穫と」（「朝日新聞」）
・「国会召集めぐる判決　憲法上の義務明言は重い」（「毎日新聞」）
・「国会召集せず『憲法上の義務』なのに」（「東京新聞」）
・「国会不召集訴訟判決　なぜ当否の判断示さない」（「琉球新報」）
・「国会不召集訴訟　なぜ違憲に踏み込まぬ」（「沖縄タイムス」）

在京新聞の「受け止め方」は、訴訟それ自体は「敗訴」であるが、裁判所の「言及」については評価すべき重大な点があると、概ね肯定的であった。それに対して地元沖縄の二紙は、むしろ憲法判断を回避した中途半端な姿勢に対して厳しく、否定的だった。

この「国会不召集訴訟」は、岡山、東京でも提起されており、先行した判決としての「注目度」も高いことから、当判決の主要点を押さえておく。訴訟弁護団事務局長を務めた弁護士の所属する南山法律事務所の判決評価は、「請求棄却で不服はあるが、評価すべき諸点があり、勝訴といっても過言でない」と高かった。以下、同法律事務所が「評価すべき点」を、「判決主要点」として列記する。

・憲法五三条後段の是非については司法権が及ぶ。
・憲法五三条後段に基づく召集請求がなされた場合、内閣は法的な義務を負う。
・臨時国会の召集可否についての内閣の裁量の余地は極めて乏しい。
・召集時期に関する裁量も大きくない。
・内閣が召集義務を履行しない場合、少数派議員の声が国会に反映されなくなり、このことは司法審査の対象とする必要性が高い。
・内閣の召集決定のあり方は、憲法五三条違反として違憲の評価をされる余地がある。

なるほど、こうしてみると、五三条「国会召集」の要請への内閣のいい加減な「対応」に対しては、相当程度の「牽制」になっていることはまちがいない。

だが、主文「請求棄却」にあるように、判決そのものは、請求権を否定することによる「原告敗訴」の印象が強いことも否定できない。ことにその理由が「請求議員の利益は個人的なものではなく、国民全体の利益といえ…金銭賠償で補償されるものではない」ということに尽きた。当たり前すぎる「論法」であって、この訴訟の根幹が「五三条後段」対応の当否にあることを、あまりにも矮小化していないか、という疑念を強くもった。
また、上記法律事務所が積極評価をしていた「憲法上の義務」等に関しても、当然のことであって、それを裁判官が「表明」することで明示的になるものなのかと考える。

筆者も判決書全文を手許において読んでみた。むしろ、この判決で評価すべき最大の点は、この五三条をめぐって、被告の国が主張した例の「統治行為論」を否定したことにある、と筆者は考える。国は、あの伊達判決を逆転したのと同じ論法を持ち出して、「高度に政治性のある国家行為については、裁判所の審査権の外にある」としたのだったが、「憲法五三条後段に基づく内閣の臨時会召集については、…これは単なる政治的義務と解されるものではなく、憲法上明文をもって規定された法的義務と考えられる。…内閣が臨時国会の召集を合理的期間内に行ったかどうかについては、合理的期間の解釈問題であって、法律問題といえるのであるから…裁判所がこれを判断することが可能な事柄といえる」としたのである（判決書「令和二年六月一〇日判決言渡　事実及び理由」より）。

最近の「司法の堕落・劣化」をあまりにも見せられてきた筆者には、当判決が国の主張を退ける「気概」にむしろ一服の清涼剤を飲む感があった。であればこそ、「請求棄却」を大上段にした訴訟指揮が惜しまれる。

見たように、同判決への評価は比較的「高い」（南山法律事務所、在京新聞「社説」）が、それはむしろ「司法の劣化」という現状との相対比較といえないか。「劣化」という「低指標」に合わせていいのか。五三条明記が「法的義務」なのは当たり前ではないか。その「当たり前」を高く評価するところに、今日の司法をめぐる「哀しさ」がある！

筆者はむしろ、沖縄県地元二紙の「原則論」こそ尊いし、その姿勢が司法に対する正しい批判になると思うのである。

「司法の劣化」の不名誉に、良心を痛めている若き裁判官もいることだろう。「政治の妖怪」はともかく、「司法の妖怪」の再現を許さないために、裁判官の「あるべき姿」を規定した憲法七六条をここで再確認することに異議はないだろう。

「憲法七六条三：すべて裁判官は、その良心に従ひ独立してその職権を行ひ、この憲法及び法律にのみ拘束される」

12 コロナ関連法改正の強権発動

――今必要なのは医療・検査体制の再構築

二〇二〇年一〇月の国会所信表明演説で「コロナの感染爆発を絶対に防ぎます」と大見得を切っていながら、遮二無二「Go To キャンペーン」を推進し、国民に全国的移動や飲食店での会食を促して、「感染爆発」の第三次波を招来して医療崩壊に至らしめた張本人の菅首相。二一年一月二〇日の共同通信の報道では、四月の衆参補欠選挙（の敗北）後の「菅退陣」が自民党内で現実味を帯びてきた由。そんな「命短き」政権の、あいかわらずの後手後手施策について論評するのは、正直「その気」になりにくい。

だが、相手は権力である。国会での多数議席を背景にいくらでも「やりたい放題」の施策や法制度設定が可能である。安倍政権が、秘密保護法・安保法制・共謀罪法などを審議不十分のなか、強行採決で次々と成立させたように…。現に、七五歳以上の高齢者医療費窓口負担について、「年金収入等二〇〇万円以上」の者は、これまでの負担率一割が二割に引き上げられた。「世代間負担の公平化」がその謳い文句だが、少子化を放置して、フランスのような若年人口増加の有効策を講じて来なかったのは政権の怠慢・不作為ではないか。しかも、この負担率引き上げによる該当者三七〇万人の医療費増収は八三〇億円という。たかがこの額のために三二〇万人もの高齢者を無慈悲に追い詰める。「やりたい放題」の権力は、不利益や不幸をいつでも国民にもたらす。監視と批判、抵抗は、むしろ国民の自己防衛のために不可欠なのだ。

「気が重い年初」の一番の原因は、コロナ対策に消極的だった菅政権が自らの怠慢・不作為を棚に上げて開き直り、コロナ関連の法改正（感染症法、検疫法、コロナ特措法）を行って、国民や業者、医療機関に刑事罰などの「制裁」を課すという強権発動を制度化しようとしていることである。しかも、平井デジタル相が明言したように、コロナワクチンの接種がマイナンバー制度と関係づけられることだ。「火事場泥棒」さながら、国民のコロナ不安にかこつけてマイナンバーによる国民総監視体制の強化を進めようという魂胆である。「学術会議問題もそうだし、いったいどこまで始末の悪い政権なのだ！」との周辺からの声も聞こえる。

とくに、政権党が「緊急事態条項」制定の改憲を国政選挙での「公約」に掲げていることと考え合わせれば、この「強権発動」の既成事実化の意味はきわめて大きいと言える。

さすがに、批判精神をまだ失っていない朝日・毎日・東京などのメディアは、特集記事や社説でこのコロナ関連法改正について強い批判を展開している。当然である。その多くは、国民や業者への制裁に対する批判である。安倍・菅政権の怠慢・不作為を考えれば、「順序が違う」（東京新聞「社説」二〇二一年一月二〇日付）ということである。

だが、現在の「医療崩壊」（自宅待機療養者、全国三万五〇〇〇人超など）の実態を見れば、その淵源は、自民党政権のここ二〇年にわたる「新自由主義」路線がもたらした「福祉医療の圧縮と経営優先」にある。自民党はもとより、その福祉医療の「改悪」施策を強行してきた厚労省の責任は重大である。

多くのメディアが目先の法改正の強権性に批判の矛先を向けているが、今、最も重要なことは、崩壊した医療体制の立て直しと抜本的なコロナ対策の体制づくりでなければならない。そのためにも、本稿は、この二〇年の「医療福祉改悪」の実態を「再び」学び直すことにも留意したい。

(一) コロナ関連法改正「強権発動」――「緊急事態条項」の先取り(?)

二〇二一年一月二二日、コロナ関連法改正の骨子が閣議決定された。この時点では詳しい改正条文などは明らかになっていないようだが、各種メディアは「主たる改正事項」と「その問題点」について報じた。

関連法の対象は、「新型コロナ特措法」(新型インフルエンザ等特別措置法)「感染症法」「検疫法」とされる。本来、これら関連法の「改正」は、コロナ対策のより十全な対応を図るために、もっと早く国会審議をし、しかるべき改正を行っておくべきであった。だが、二〇年九月に発足した菅政権は、野党各派の要請を無視して臨時国会を僅か四〇日間で早々と閉じ、関連法改正審議をいっさい行わなかった。この無為・無策がまた今日の感染爆発を招き、そして深刻な医療崩壊を生んだのである。「コロナ対策への真剣さが見られない」、世論調査で多くの国民がそう回答しているのも当然である。

「新型コロナ特措法」の主たる改正点

① 蔓延防止等重点措置：緊急事態宣言前の「措置」。自治体知事が事業者に休業や時短営業を命令できる。
《罰則》立ち入り検査等の拒否、二〇万円以下の科料。休業などの命令違反、三〇万円以下の過料。

② 事業者支援：国と自治体は、休業要請を受けた事業者支援に必要な財政上などの措置を講じる。

③ 緊急事態措置の見直し：緊急事態宣言下で事業者に対して休業などを命令できる。
《罰則》五〇万円以下の過料。

「感染症法」の主たる改正点

①入院勧告・措置の見直し：重症者や、宿泊・自宅療養を拒否した感染者への入院勧告の新設。勧告拒否や入院先からの逃亡の禁止。

《罰則》一年以下の懲役もしくは一〇〇万円以下の罰金。

②積極的疫学調査への協力義務：正当な理由のない調査拒否や虚偽答弁の禁止。

《罰則》五〇万円以下の罰金。

③医療機関の協力義務：国や自治体から対策への協力要請を受けた医療機関の協力義務。

《罰則》協力に応じない医療機関の名称を公表。

以下、これらの「法改正」について、筆者の批判を述べたい。

総論的に、刑事罰・行政罰の「制裁」を課す法改正は妥当ではない。とくに、この第三波における完全な医療崩壊や保健所行政麻痺の現状においては、法改正が緊急課題ではないからなおさらである。この逼迫した現実を前にしての罰則設定という政権・与党の姿勢は、その強権体質を露呈しているのである。安倍政権下で顕著に行われてきた（その「実行隊長」が当時の菅官房長官）官僚やメディアへの露骨な「同調圧力」。このたびは、その「圧力」を超えた罰則という「恫喝」そのものが、国民一般に向けられたのである。国民に辛抱や忍耐を強いて政治への「協力」を要請するというなら、まずなによりも政治・行政への国民の信頼がなくてはならない。何度もくりかえすが、「国政は、国民の厳粛な信託による」（憲法前文）のであって、信託に値しない国政は信頼されないし、その存在も許されないのである。

渋谷の街頭での若者の発言――「政治家たちが夜の会食をやっていて、われわれにやるなと禁止するのは筋が通らない」――が、いみじくも象徴的である。

いや、「信頼がない」のは会食といった個別的次元の問題ではない。根本的な問題は、「感染爆発を絶対に防ぐ」と国会で所信表明していた当の菅首相が「Ｇｏ Ｔｏ キャンペーン」を「トラベル」「イート」「イベント」と全面的に俄かに加速させ全国的な「人の移動」と「人の集合」を促して、感染に拍車をかけたこと。しかも、分科会や専門家諮問会議の医療を中心とした専門家たちから「Ｇｏ Ｔｏ」の早期停止を要請されていたのに、「経済優先」で「Ｇｏ Ｔｏ」を継続させていたことである。おまけに「感染増大と移動との関係にはエビデンスはない」と「開き直り」の公式見解まで出した上での「経済優先」だったのだ。信頼を得られるはずはない。

これまでのメディアの論調も、二二日の同改正法についての国会論議における野党側の質問も、「罰則よりも支援を」「罰則よりも体制づくりを」といった主張が大半であった。

日弁連（日本弁護士連合会）も一月二二日、会長声明を発して反対した（「感染症法・特措法の改正法案に反対する会長声明」）。同声明は言う、「罰則の威嚇をもってその権利を制約し、義務を課すにもかかわらず、その前提となる基本的人権の擁護や適正手続の保障に欠け、良質で適切な医療の提供及び十分な補償がなされるとは言えない。さらに、感染の拡大防止や収束という目的に対して十分な有効性が認められるかさえ疑問である」もっともな指摘である。

だが、さらに重大な問題がこの法改正の「基調」にある。それを指摘する「論者」は今のところまだいない。それは、これら「蔓延防止等重点措置」に見られるような改正が目指す刑事罰や行政罰について、①発動条件が明確でない、②国会への報告義務や専門家諮問会議等の意向聴取といった発動準備義務がない　ということである。それは、すべて「政府・内閣一存」によって「内実を決定する」ことを意味する。つまり、政府・内閣はその一存で強権発動ができるのである。

筆者は、これまでしばしば「緊急事態」にちなむ権力の恣意的な強権発動の危険性を指摘してきた（別稿「14　緊急事態条項再考――香港での「緊急令」発動を契機に」、「1　ジョン・ロック〈抵抗権〉〈革命権〉回顧」、「コロナ禍をめぐって――『監視』と『注意』の持続を…」（非収載）、など）。

あらためて、自民党が選挙公約（二〇一九参院選）にも掲げてきた「緊急事態条項」の元になる「自民党憲法改正草案二〇一二」を参照する。

「第九九条　緊急事態の宣言が発せられたときは、…内閣は法律と同一の効力を有する政令を制定することができるほか、内閣総理大臣は財政上必要な支出その他の処分を行い、地方自治体の長に対して必要な指示をすることができる」

緊急事態条項の本旨は、国会審議を経ることなく政府・内閣一存で「法律と同一効力を有する政令」を発して強権発動することなのである。もとより、人権や財産権の侵害・抑制も自由自在である。

あらためて、このたびのコロナ関連法の改正に伴う刑事罰・行政罰について、発動条件も国会報告義務もない、つまり「政府・内閣一存」である、ということは、まさしく自民党念願の「緊急事態条項」の趣旨そのものなのである。まさに、コロナ禍にかこつけて「緊急事態条項」の実質を先取りするのである。それが「前例」になれば、あとはコロナ禍に限らずあらゆる「緊急事態」において、同種の「政府・内閣一存」制を拡張することはたやすくなろう。まさに「火事場泥棒」的所業である。菅政権の「ぬかりない」「陰湿な」強権体質の発露と見なければならない。

〔その後、一月二八日の与野党修正協議によって、①刑事罰は課さず行政罰とし、過料金額も引き下げる　②宣言前の「蔓延防止等重点措置」の制度見直しはせずに、政府に国会報告を求める「付帯決議」をおこなう　という修正で決着を見ている。だが、②については、決議には法的な拘束力はなく、しかも国会報告は「事前」でなく「事後」も可である。また、指摘したように、すべてが行政罰になったとはいえ、憲法で保障された人権や財産権を制約・侵害する罰則適用という強権の「発動条件」は依然として不明確のままで、内閣による「政令」で定めるということになる。結局のところ、「政府・内閣一存」という重大な問題点はそのままである。〕

次に、改正事項の個別的批判を述べておく（「1」は新型コロナ特措法、「2」は感染症法）。

1－①　蔓延防止等重点措置：既述のとおり「発動」が政府（内閣）一存になる危険性。行政罰の罰則による「強権」は、今後のあらゆる「緊急事態」への前例になる。

1－②　事業者支援：具体的条件や内容が不明。これも政府一存。現行の規模の異なる（従業員数、売上高）事業者への一律金額の支援は不公平であり、真の事業者支援にならない。

1－③　事業者への休業命令：上記のように実質支援にならない「給付金」にもかかわらず、過料を課すのは本末転倒。

2－①　入院拒否等：受け入れの医療体制が不十分で「医療崩壊」さえ起きて、「自宅待機療養」を余儀なくされ（一月二二日現在三万五〇〇〇人超）、しかも自宅療養中での死亡（一月二二日現在、緊急事態宣言対象一一自治体における自宅待機中死亡者数が一八人（朝日新聞調査））と多発しているのが現実。「拒否」に対して刑事罰で「恫喝」する前に、医療体制の十全を期すのが先決。経済事情・家族事情・基礎疾患など個人的な事情で「入院しにくい」ケースもあるはず。すでに、「陽性判明で刑事罰の伴う入院が必至になるなら検査を受けない」という者が多数出るだろうとメディアも報じている（「東京新聞」一月二三日）。刑事罰の「強制」の前に問われるべき、「患者救済」の「国民目線の」（菅の所信表明中の表現）政治理念が皆無。

2－②　疫学調査への協力：ＰＣＲ検査を欧米の一桁以上も少なく抑制し、結果「市中感染」を招来するような実態において、調査協力を刑事罰で強制することの不条理。欧米・韓国・台湾並みの「検査体制」を整えるのが先決。

2－③　医療機関の協力義務：「新自由主義」的な経営優先「医療改革」を推進してきた医療実態が現今の「医療崩壊」の重大な要因。「名称公表」の恫喝は順序が違う。

以上、個別的に「法改正」の内容を見ても、問題だらけである。与野党協議・妥協の修正案となったが、問題は山積である。ことに、こうした憲法に抵触するような「強権発動」を内容とする法改正そのものも、またこれほど短時間で済まされる国会審議も、「悪しき前例」になろう。

(二)　コロナ感染爆発の現状と医療崩壊

コロナ第三波の真っ只中、感染爆発とそれに伴う諸相についてその実態を再確認しておきたい。

感染爆発

①陽性者数・重症者数・死亡者数

上記項目に加えて、「ＰＣＲ検査実施数」を含めた全国の「動向」を、年末年始の一週間ごとの推移として見てみる。データ出典は厚労省の「オープンデータ」。

菅政権が「Ｇｏ Ｔｏ」にようやくブレーキをかけて、「二〇二〇年末二八日から二〇二一年始一一日まで」全国停止した。

クリスマス時期をはずしたので、当然年始の感染拡大は予想されていた。一月七〜九日の三日間はいずれも七〇〇〇人台の「陽性者数」を出している。「Ｇｏ Ｔｏ」のブレーキのかけ時が遅すぎたことは、数字が雄弁に語っている（表１）。

一月八日に発出された第二次緊急事態宣言の効果は二週間後の二二日のデータである程度判る。「陽性者数」は確かに少なくなってきた。しかし、重大な現象は、「重症者数」「死亡者数」がともに増大し続けていることである。

感染爆発の実情は、その「重篤化」のいっそうの進行として捉えるべきである。

②自治体別の「ステージ４」指標の実情

現在緊急事態宣言の対象地域の主要都道府県、東京都・愛知県・大阪府・福岡県の「感染爆発」を示すデータを「表２」に見る。主たるデータの出典は、東京新聞（一月一七日）の「新型コロナウイルス感染状況の指標と現状」（一月一六日のデータ）によるが、さらに「自宅待機療養者数」の各自治体開示のデータ（一月二二日）も

表1　全国の年末年始のコロナ感染の状況

	2020/12/25	2021/1/1	2021/1/8	2021/1/15	2021/1/22
PCR検査実施数	60261	25072	63373	70610	101273
同　陽性者数	3813	3106	7844	6741	4803
重症者数	644	716	771	934	1011
死亡者数	3154	3513	3931	4379	4934

表2　4都道府県の「ステージ指標」ごとの感染状況と自宅待機療養者数

自治体	ステージ	病床使用率		人口10万人当たり療養者数	人口10万人当たり感染者数	PCR検査陽性率	新規感染者前週比	感染経路不明割合	自宅待機療養者数
		全入院者	重症患者						
	3	20%以上		15人以上	15人以上	10%以上	1以上	50%以上	
	4	50%以上		25人以上	25人以上				(1/22)
東京都		83.2	*107.0	138.0	81.0	15.6	1.31	68.1	8418人
愛知県		63.7	42.1	43.5	27.4	13.4	1.18	44.3	998
大阪府		71.1	66.7	66.4	43.3	10.6	1.46	57.0	2493
福岡県		64.3	17.3	61.0	38.8	10.4	1.41	55.8	2710
全国									35394人

＊東京都の「病床使用率・重症患者」のデータは「NHK新型コロナ特設サイト」(1/20) による。

加味した。

　感染進行状況を示す「ステージ」四段階の最終「4レベル」について見れば、その感染爆発の実態は明らかである。七指標（「病床使用率」については「全入院者」「重症患者」の二指標とした）の内、東京都と大阪府は全てが「ステージ4」、福岡県が六指標、愛知県が五指標で「ステージ4」である。都市部を中心に感染拡大が全国スケールで進行中であることが明らかである。

医療崩壊

　医療危機や医療崩壊は、第一次緊急事態宣言の時から言われていた。にもかかわらず、二〇二〇年七～八月の第二波の時期に、多くの反対を押し切って本来コロナ終息後の計画だった「G

表3　11都府県　入院・療養先「調整中」患者数

	2020/12/19	2021/01/19	1ヶ月の増大（倍）
栃木県	−	839	−
埼玉県	860	1169	1.4
千葉県	536	2328	4.3
東京都	1563	7539	4.8
神奈川県	−	96	−
岐阜県	−	117	−
愛知県	240	266	1.1
京都府	172	568	3.3
大阪府	855	1410	1.6
兵庫県	125	727	5.8
福岡県	−	−	−
合計	少なくとも4532人	少なくとも15058人	（平均）3.3

o Toキャンペーン」を見切り発車した安倍政権。この時も音頭を取ったのは菅官房長官だった。しかも、菅は首相になるとこの「Go To」を「トラベル」「イート」「イベント」と全面的に「促進」した。秋になって感染増大の兆しが見え、分科会などの専門家たちからその「停止」を提言されても止めなかった。既述のように、ようやく「停止」に踏み切ったのは、第三波がかなり進行した後であった。「人命より経済」の政治姿勢が露骨だった。

この間、日本医師会や東京都医師会なども会見を開き、しきりと「医療危機」「医療崩壊」を訴えていた。そして、こうした医療従事者の悲痛な訴えにもかかわらず、既述のように、菅自らが「移動と感染拡大の関係にはエビデンスはない」と開き直って二〇二一年六月までの「Go To」延長を決め込んでいたのである。

ちなみに、内閣官房の資金で「感染拡大モデルの研究」をしていた大沢幸生東大教授は、長距離移動によって爆発的感染が一〇〇倍、一〇〇〇倍に増えるという実態を「感染シミュレーション」によって実証している（東京新聞「こちら特報部」二〇である。

二〇年一二月一一日）。専門的、科学的な知見を無視して強引に政策を推進するのは、独裁政治や強権政治の常道である。

そして、第三波によって、この「医療崩壊」は目に見える形で顕現している。

「表3」は共同通信が、緊急事態宣言発令対象地一一都府県の入院や宿泊療養などの振り分けが「調整中」の感染者数について、調査したものである。二〇二〇年一二月一九日と二〇二一年一月一九日を比較している。この年末年始の「第三波」によって、「調整中」人数は三倍以上に膨れ上がった。文字通り入院や宿泊療養の手配がままならないことによる「調整」である。重要な「医療崩壊」の実相を示すデータである。

「表1」の「重症者数」「死亡者数」の右肩上がりの増大は、「医療崩壊」の原因と結果でもある。「表2」の「自宅待機療養者」のすさまじい増大は、その明白な結果である。三万五〇〇〇人超の患者が、あるべき医療を受けられずに「自宅待機」させられている。元来、感染症患者は、隔離の必要から入院させられるのが通常だが、その入院がままならないのである。

しかも、今や感染経路の最大のケースは「家庭内感染」なのである。「自宅待機療養」を強いることは、それだけ「家庭内感染」を拡大させることになる。この救い難い医療実態！　医療崩壊と感染拡大は、今や極度に相乗的な因果関係をもちつつある。

おまけに、「自宅待機療養」中に、病態が激変して落命する人たちが目立ってきた。「自宅待機療養中死亡者数」も、この二五日までの一月だけで七五人と激増している（警察庁調べ）。「受けられるべき医療を受けられずに死亡する」というのは、まさに医療崩壊そのものである。有効な手立てを打たなければ、「医療壊滅」は必至となるにちがいない。

保健所行政の麻痺

保健所の「逼迫」も、早くも第一波の時から叫ばれていた。ＰＣＲ検査の判断・手配、医療機関入院の判断・手配、クラスター感染の追跡調査、自宅待機療養者への指導・連絡など、このコロナ感染の発生・拡大は「日常」業務のほかに保健所行政に多大の「非日常」業務をもたらした。

全国各地で、「自宅待機療養者」への保健所の指導と連絡がないところで患者の落命という事態が起きている。当該保険所の悲鳴――「手が回りかねていた」。

福祉医療行政の新自由主義的「抑制」によって、この二〇年の間で保健所もまた激減していたのである（八五二⇒四七二）。医療行政の退行の結果が、このコロナ感染の状況下での保健所行政の麻痺である。

「クラスター追跡」の業務について言えば、まず、厚労省のコロナ対策がクラスター対策に重点を置きすぎたこと（感染拡大の最たる要因である市中感染を防止する観点からすれば、ＰＣＲ検査の拡充による感染者の発掘と隔離が何よりも重視されるべきだった）、また「電話問答」による追跡調査の前近代的手法も問題である。台湾や韓国が当初からスマホを活用した「感染追跡アプリ」を開発して感染拡大防止に成功していたことと比較すればその「旧態依然」の手法は二一世紀の施策として考えられないほどである。厚労省はその後、急遽スマホ用の「コロナ接触確認アプリ」ＣＯＣＯＡを開発したが、これがまた「実用」にならない代物だった。厚労省の発表によれば、二〇二〇年一一月一七日時点で当アプリのダウンロード数は二〇〇〇万件に上ったが、肝心の「陽性者」の登録は一％にも満たなかったという。

その要因は「実用にならないから」といわれる。デジタルによる「感染追跡」、とりわけクラスター追跡が不首尾のため、保健所の電話による追跡調査の業務は減らない。

二〇二一年一月一二日、官邸を訪れた一都三県の知事は、保健所の調査を「重症化しやすい高齢者を対象にしたい」と申し入れた。これは、事実上これまでの「クラスター追跡調査」重視の放棄である。保健所業務の軽減はもちろんだが、「感染経路不明」が過半を占める感染拡大の現状において、クラスター重視そのものが意味のないものとなっているのだ。筆者はこれまで何度もその「誤謬」を指摘してきたのだが…。

市中感染の拡大

「表2」の感染指標「感染経路不明割合」を再度見る。五〇％以上が「感染爆発」の「ステージ4」である。東京都・愛知県・大阪府・福岡県の四自治体で、五〇％未満なのは愛知県のみである。同表のもとになった、前記四自治体以外の全国自治体の「感染経路不明割合・ステージ4」レベルの実態を見ると、岩手県（五二・四％）・宮城県（六一・〇％）・栃木県（五〇・一％）・千葉県（七九・四％）・神奈川県（六四・六％）・兵庫県（五六・七％）と、もはや市中感染は全国規模で拡がっていることが確認できる。

原因は明らかである。①クラスター感染重視策　②ＰＣＲ検査の抑制による無症状感染者の「野放し」③「ＧｏＴｏ」の促進による大量の人間の「移動」「集合」である。いずれも、コロナ対策の不首尾という政治責任に帰すべきことである。

変異株の侵入と拡大

感染力の強い「変異ウイルス株」の存在が報告されてきた。イギリス型・南アフリカ型・ブラジル型が、今のところその「変異株」である。

二〇二〇年一二月二五日に、空港検疫で初めて確認されたイギリス型変異株だったが、周知のようにその後、別の変異株である南アフリカ型、ブラジル型が国内で確認された。二〇二一年一月一五日には静岡県で海外渡航歴のない者三人が、また二一日には東京で同じく渡航歴ない一〇歳未満の女児が、それぞれイギリス型変異ウイルスに感染していることが確認された。

これらの変異株の特徴は、感染力が強く、致死率も高いことといわれている。ジョンソン首相の会見で、イギリス型の感染力は一・七倍と発表された。「実行再生産数」（一人の感染者が何人の人に感染させるかの指数。「一・〇」超であれば「累乗」なので指数関数的な流行拡大になる）を想起すれば、この「一・七」という数字は驚異的である。ロンドンを中心としたイギリスの昨今の一日五万人超の感染爆発もこの変異株によるとされる。

こうした変異株の国内侵入を許した原因は、まず、出入国管理に対する政権の「甘さ」がある。イギリスでの変異株について、WHOがその存在について公表したのが二〇年年一二月一四日。だが、日本政府はイギリスからの、また第三国経由の入国者に対して即座の「入国制限」や「検疫強化」の策を取らなかった。初めて日本の空港検疫でイギリス型変異株が確認されたのは翌一月二五日。この間、変異株感染者の入国は「素通り」されていたにちがいない。既述の静岡や東京での渡航歴のない者たちの変異株感染は、こうした「素通り」入国者からの市中感染としか考えられない。

かつて台湾政府が、二〇一九年一二月三一日に中国・武漢での「新型肺炎」発症の報に対して、即日、中国からの入国禁止措置を取って新型コロナの侵入を防いだような、的確な防疫への真摯さや緊張感が、日本政府にはつねに欠如している。

今後懸念されるのは、この感染力の強さ、致死率の高さをもつ変異株の市中感染である。これまでのコロナ株でさえ、すでに医療崩壊が起きているのだ。これに変異株市中感染が拡大すれば、医療壊滅はまちがいなく生起することだろう。

すべて、政権・政府の無為・無策の結果である。

検査体制の脆弱

筆者は、これまでの関連三稿においてつねに、「無症状感染者を捕捉して市中感染を防ぐためにはＰＣＲ検査の充実が欠かせない」ことを主張してきた。第一波の時期の最初のコロナ関連稿「コロナ禍をめぐって」（二〇二〇年五月一日）において、「ＯＷＩＤ（Our World in Data）」のデータに基づいてこのＰＣＲ検査数の国際比較を行った。わが国は欧米諸国の数十分の一であった。

「表1」の「ＰＣＲ検査実施人数」からも判るように、ようやく「一〇万台」に達したのは、二〇二一年になってからである（一月一四日　一〇万二二五五人、一月一九日　一〇万三三二三人、一月二二日　一〇万一二七三人）。その後、検査数はまた一〇万台未満に落ちている。

欧米ではもはやＰＣＲ検査は、国策として「誰でも、どこでも、無料で」となっている。日本政府の無策は、ついに民間企業が高額のＰＣＲ検査に乗り出す事態を招いた。「需要があるから利益が見込める」ということだろう。「Ｇｏ Ｔｏ」キャンペーンに二兆円近い予算を投じる前に、コロナ対策の十全を期すことが先決だろう。

「感染経路が追えない」事例が五〇％を超え、つまり市中感染拡大の「ステージ4」の「感染爆発」を呼び込んだのは、まずはこのＰＣＲ検査体制充実を怠け続けている政権の無策に起因する。

(三)　今すぐに為すべきこと——医療・検査体制の再構築

前述の「コロナ禍」の実情を見れば、今何を為すべきかは、自ずと明らかであろう。

感染症に限らず、「予防と治療」は医療対応の原則である。「対策」を考える前に、最近の政府方針の「問題意向」が報じられているので、まず、そのことから議論したい。「予防と治療」の根幹にかかわるマイナンバー制の導入、および第二次緊急事態宣言「解除目標」の問題である。

マイナンバー制導入による監視強化問題

①　ワクチン接種とマイナンバー制の活用

文初でも触れたように、平井デジタル相の発言に発して、すでに政権内ではワクチン担当相にも指名された行革担当の河野氏との会談ももたれ、このマイナンバー制活用の方針は「既定」の方向とされる。後日、河野担当相は「マイナンバーカードは不要」と明言したが、国民各個に送られるという接種券（クーポン）にはマイナンバーが明記されているという。「マイナンバーによる管理」の本質は変わらない。

既述のように、マイナンバー（国民総背番号）による統制の最大の目的は、国民監視の体制づくりである。すでに健康保険証と自動車免許証のマイナンバー一元化が政府方針となっている。病歴や通院・入院先、使用薬剤、交通違反歴など、プライバシーにかかわる事項が政府によって管理され、監視資料になるのだ。

このたびのワクチン接種でのマイナンバー制活用は、文字通り「コロナ禍不安」の国民感情につけ入る「監視体制」強化でしかない。「火事場泥棒」的所業という以外にない。

② 医療従事者のマイナンバー登録制

「日経新聞」の二〇二一年一月二〇日号は、「医師・看護師を一元把握、緊急時に備え　マイナンバーで」の報道を行った。それによると、政府は二〇二四年度までに医師や看護師の住所や資格情報をマイナンバー制度によって「一元管理」する方針を固めたという。新自由主義的合理化で「福祉医療の圧縮」を行ってきてそれが今日の「医療崩壊」の最大要因であることは、前述したとおりである。

その、政策の不首尾を反省するどころか、全国すべての医療従事者の「監視体制」を新たに作ろうというのである。露骨な全体主義的監視制度が、いよいよこのコロナ禍に乗じて画策されているのである。

さっそく関係者からこうした監視制度への強い反対意見も出されている〈宮子あずさ〈看護師、看護学博士〉「本音のコラム　マイナンバー抜きで」〈「東京新聞」一月二五日付〉〉。当然である。今後、多くの医療従事者やメディア、野党から反対意見が出されるだろう。

新規感染者五〇〇人（東京都）の「解除目標」の非妥当性

西村コロナ対策担当相などは、このたびの第二次緊急事態宣言の解除目標は、東京の場合で一日の新規感染者数が五〇〇人である、と会見などで明言している。

はたして、その「解除目標」は妥当なのか。

感染症数理モデル解析を専門とする西浦博京大教授のシミュレーションによれば、この「五〇〇人」の目標値では、感染爆発は二ヵ月後に再来するという。また、同シミュレーションによれば、解除目標値を「一〇〇人」にしても、「実行再生産数」が三五％減であれば、半年後にはまた新規感染者数が一二〇〇人程度の感染爆発が再来することになる。緊急事態宣言の発出もそして解除も、政権の判断は甘すぎると言えよう。

今すぐに為すべき対策

前章の感染爆発の「諸相」を見てくれれば、「今為すべきこと」は自明ではなかろうか。なによりも崩壊している医療体制の立て直しと感染拡大防止策の徹底が急務である。だが、政府は今国会において、第三次補正予算案に、あれほど問題の多かった「Ｇｏ Ｔｏ」事業に一兆円超の関連予算を計上している。野党質問において、「最優先は窮地にある医療や個人、事業者への支援だ」との鋭い指摘も出されている。

最後に、筆者が「今すぐに為すべき」と考える諸対策を整理して本稿を締めることにする。

①　緊急医療センター（入院対応）の設置

都道府県ごとに、病床確保を最大目的にした「緊急医療センター」を設置し、「宿泊療養」や「自宅待機療養」を減らす。

②　医療従事者の補充と財政的支援

医療従事者の不足と激務による疲弊は、医師会などの表明でも明白。アメリカでも取られている「医療関係学生」の動員による業務支援。ならびに、コロナ対策に従事する医療者への経済的特別助成。

③　保健所業務の支援体制強化

疲弊している保健所職員への支援と体制立て直しは急務。各都道府県において、自治体職員を割いて保健所業務の補助を行う。東日本大震災の時には、全国規模で被災自治体への職員派遣がなされている。

④ＰＣＲ検査体制の大幅拡充

市中感染を減少させる手段は、市中での無症状感染者による感染拡大を防止する以外にない。ＰＣＲ検査を欧米諸国のように「誰でも、いつでも、無料で」できるような体制整備が必須である。人口数を考えれば、検査数も欧米並みに拡大することも必要。

⑤検疫体制と出入国管理の強化

経済優先・ビジネス優先の考えが、出入国管理と検疫体制の「甘さ」につながった。政府は徹底した検疫体制と出入国管理を行って、今や「変異株」による感染爆発の諸外国からの「侵入」を防止しなければならない。

⑥営業短縮と休業への事業者補償の拡充

「会食」が感染の契機になっている場合が多いことで、事業者への「時短営業」を要請しているが、休業も含めて「協力要請」をするのであれば、当然、事業規模に見合った財政的助成をするべきである。

⑦感染追跡アプリの再構築

既述のように、現行の「感染追跡アプリ」ＣＯＣＯＡは実用にならない。一から実用性のある新規アプリを開発して、感染拡大防止の武器にすべきである。

以上、総じて「今為すべきこと」は、現在の政権・政府の対策のほぼ「正反対」を語っている。それは、現行のコロナ対策の政府の無為・無策の明証でもある。それを「修正」するには、これまでの無為・無策ぶりと新自由主義的営利優先の政策理念を抜本的に見直すことが不可欠である。そのことが、このたびの「コロナ禍」に当たって、「災い転じて福となす」という、問題の多い現行の医療福祉制度の根底的、抜本的改革につながるはずである。
それができなければ、コロナ禍の克服は不可能であり、政権も与党も「信託統治に値せず」ということで、下野させられるほかないであろう。

中世ヨーロッパでペスト禍の後にルネサンスの華が咲いたように、コロナ禍は、日本政治、日本社会の一大転換の契機となって新たな「世界」を生みだす可能性すらある。いや、むしろ、そういう新たな社会構築の希望を、われわれはこの忍従のコロナ禍のもとでこそ広く共有したいものである。

かくてお前たちの痛ましい声は、
敏いのも鈍いのも、
鋭いのも優しいのも、皆一つになって、
お前の救済の方便であり、
お前の希望の香料であり、
そしてお前の苦痛の糧である、
わが苦悩の光栄のために、
現在のお前にふさわしい讃歌を作るのだ。
（ポール・ヴェルレーヌ「叡智」より）

13 「暴走」政権
――軍事大国化・原発回帰・経済安保法・学術会議介入…

わずか一年の短命に終わった菅政権の後を継いだ岸田政権。かつて自民党内で「最ハト派」と言われた宏池会の派閥長として、国民の多くは、安倍・菅政権の「強硬体質」とは異なる政治を期待していたようだ。政権発足直後の参院選でメディアの予想を「裏切る」ほどの「勝利」を得たのも、そんな国民の素朴な期待感ゆえだったにちがいない。だが、二〇二二年末時点で岸田政権の期間は一年二ヵ月になるが、その短期間での驚くほどの「暴走ぶり」は、おそらく歴代政権でも例を見ないほど酷いものである。安倍・菅政権ですら「やらなかった」ような、まさかの「強硬」「強行」の連続である。議会制民主主義という、およそ世界の民主国家が常道としている「政治形式」をことごとく無視・逸脱して、「閣議決定」や首相独断の「指示」で国の重大事が決まり、それらが有無を言わせず「断行」されようとしているのである。

しかも、政権の「外」への強硬ぶりとは裏腹に、自らが任命した大臣たちの「不適格性」による事実上の相次ぐ罷免――二〇二二年八月の第二次岸田政権発足後四ヵ月で四人――という「内」なる組織の「脆弱性」「問題性」(当然、任命権者の責任と能力も問われる)は、目を覆うばかりなのである。「外柔内剛」というのは、「外目は優しそうだが、内面は強い意志を持ったしっかり者」を形容する賛辞とも言えるが、はたしてこの政権の「内柔外剛」はどう捉えるべきか。「中身がないのに(いや、ないからこそ)、つまり実力がないのに、やたらと強硬に出る」ということにでもなろうか。嘲笑や弄笑《ろうしょう》、憫笑《びんしょう》、そして憤怒…。支持率が低迷しているのは当然である。そんな政権は、憲法前文に明記されているように、われわれ主権者の国民としては、とても統治の「信託」などはできかねる、ということになろう。

(一) 「暴走」岸田政権の諸策

岸田政権の、民意を問わない、国会にも諮らない、国会を軽視した「暴走」の主たる施策について「検証」したい。すでにこれまで多くの識者やメディアの批判や、市民の反対行動などがあって、「統治」に多少なりとも関心を寄せる人たちには「既知」の諸策であろうが、その「暴走」の実情をしかと確認するためにあらためて見ておきたい。

① 安倍国葬の強引開催

安倍銃撃事件のわずか六日後の七月一四日、岸田が国葬の方針を記者会見で発表。同二二日、九月二七日国葬開催を閣議決定。明治憲法とは違って、新憲法上も法律上もいっさい規定のない国葬の首相独断「先」行。安倍政権以降、その忖度姿勢の著しい衆院法制局ですら、「国会が関与することが求められている」との趣旨の意見書を発表したほどの、国会無視の「独走」「暴走」であった。それも「国葬」を「国葬儀」などと言い換えての姑息さ。当然、全国的な大規模反対運動が起こった。久しぶりに国会周辺の大規模デモも何度か行われ、各地で「反対集会」も開かれ、また識者の集団による「反対声明」なども多数発出された。国葬反対の署名も、四〇万票を超えた。共同通信の世論調査では、「国葬反対」が五三・三%と過半を占めた（七月三〇～三一日調査実施）。だが、「来賓外交」に目的変えして強行された。

また、国葬の「原因」となった安倍の銃撃は、「安倍と旧統一教会」との密接な関係への「信者二世」による「糾弾」としての犯行とされたが、安倍と同協会の「関係」への調査はいっさいなされずに「闇」に葬られた。

②　改憲発議へ邁進

安倍政権が「二〇一二自民党憲法改正草案」に基づいて、二〇一九年の参院選で選挙公約にした「改憲四項目」について、岸田は「(安倍の) 思いを受け継ぎ…取り組んでいきたい」「できるだけ早く発議に至る取り組みを進めていく」と記者会見で強調した (二〇二二年七月一一日)。その後、周知のように、衆院憲法審査会はこれまでとは様相を異に頻繁に開かれ、二〇二二年だけで二四回と異例の過去最大となった。

③　マイナンバーカードの保険証との一体化を義務化

そもそもマイナンバー制度は、国民一人ひとりの個人情報が政府によって一元管理されるという「惧れ」「不信」によってなかなか普及しなかった。制度徹底を急ぐ岸田政権は、河野大臣率いるデジタル庁の施策としてマイナンバーカードと保険証を「一体化」させ、それを義務化するという「荒業」に出てきた (二〇二二年一〇月一三日発表)。「マイナ保険証」と世上呼ばれるものである。国民皆保険のわが国の保健制度を逆手に取った「奥の手」と言っていい。しかも、現行の保険証をいっさい廃止してのマイナ保険証の義務化なのである。こんな「荒業」が一省庁の思惑で決められていいのか。だいいち、これでは、病歴も飲んでいる薬の内容も権力がすべて把握できることになろう。「担当医以外に知られたくない」のが病人の心理だろう。「あまりに拙速、乱暴だ」(「朝日新聞」社説二〇二二年一〇月一五日)、「強引な義務化許されぬ」(「東京新聞」社説二〇二二年一〇月一五日) など、メディアの指摘は至極当然である。

マイナンバーカードについては自動車免許証との一体化も方針とされたが、一説には免許証所管の警察庁との「関係」が進まないというが、免許証は国民全てが持つものではなく「一体化」の旨味は、皆保険下の「マイナ保険証」には及ばない。それが、政権の「マイナ保険証」への拘りの真意か。

④ 後期高齢者の医療保険料・負担率と介護保険料の引き上げ

医療保険料引き上げ。厚生労働省の施策（二〇二二年一〇月二二日公表）。二四～二五年に後期高齢者の医療保険料を引き上げる。七五歳以上の四〇％が該当するという。また同省は六五歳以上の高齢者の介護保険料の引き上げ案も発表した（二〇二二年一〇月三一日）。こちらは、「二三年の夏までに」正式に結論を出すという。いずれもほとんどの対象者が年金生活者である。しかも、医療も介護も当然「需要」が多くなる高齢者である。「社会の高齢化が進むから」というのが厚労省の「言い分」だが、いかにも安易な方策だ。対策は「逆」だろう。「増える高齢者が安心して暮らせる社会」を考えるのが、当該役所の務めの筈。

医療保険料については、これとは別に、すでに二〇二二年一〇月一日から後期高齢者の窓口負担率が「一割」から「二割」への倍増が実施されている。三七〇万人の七五歳以上の高齢者が該当するという。「若年層の医療保険料負担を軽減するため」というが、その「増収」は約八三〇億円。若年層に「還元」される額（保険料低減額）は一人あたり年額約六〇〇円、月額換算で五〇円。子どもの小遣いにもならない「雀の涙」。そんなために、三七〇万人もの後期高齢者に辛い思いをさせる医療行政の「愚かさ」を思う。「全世帯型社会保障」という「謳い文句」の「ポーズ」や「アリバイ作り」にしかなるまい。ましてや、「敬老の精神」などあったものではない。

誰にでも解るように、「若年層」と「後期高齢者層」が年間に同じ総医療費を払うという前提で、この「負担率」

によるそれぞれの負担費の収入に対する「比率」（対収入比率）の違いを算定してみる。

(a)　年収六〇〇万円の若年層：医療負担率三割、総医療費一〇万円⇒負担費三万円⇒対収入比率＝〇・〇〇五

(b)　年金収入二〇〇万円の後期高齢者：同二割、総医療費一〇万円⇒同二万円⇒同＝〇・〇一

後期高齢者は若年層より対年収比二倍の医療費を払うのである（実際には、高齢者の方が医療を受ける頻度が多く「総医療費」も若年層より多いから、この「倍率」は二倍以上であろう）。問題は、医療費や保険料の「実額」ではなく、それらの「対収入比」なのである。エンゲル係数が全消費支出（≒収入）に対する食費の比率を問うように。病院や薬局での「支払い医療費」の「対収入比」についての「不平等」「不合理」について、厚労省もその審議会委員たちも、まったく理解していないのである。この道理は、「消費税率の一律的適用は低所得者層により厳しい負担を求める」という経済学の初歩的な常識に通じるものでもある。

筆者が毎月通う医院の待合室での高齢者どうしの会話。「老人をイジメてどうする。好きで病院に来てるんじゃやない」「そう、年金でカスカスの生活なのに、二倍はヒドイね」。後期高齢者は今、無体で横暴な政権とその行政に対してすごく怒っている。

⑤　経済安保法（経済安全保障推進法）とその「政省令」運用

「国際情勢の複雑化、社会経済構造の変化等に伴い、…安全保障の確保に関する経済施策として所要の制度を創設する」が謳い文句の法制である。要は、安保における経済事情の「管理統制」である。その骨子は「重要物

資の安定供給確保」「基幹インフラ役務の安定供給」「先端重要技術の開発支援」「特許出願の非公開」の四本柱である。

戦前のわが国で、世界恐慌を契機に経済対策として「国家による経済統制」が行われ、やがて戦時体制を構築・維持するための「国家総動員体制」の一環としてさらなる「統制経済」に突き進んでいった、あの「負の時代」の経済政策が想起される。事実、資金供与と省庁関係者参加による国家支援によって先端技術開発が推進され、その開発技術情報は「守秘義務」とされる（同法六四条）。また開発技術発明の「保全指定」（同七〇条）や「開示禁止」措置がなされるのである（同七四条）。これらの技術は、ミサイル応用極超音速技術や衛星監視用宇宙関連技術など二〇ほどの「軍事転用技術」とされる（「東京新聞」二〇二二年八月一三日付）。多分に「キナ臭い」法制である。

他方、防衛省が「世論工作」を目的としたＡＩ研究に着手した（「東京新聞」二〇二二年一二月九日付、「信濃毎日新聞」一二月一三日付、「琉球新報」一二月一五日付　各社説など）ことを考え合わせれば、「経済安保法」の軍事体制強化への法制的な役割と位置がよりいっそう明らかであろう。

さらに、同法の最大の問題は、この法規定の「運用詳細」がいっさい明文化されておらず、その具体的な運用が政府の「政省令」に委ねられ、恣意的な運用が行われる可能性が大きいことである。この点については、多くの新聞社説も指摘し懸念を表明していた。

「経済安保法　懸念残した国会審議」（「朝日新聞」五月一三日付）、「経済安保法の成立　乱用防止へ国会が監視を」（「毎日新聞五月一四日付）、「経済安保法案　恣意的な運用避けねば」（「東京（中日）新聞」四月八日付）、「経済安保法案成立へ　広い政府裁量、運用は慎重に」（「河北新報」四月一六日付）、「経済安保法案　曖昧さをまた置き去りか」（「信濃毎日新聞」四月八日付）、「経済安保法案成立　恣意的な運用が心配だ」（「京都新聞」五月一三日付）、「経済安保法成立　運用巡る懸念が尽きない」（「神戸新聞」五月一八日付）、「経済安保法成立　慎重運用が求められる」（「中国新聞」五月一二日付）、「経済安保法成立　恣意的な運用を許すな」（「徳島新聞」五月二〇日付）、「経済安保法成立　恣意的運用の懸念拭えず」（「西日本新聞」五月一六日付）などである。

「朝日新聞」社説は具体的に指摘した。「政令や省令に委ねられた項目が一三八ヵ所に上った」「国会は引き続き監視を強めるべきだ」。

ナチスが悪用して独裁体制を築いたワイマール憲法の「緊急令」（四八条）や「二〇一二自民党憲法改正草案」の「緊急事態条項」（九八、九九条）の要諦は、「（国会に諮らずに）法律と同等の権能を有する政令を内閣が制定できる」ことであった。つまり、それは独裁制・専制・強権制が依って立つ「基本」なのである。「国権の最高機関であって、唯一の立法機関である」（日本国憲法第四一条）国会を差し置いての「政府・内閣の政省令による運用」はきわめて危ういことである。このような「危うさ」をもつ法制について、十分な審議を行わずに野党第一党の立憲民主党が同法案に「賛成」したことも問題である。

⑥ 学術会議への介入

菅政権による「六人任命拒否」を撤回しその任命承認を求める学術会議の「要請」に対して、「前政権で済んだこと」と取り合わなかった岸田首相。それが、国会閉会後にいきなりの「日本学術会議の在り方についての方針」なる文書を発表して、「第三者」による会員推薦と首相の任命権を柱とする「日本学術会議法」改正を明言したのである。菅政権よりはるかに踏み込んだ学術会議への介入である。これについては、別稿15「学術会議問題――『知の世界』支配を狙う強権政治の再来」で詳述しているので、こちらを参照いただきたい。

要は、権力の学問の支配や介入は絶対に許されないことであり、また、この問題は単に学術会議にとどまらない、この国の民主主義の全体とその根幹に関わる重大事だということである。

ちなみに、今回の岸田政権による「新たな介入方針」に対する、新聞各社の社説を見てみる。すべからく、学術会議の「独立性」の重要さを指摘する。

各紙社説の見出し（二〇二二年）

・「学術会議改革　独立性維持こそ財産だ」（「朝日新聞」一二月八日）
・「学術会議改革の政府案　御用機関では意味がない」（「毎日新聞」一二月一四日）
・「学術会議と政府　独立性を保持してこそ」（「東京（中日）新聞」一二月二七日）
・「学術会議見直しは熟慮重ねよ」（「日経新聞」一二月二九日）
・「学術会議の声明　議論を社会に広めよ」（「信濃毎日新聞」一二月二三日）
・「学術会議見直し　独立性損なう政府の介入」（「京都新聞」一二月二五日）
・「学術会議改革　独立性損ないかねない」（「中国新聞」一二月一六日）

先進国で同じようなナショナル・アカデミーが存在するところで、国家がその会員の選任について「介入」し独立性を侵害するような、「学問の自由」をわきまえない国は、日本以外皆無である。

⑦ **敵基地攻撃能力と防衛費倍増**

この項目については、きわめて重大な問題なので、あらためて「項」をあてて以下に述べることにしたい。

⑧ **原発再稼働・新増設**

この項目についても、同様に「項」をあてて別に述べることにする。

(二) 敵基地攻撃能力と防衛費倍増——軍事大国化へ

まがりなりにも戦後七七年間、「憲法九条」の重石もあって「戦争をしない国」を保ってきたわが国であるが、岸田政権はにわかにこの「九条」に抵触する大胆な「軍拡路線」を決定した。一二月二日、与党の自民・公明の両党は「敵基地攻撃能力保有」に合意し、さらに両党は一二日には「安保三文書」改定にも合意。一〇日に閉会した臨時国会では、野党の再三の質問に政府側はただ「検討中」との曖昧な答弁に終始していた。この間、自・公両党実務者による非公開協議が一五回、議事録も公表されない「密室潜行協議」。そして、国会が閉会するや、この「安保三文書」改定の両党合意、そして一六日の閣議決定であった。最高議決機関、唯一立法機関である国会を無視・軽視した「安保政策」の抜本的変革という、またしても民主国家にあるまじき「荒業」である。

当然、市民や識者、メディアの反応は大きく、反対論が続出。デモや集会、多数社説が満ちた。市民運動、ことに憲法にかかわる運動なら、この問題はきわめて「忌々しき」重大事であり、十分な検証と対応が必至である。

全国的なメディアの強い反対姿勢

まず、新聞各社のこの問題についての「反応」を見てみる。「関心」はきわめて高く、全国紙はもとより、北海道から沖縄までの全国の地方紙が社説を通じて強い「反対姿勢」を表明した。筆者が把握できた社説だけでも、以下のようである。

各紙社説の見出し（二〇二二年一二月）

・「朝日新聞」
安保政策の大転換　「平和構想」欠く力への傾斜（一七日）
防衛費の増額　看過できぬ言行不一致（一八日）

・「毎日新聞」
安保戦略の閣議決定　国民的議論なき大転換だ（一八日）
防衛費増額に建設国債　また一つ歯止めが外れる（一八日）

・「東京（中日）新聞」
防衛費四三兆円　根拠と財源欠く危うさ（七日）
安保三文書を決定　平和国家と言えるのか（一七日）

・「北海道新聞」
防衛費の財源　増税も国債も理がない（一五日）
安保三文書閣議決定　戦後平和主義覆す暴挙だ（一七日）

・「河北新報」
防衛費財源に建設国債　現世代エゴ、迎合は許されぬ（一六日）
防衛増税決着先送り　熟慮不足、振り出しに戻せ（一七日）

・「秋田魁新報」
防衛費財源論議　予算倍増の根拠不十分（一六日）
安保三文書改定、議論が見えぬ大転換だ（一七日）

・「福島民友新聞」
防衛費の財源／復興税転用は筋が通らない（一四日）

・「新潟日報新聞」
防衛費問題　性急な議論が混乱招いた（一六日）
安保三文書改定　平和主義の行方を危ぶむ（一七日）

・「信濃毎日新聞」
安保三文書決定　先の見えぬ軍拡が始まる（一七日）

・「静岡新聞」
防衛力強化　議論尽くして信を問え（一日）

・「京都新聞」
防衛政策の転換　日本を危険にさらす軍拡路線（一七日）

・「神戸新聞」
安保政策の転換「軍事大国」への歯止めはどこに（一七日）

・「中国新聞」
安保政策の転換　平和憲法をゆがめるな（一七日）

・「山陰中央新報」
反撃能力の保有　専守防衛を逸脱する（四日、論説）
安保戦略の転換　国民に信を問うべきだ（一七日）

・「愛媛新聞」
防衛予算財源　展望なく安保政策を変えるのか（一七日）
安保三文書改定　議論なき大転換　軍拡を危惧する（一八日）

・「高知新聞」
［防衛費の大幅増］国民不在の増税論議だ（一四日）
［安保関連三文書］立ち止まり　議論やり直せ（一七日）

・「西日本新聞」
安保三文書決定「専守防衛」を踏み外すな（一七日）

・「佐賀新聞」
安保政策の転換　信問うべき平和国家の進路（一七日）

・「南日本新聞」
［反撃能力］疑問解消へ十分議論を（三日）
［防衛力強化－一兆円増税］規模優先でいいのか（一七日）

・「沖縄タイムス」　〔防衛力強化＝三文書決定〕安保政策の大転換だ（一七日）
〔安保大変容：「防衛増税」迷走〕議論の進め方が乱暴だ（一五日）
〔安保大変容：三文書閣議決定〕選挙で信を問うべきだ（一七日）
・「琉球新報」　防衛費増税一兆円「規模ありき」は問題だ（一〇日）
安保関連文書の改定　国民合意得られていない（一四日）
防衛増額財源に国債　軍事膨張の歯止め失う（一六日）
安保関連三文書決定「戦争する国」を拒否する（一七日）

これらの主張は、おおかた以下の項目に整理できよう。いずれも、まっとうな意見であり、このたびの唐突な政権の「軍事大国化」路線の深刻な問題性を衝いていよう。

① **平和主義・専守防衛からの逸脱**
② **「軍拡競争」の危険をもたらす軍事大国への道**
③ **国民の議論も合意もない政権の独走**
④ **防衛費**（軍事費）**大幅増は国民不在の政権の独断**

市民等の反対・抗議運動

メディアの社説等による「反対表明」のほかに、市民団体の街頭行動や院内集会、弁護士団体の意見書・声明発表など、多くの反対運動が起きている。筆者が把握したものを列挙する。

①街頭抗議行動
＊一二月八日　平和を作り出す宗教者ネット　内閣要請行動
＊一二月九日　ＮＡＪＡＴ（武器取引反対ネットワーク）官邸前抗議集会
＊一二月一五日　憲法東京共同センター　東京三駅（新宿・四谷・大塚）街宣行動
＊一二月一六日　総がかり行動実行委　国会前緊急行動
　一二月一九日　同　国会周辺集会
＊一二月一六日　大軍拡と基地化にＮＯ！　アクション　首相官邸前抗議集会
②院内集会
＊一二月一日　安保破棄中央実行委員会、憲法共同センター、憲法会議、日本平和委員会、国民大運動実行委員会の五団体「許すな！　岸田内閣の大軍拡・改憲路線」
＊一二月一九日　戦争をさせない一〇〇〇人委員会・立憲フォーラム「敵基地攻撃と日米一体化　防衛費倍増は国民負担に」
③対案宣言（憲法学者等集団「平和構想提言会議」）
＊一二月一五日「戦争ではなく平和の準備を――〝抑止力〟で戦争は防げない」
④弁護士団体意見発表
＊一二月一六日　日本弁護士連合会「『敵基地攻撃能力』ないし『反撃能力』の保有に反対する意見書」（Ａ4判、二八頁）
＊一二月二七日　東京弁護士会「敵基地攻撃能力（反撃能力）の保有に反対する会長声明」（Ａ4判、二頁）

「安保三文書」改定が意味する軍事大国化

では、「軍事大国化」路線を決定づけた「安保三文書改訂」とはどのようなものだったのか、その内容を見てみる。

「安保三文書」は、もともと安倍政権下の二〇一三年、わが国の安保体制強化を目指して策定されたもので、当時は「国家安全保障戦略」「防衛計画大綱」「中期防衛力整備計画（中期防）」であったが、現在はそれぞれ「国家安全保障戦略」「国家防衛戦略」「防衛力整備計画」と名称変更された。このたびのそれぞれの「三文書」の改定内容を簡潔に示せば以下のとおりである。

① 国家安全保障戦略

現常認識：中国の軍事動向は最大の戦略的挑戦であり、北朝鮮は重大で差し迫った脅威である。
目標　：現状変更や有事を抑止し、脅威は排除する。
具体策：敵基地攻撃能力（反撃能力）を保有。
　日米で反撃能力を協力して対処。
　防衛費を二〇二七年度にGDP比二%にする。

② 国家防衛戦略

目標　：侵攻を阻止。侵攻があった場合は阻止・排除。
内容　：統合防空ミサイル防衛力の強化。
　「存立危機事態」でも反撃能力を行使。
　国産長射程ミサイルの増産、米国製トマホークの早期取得。

体制　：日米協力の反撃能力。
　　　　ターゲッティングなど日米連携の運用強化。

③　**防衛力整備計画**

内容　：極超音速誘導弾・潜水艦発射型などの長射程ミサイルの重層的保有。
　　　　統合司令部（日米協力用）の常設。
　　　　宇宙領域専門部隊の新設。
防衛費　：二三年度から五年間は四三兆円。
　　　　財源は歳出改革と税制措置（増税）を講ずる。

こうして、一通り概観してみても、敵基地攻撃、長射程ミサイル装備、防衛予算倍増・GDP二％と、とてつもない「軍事強化」「軍事大国化」であることが明白である。次項で、この「安保三文書改訂」の問題点を具体的に指摘したい。

「安保三文書改訂」の問題点

「安保三文書」改定のもつ問題点を指摘したい。二〇一五年の安倍政権下、強行採決で成立した「安保法制」によって、それまでの歴代政権が否定してきた「集団自衛権」が「容認」され、憲法九条の「骨抜き化」が進んだのは周知のことである。それでも曲がりなりにも「自衛権」の「枕」が付いていた。だが、この「三文書改訂」は、「敵基地攻撃」が可能となり、それは「先制攻撃」になる可能性もある。つまり、「自衛権」さえ否定することになった。「九条」の完全逸脱である。それればかりではなく、軍拡競争や増税（建設国債充当等）などによる「負の連鎖」は、わが国の将来にとってきわめて大きな問題・課題を惹起したのである。

① 平和主義・専守防衛の完全否定

「戦力不保持」を謳った日本国憲法九条は平和主義を高らかに謳うものとして世界に範たる平和憲法の象徴になってきた。だが、朝鮮戦争を契機に警察予備隊⇒自衛隊の設立という「現実」が先行すると、大多数の憲法学者の「自衛隊違憲論」の主張をよそに、「すべての国家における自衛権は普遍の原則」との論理が保守層を中心に展開され、自衛隊の存在が国民の間にも「容認」される風潮が浸透・蔓延した。それでも、九条との整合性を得るために、「専守防衛」が歴代保守政権においても基本的な軍事的原則としてあり続けてきた。

既述のように、二〇一五年、安倍政権がこれまでの憲法解釈を変更して「集団的自衛権」の立場をとって、強行採決によって「安保法制」を改定・制定し「戦争のできる国」へとわが国の「軍事原則」を変質させたのだが、さらにその延長の「原則変更」が、このたびの岸田政権の「敵基地攻撃能力」（反撃能力）保有である。「わが国が攻撃される『兆候』が認められれば、先手を打って敵国の基地を攻撃できる」という、これは、もはや「先制攻撃」論と変わらない。「兆候」は誰がどのように「判断」するのか、人間のなす「分析」「判断」の情報処理に過誤・誤認はつきものである。仮に、その判断が誤っていれば、先手の「敵基地攻撃」は、戦争勃発の引き金になる、まったくの「先制攻撃」となるのだ。

もはや、「専守防衛」の否定はおろか、九条の平和主義を根本的に否定する「軍事原則」の大変更である。あらためて「九条一項」を見る。「敵基地攻撃」政策がこの憲法の規定に違反するのは明白である。

「日本国民は、正義と秩序を基調とする国際平和を誠実に希求し、国権の発動たる戦争と、武力による威嚇又は武力の行使は、国際紛争を解決する手段としては、永久にこれを放棄する」

②「軍拡競争」「報復攻撃」の招来

さらに「安保三文書改訂」の大きな問題は、中国・北朝鮮の国名を具体的に明記していることである。その「明記」の上での「敵基地攻撃」である。いわば、中国・北朝鮮は「仮想敵国」なのである。

想起したい。太平洋戦争準備に向けて、「米英鬼畜」と「仮想敵国」を名指しで「戦争機運」を国民に植え付けていったことを。「仮想敵国」を具体化しての「敵基地攻撃能力」の保有。これは、むしろ「準宣戦布告」のようなものではないのか。

「仮想敵国」に指定された側の国は、当然「対応策」を取る。相手の攻撃に備えるべき戦力の向上・拡大である。つまり、双方が互いに戦術・戦略の別なく軍事力をいっそう向上・拡大させる「果てしない」競争が始まる。「軍拡競争」である。

かつての「冷戦時代」における米ソの果てしない核ミサイルの開発競争は、何よりの証左である。そんな「愚かな」争いに明け暮れる政治屋・軍人どもに対して、「狂ったサル」と形容したのは、ノーベル医学生理学賞受賞者のアルベルト・セント=ジェルジであった（Albert Sent-Görgyi "The Crazy Ape" 1970、國弘正雄訳『狂ったサル』サイマル出版会　一九七二）。彼は同書の随所で、この「愚かさ」を指摘した。「人間は度しがたい愚か者のような行動をしています」「軍隊は必ず相手方軍隊をつくりあげ、…お互いが競い合い、ついには正面きった肥大化循環が行われるのです」「彼らは躍起になって平和に対抗します。政府を支配するだけではありません。報道機関をも支配することによって、国民の心を意のままに動かし、軍事優先こそが国を愛するゆえんであると説き、軍事支出に疑いをもつことは利敵行為であり、巨額な軍事支出に賛成することこそが、愛国的な行為であると信じこませるのです」…半世紀以上も前の指摘である。何年経っても「人間の愚かさ」は変わらない、ということなのだろう。まさしく、現今の岸田政権への「評」にもあてはまるだろう。

「軍拡競争」の中で生起する問題は、ほかにもある。

互いが「敵基地攻撃」を戦略・戦術とすれば、わが基地も相手の「攻撃対象」となる。周知のように、現在、沖縄の「南西諸島」ではミサイル基地建設など、「対仮想敵国」向けの基地建設が盛んである。それらの基地建設が進む島民たちが大きな「不安」を抱くのは当然である。「自分たちの島が、自分たちの意に反して相手攻撃の標的になる！」　そうした「空気」を反映して、石垣市議会は「反撃能力をもつミサイル配備は容認できない」趣旨の意見書をさっそく採択したのである（二〇二二年一二月一九日）。

二〇二二年二月の市長選で、自公推薦の候補が四選を果たした「保守勢力」の強い石垣市でも、このような島民の「不安」が現実のものとなっているのである。さらに、那覇市では「ノーモア沖縄戦命どぅ宝の会」の呼びかけで、このたびの「安保三文書改訂」の閣議決定に対して戦争反対の「全県組織」を結成する会合がもたれ（一二月二一日）、近々、沖縄全県をカバーする組織が発足する動向である。「前線基地化」が進む南西諸島の住民には、あの太平洋戦争の「沖縄戦」の悪夢がよみがえっているのだ。

また、「軍拡競争」においては、敵方より高度な兵器のための技術開発が必須である。

想起されたい。「経済安保法」では、国が高度技術開発を財政支援し、そして約二〇の高度軍事技術に関しては「保全指定」「開示禁止」が課された。もとより「軍拡」との関係である。「安保三文書改訂」による軍事大国化は、一連の法制度と一体となって進むことをあらためて認識するのである。「国家総動員体制」化は、すでに始まっている…。

③「核保有」への道

そもそも、核保有国である中国や北朝鮮を「仮想敵国」として明記した上で、「敵基地攻撃」の具体的な戦略・戦術を考えるとすれば、それらの「核基地」を無力化するような「攻撃」は簡単・単純な戦術で済むはずがないことは素人の国民誰でもが気付くことだろう。とりわけ、中国のような「核大国」の核攻撃を前提とする「反撃攻撃」は、とても通常兵器では対応しきれまい。中国が、仮にわが国の「抑止力」を考慮して核攻撃を自制するとすれば、それはこちらが中国に劣らないだけの「核保有」国であることが必要だろう。

つまり、中国や北朝鮮という核保有国を「仮想敵国」とすることは、純粋に軍事的な戦略・戦術的な観点からも日本が「核保有国」になることが必至となるのだ。

岸田政権は、今は、そのことに「口をつぐんで」いるが、「敵基地攻撃能力」（反撃能力）を国民の多数が認めたとなれば、必ずや、この「核保有」の必然性を言い出すだろう。「核保有」がなければ「敵基地攻撃能力」を保持できないのだから…。いずれ、超保守の本性を晒すことになるのだろう。

ここで想起されるのは、「核兵器禁止条約」へのわが国の頑なな「不参加姿勢」である。すでに世界六八ヵ国が締約国となっている。日本と同じくアメリカの「核の傘」にあるドイツは、二〇二二年三月の第一回締約国会議にオブザーバー参加し、核軍縮への強い意向を示した。日本は、オブザーバー参加すらしようとしない。「非核三原則」も「暴走政権」なら、その気になれば「修正」も「破棄」も躊躇なくやるにちがいない。

④国民的議論のない暴走

すでに見たように、「安保三文書改訂」は、「秘密裏」に自公両党の実務者会議で検討され、臨時国会閉会後の一二月一六日に閣議決定されたものであった。この間、「向う五年間の防衛費四三兆円」「防衛費ＧＤＰ比二％」

という巨額防衛費は、岸田の指示によるものであった。

いずれにしても、この安保政策の「大転換」にあたって、国会での審議はもとより国民的な議論はいっさいなかったのである。こんな重要事を、内閣が独断で決めてしまう。これは、まさしく閣議決定によって「全権委任法」を成立させ、以後国会を有名無実化して独裁制を築いたヒトラーの所業にも通じる暴走である。

しかも、一方で、岸田は、二月二四日に始まったロシアのウクライナ侵略と、度重なる北朝鮮のミサイル実験、中国艦船の尖閣諸島領海への侵犯をことさら強調して、国民に「戦争の危機感」を煽りつつ、この「軍事強化」の方針を進めたのである。まさに、「火事場泥棒」とも呼ぶべき所業だった。

結果、「敵基地攻撃能力保有」の世論調査における「賛成」が、朝日新聞調査五六％、共同通信調査六〇％と過半に達したのは、こうした政権の意図的な「世論誘導」によるものだったろう。

国民が、この「安保三文書改訂」の内容をきちんと理解し、前述のような「軍拡競争」「報復攻撃」「核保有」といった必然性・危険性に冷静に気づけば、そのような数字は出ないにちがいない。

⑤ 巨額防衛費ＧＤＰ二％――軍事大国へ、増税へ

岸田が指示した「二七年度防衛費ＧＤＰ比二％」は、とてつもない「巨費」である。内閣府発表の二〇二一年度ＧＤＰは五五〇兆円。その二％は一一兆円。二〇二二年度の防衛費が五・四兆円だったからまさに倍増である。この防衛費一一兆円は、アメリカ、中国に次ぐ世界第三位の額。世界屈指の軍事大国になる。世界中が驚くだろう。「えっ、憲法で戦力を保持しないと謳った国がどうして世界三位の軍事大国なの？」

しかも、その財源がまた問題である。二〇二七年度で四兆円の防衛費増を賄うために、法人・所得・たばこの三税を増税して一兆円、しかもそれで足りない分は、東日本大震災・福島原発事故の復興のために特別に設けら

れた「復興特別所得税」を期間延長して当てようというのである。まったく趣旨が違う。被災者・被災地域こそ迷惑である。いずれにしても「防衛増税」が始まる！　だが、国民の反対は大きい。防衛費絡みの増税への「反対」は六四％にもなる（共同通信世論調査）。

さらに、財源は建設国債まで当て込んだ。二〇二三年度予算で約四三〇〇億円の建設国債を防衛費に充当したのである。そもそも建設国債は、国の資産になる道路や橋などの建造費に充てるもので、短期に消耗される防衛費には充当しないとされてきた（一九六六年、福田蔵相国会答弁）。その「方針」が変更され、「目的のためには手段を選ばず」のご都合主義の暴走がここでも生起しているのである。

さらに、「安保三文書改訂」は、二〇二三年度から二七年度の五年間の防衛費を四三兆円としたが、これも実態を隠蔽した姑息なものである。実際には、この間にアメリカを中心に購入した装備品の新規契約に伴う二八年度以降ローン支払い分（二七年度までの五年間の「借金」）が一六兆五〇〇〇億円あり、実際には六〇兆円近い（43+16.5=59.5）予算といえるのだ（「東京新聞」一二月三一日付）。とすれば、この五年間の年間防衛費の平均は約一二兆円となる！　もはやGDP二％をオーバーしているのである。

これだけの額、当然、国民への増税として跳ね返るのである。ちなみに、消費税が八％から一〇％に引き上げられた時には国民的な大議論が起こったが、その増収分は五・六兆円。防衛費一二兆円の増分六兆円弱を仮に消費税だけで賄うとすれば税率二％以上の「引き上げ」が必要なのである。

「軍縮・平和推進」の方向こそ

「安保三文書改訂」による、軍事大国化のもたらす「諸問題」を検証してきた。国会審議もなく国民的議論もなされない、政権独走の「戦争勃発の危機」さえ含むこんな暴政が許されていいはずがない。

あらためて、この国の戦後の立ち位置である「平和国家」を規定した憲法九条の基本に立ち返ることが肝要である。憲法学者の小林直樹は、その「九条」による「非武装平和主義」の優位性を説いていた（『憲法第九条』岩波新書 一九八二）。

① 仮想敵国を作らないから、善隣外交を通じて紛争解決ができる。
② アジア地域における安定空間を拡げ、世界の非核化と軍縮を実現する足掛かりを得る。
③ 軍事費が不要になり、平和教育や国際交流などの平和の拡大再生産が可能になる。
④ 国民の福祉・教育への費用拡充による民主社会が建設されることで「間接侵略」がなくなる。
⑤ 軍国主義によるあらゆるマイナス要因がなくなり、文化国家の形成が可能。
⑥ 侵略の可能性が減り、核戦争に巻き込まれず、民族としての壊滅を回避できる。

これらは、小林自身が「自衛隊の存在などもあり実現性は必ずしも容易なものではない」旨を述べていたが、「軍備増強路線」がむしろ戦争を勃発させ、もしくは戦争の危機を増大させる結果しか招かなかったという古今東西の事実を直視すれば、この「非武装平和主義」は大いに検討に値しよう。

現に、中米の国コスタリカのように、軍事力をもたず、しかも平和で自然環境保全の行き届いた豊かな国が現存する。「非武装平和主義」は単なる理想論ではないのである。

かつて、一九八五年、レーガンとゴルバチョフの東西のトップが直接会談を行うことによって、核兵器廃絶の合意を行い「冷戦時代」に終止符を打ったことを想起したい。「戦争回避」や「世界平和の構築」といった国際関係の前進には、軍事政策に依るのではなく、外交を含む「総合的平和構築構想」という平和哲学に基づいた賢明な政治が不可欠である。人間が「狂ったサル」と嘲笑されることなく、サル以上の叡智を有する動物であるなら、その知恵を「平和哲学」によって明証することが要請されよう。

二〇二二年一二月一五日に開催された「平和構想提言会議」。その提言「戦争ではなく平和の準備を――〝抑止力〟で戦争は防げない――」は、「平和哲学」の一例を示していた。とりわけ同提言のなかで一般市民に向けた「平和構築」への以下三項の参画要項は、市民運動にとって示唆するところ大といえよう。

① 軍事力に依存しない安全保障のための連携。
② 紛争の要因に対処する社会・経済政策。
③ 市民社会の越境と連携の強化。

㈢ 原発再稼働と新増設――政権の「暴走」と懲りない「原子力ムラ」の復活

「暴走」政権は、二〇一一年三月の世界最大級の福島原発事故がまるでなかったかのような、「原発再稼働・新増設」の新原発政策を独断で決め、原発推進の「逆行の道」を邁進することになった。経産省の「回帰」の方針は五月ころから活発になり、岸田への頻繁な「事情説明」が行われていた。そして、「潜行協議」の数々を経て、一二月二二日、またしても国会閉会後の政権の「新原子力政策」決定の発表だった。電力業界・経産省・原子力専門家・政権…「原子力ムラ」の反省なき復活行進曲である。

厳しく問わねばならないのは、フクシマ事故の反省から、経産省の下にあった原子力安全保安院の「原子力規制」業務を独立させるために「三条委員会」として設けられた環境省外局の「原子力規制員会」が、自らの使命である独立性を放棄して経産省の「原発回帰」方針に安易に「同調した」ということである。

規制委の問題はもちろんだが、「原子炉運転六〇年超稼働可」などという世界にも例のない原子炉運転対応、しかもフクシマ事故の廃炉処理もまったく見通しの立たないところでの「新増設」といった「原子力新政策」は、まさに「暴走」という以外になく、まったく容認することはできない。

＊メディアの反応

例によって、主要新聞各社の社説を通して、メディアの「反応」を見てみる。

各紙社説の見出し（二〇二二年）

・「朝日新聞」　原子力規制委　発足の理念を忘れるな（九月二〇日）
　原発政策転換　議論の幅が狭すぎる（一〇月一九日）
　原発政策の転換　熟議なき「復権」認められぬ（一二月二三日）
・「毎日新聞」　原発活用の政府決定　議論なき大転換許されぬ（一二月二三日）
・「東京（中日）新聞」　老朽原発の追認　不老不死はあり得ない（一二月二一日）
・「北海道新聞」　原発政策の大転換　福島の教訓忘れた独善だ（一二月二三日）
・「河北新報」　原発政策の新方針　変化直視し脱依存の模索を（一二月二五日）
・「信濃毎日新聞」　ＧＸ実行会議　議論の方向間違っている（一二月二五日）
・「京都新聞」　原子力規制委　福島事故の反省どこへ（一二月二三日）
・「山陽新聞」　原発活用の指針　前のめりの議論が危うい（一二月一五日）

・「高知新聞」　原発六〇年超運転」規制委の独立性どこへ（一二月二五日）
・「西日本新聞」　原発政策転換　福島の教訓を忘れたか（一二月二三日）

それぞれの「指摘」の重点の置き方は異なるが、こうして全体を通観すれば、このたびの「原発新政策」の問題は、ほぼ尽くされていよう。つまり、以下のように整理されよう。

・規制委の独立性の問題
・国民的議論の欠如
・老朽原発「延命」の危険性
・福島事故の教訓を無視

岸田政権の「暴走新原発政策」

具体的に、このたびの岸田政権による「新原発政策」の「暴走」内容を見てみよう。

その前に、一二月二二日の政府決定を見るまでの、岸田の「動向」を見ておきたい。統治の責任者としての本人の「考え」を知っておく必要があるからである。

岸田政権発足直後の二〇二一年一〇月、第六次エネルギー基本計画策定において、岸田は「二〇三〇年度の原発による電源比率二〇～二二％」を容認し、「原発依存」の姿勢を「堅持」していた。さらに、二〇二二年一月には年頭会見で、「脱炭素電源の選択肢としての原発依存」を表明。また、ロシアのウクライナ侵略が始まると、電力需給の厳しさについて「ウクライナ侵攻がダメ押しになった」と語り、ウクライナ問題を新原発政策と「絡め」た。二〇二二年五月から経産省幹部からの新原発方針の「説明」を頻繁に受け、「小型モジュール炉」などの「新型原発」の可能性を検討していた。参院選（七月一〇日投票）では、この「新原発政策」にはいっさい触れなかった。選挙勝利のためには「重要施策も隠匿で」の姑息。直後の朝日新聞の世論調査（七月二七日、二八日実施）で原発の「新増設」について「賛成」三四％、「反対」五八％の結果を見て、岸田は「異様だな」と呟いたという（「朝日新聞」二〇二二年九月二日付）。これらが、岸田の本性である。フクシマ事故の終息も覚束ないなかでの「原発再稼働・新増設」、国民の方がまっとうである。どちらが「異様」か、国民に尋ねてみたらどうか。

岸田政権の「暴走」新原発政策は、脱炭素社会の実現に向けた「グリーントランスフォーメーション（GX）計画」として設定されたものである。その骨子は以下のとおり。

①ロシアのウクライナ侵攻などで、エネルギー危機を迎えた。
②脱炭素社会に向け、再生可能エネルギーのほかに原子力を最大限活用する。
③そのため次世代型原発の開発・建設に積極的に取り組む。
④「原則四〇年、最長六〇年」とした原子炉運転期間を「六〇年超」可能とする。
⑤脱炭素化の企業支援のため一〇年二〇兆円の新国債「GX移行債」を発行する。

「新原発政策」の問題点

① ウクライナ侵略にかこつけた「火事場泥棒」的政策誘導

前項で見た「敵基地攻撃能力」の安保新政策策定と同じく、突発的な国際戦時事情にかこつけた国民心理の「動揺」を利用した「誘導」の姑息な決定。GXの本質的なところは、人類の諸活動に依る炭素・

メタンガスなどに起因する「地球温暖化」問題の普遍的・長期的解決にあり、元来「地域紛争」は無関係である。

②　国会・世論無視

そもそも、安倍・菅両首相とも、「原発の増設や新規開発は考えていない」と国会答弁で明言し、原発抑制の方向性を国民に明約していた。

だが、政府の国民へのこうした「約束」に違う、いきなりの岸田新原発政策である。しかもこの重要課題について、国会で十分な審議を行わず、また国民的議論のないところで、政権の「一存」で決定された。新安保政策ともども、最高議決機関である国会の審議・承認を経ることなく、また国民にも議論とその経過が知らされないところでの、政権の重要事決定は、独裁・専制・強権制のいたす「暴政」というべきものであって、民主社会の政策としてとても容認できない。

③　原子力規制委員会の問題

「原子力規制委員会」は、前述のようにフクシマ事故の反省から「三条委員会」として経産省から切り離し、環境省の外局として「独立性」を持つべく設置された機関である。その規制委が、この「岸田新原発政策」に対して、「水面下」で経産省と密儀を行い、「原子炉運転六〇年超可能」の「お墨付き」を与えていたのである。これは国会でも問題となっていた（一一月一〇日衆院原子力問題調査特別委員会）。規制委自らが経産省に働きかけてその「新方針」を聴取することも明らかにされたが、のちに（一二月二一日）規制庁が記者会見で認めたところによると、規制委事務局員はこの問題について非公開で経産省と日常的に情報交換していたのである。しかも、山中新規制委委員長は、早くも一一月二日の記者会見で、この「六〇年超可能」とするための「六〇年期限規定の削除」容認を発表したのである。多くの新聞社説が「規制委の独立性はどこに？」と糾弾したのは、至極当然だった。規制委の自堕落としか言いようがない。

「最大六〇年」は、もともと「原子炉等規制法」がフクシマ事故後の改正で決まったことである。同法第四三条の三項に、このように定められている。

同第一項「…原子炉を運転することができる期間は、…四〇年とする」

二項「前項の期間は、原子力規制委委員会の認可を受けて、一回に限り延長することができる」

三項「…延長する期間は二〇年を超えない期間であって政令で定める期間を超えることができない」

山中委員長が「規定削除」に言及したのは、これら法規定のことである。国会での「法改正」を言うのか、それとも「三項」の「政令」改正で「かわす」つもりなのか。世論を敵にしないとすれば、国民の知らないところでの「政令改正」ということになるのだろう。

規制委と経産省の「癒着」の背景には、規制委の事務局を担う原子力規制庁の人事問題がある。規制庁長官の新就任が二〇二二年七月一日にあった。新長官・片山啓は原発推進の経産省出身。一三〇〇人の職員のトップとして「規制」業務を束ねる者が、「推進側」出身という人事は問題である。前述の経産省と規制委事務局の頻繁な会合・情報交換は、「起こるべくして起こった」ということだろう。いや、「そのため」の人事だったのだろう。こういう人事をやる政権の「魂胆」は見え透いていよう。そして、規制委委員長の新原発政権方針同調。こういうのを世上「出来レース」と言うのではなかったか。

「岸田新原発政策」の前提には、全電源の二〇～二二％を原発に依存するという国の方針がある。

原発の専門家によれば、それだけの電力を原発で賄うには約二七基の運転が必要だという。現在規制委が審査中の原発は一〇基で、全部を運転可にしてもとても足りない。規制委がこのたびの「政権案」を容認したということは、審査中の一〇基を認め、さらに「新増設」一七基を認める、と公言したようなものではないのか。これまた、「出来レース」ということか。

法治国家における、重要責任を負う原子力規制委員会のこの実態、国民はよくよく知っておく必要があろう。

さらに、規制委については、いくつかの問題がある。

フクシマ事故の検証過程において、原発事故と地震の因果関係は「地震国」日本にとって重要な課題だった。初代規制委の委員長代理だった島崎邦彦東大名誉教授は地震学の専門家として、この問題に熱心に取り組んだが、氏の退任後、地震学の専門家の委員は補充されることなくずっと皆無である。しかも、九州の川内原発の訴訟でも問題になった「火山活動」の影響も「火山国」にとっては重大事項である。規制委委員に火山学の専門家もいない。こんなことで、訴訟問題にさえなっている原発稼働の「審査」が適切にできるのか。

委員長と委員の選任は、「内閣総理大臣の任命」と原子力規制委員会設置法で定められている。同法成立直後に、日弁連は「原子力規制委員会委員長・委員の選任基準と選任方法についての会長談話」(二〇一二年七月一九日)を発表していたが、その「独立性」も、不可欠の「専門性」も選任制度にそもそも問題があるにちがいない。

さらに、別稿「原発規制の抜本改正を」でも述べたように、そもそも現行の「規制基準」には科学的根拠がない。フクシマ事故の真の原因が不明のままでの規制基準がまかり通っているのである。また、「規制基準」に住民の命がかかっている「避難計画の妥当性」がない。アメリカでは当然、住民保護の観点から「規制基準」になっている。世界二位の原発国として、また人口密度の高い国の規制基準として、これは致命的な欠陥である。

④**「原子力ムラ」の復活と裁判所の「忖度」**

岸田政権のこうした「暴走新原発政策」決定の背景には、二〇二〇年一〇月に政府が宣言発表した「二〇五〇年カーボンニュートラル（炭素排出ゼロ）」政策への対応があるとされるが、「炭素排出ゼロ化」について先進国は安易に原発依存で対応してはいない。たとえば、ドイツは、「脱原発」を完了させ、「再生エネ」「省エネ」「EV化」が主要政策になり、そのための種々の法制度も整えている。

岸田政権がこうした先進的な「カーボンニュートラル」策に依らずに、「原発回帰」を取ったことは、「原子力ムラ」の大きな力が作用したにちがいない。まず、原子力発電に依存する電力業界である。

フクシマ事故以降、「防災」についての規制強化によって、多くの電力会社は既存原発の対策に巨額の費用と歳月をかけてきた。その「モト」を取り返すべく、「四〇年（近い）稼働」原発の運転延長が多く申請されてきた。関西電力美浜三号機、高浜一、二号機、九州電力川内一、二号機、中国電力島根二号機など。経産省がこうした電力業界の意向を汲むことは容易に考えられることであり、また見たように規制委もこれに呼応して「六〇年規定」撤廃を言い出す始末。まさしく「原子力ムラ」の復活である。

一方、見逃せないのは、最近の裁判所の政府意向や電力業界動向への「忖度」ともいうべき姿勢である。フクシマ事故の記憶がまだ生々しい頃の判決は、地元住民の原発事故の危険性を問う「運転停止」訴訟に肯定的だった。高浜原発の運転停止を決定した大津地裁判決（二〇一六年三月九日）や、伊方原発の運転差止めの仮処分決定の広島高裁判決（二〇二〇年一月一七日）が想起される。だが、直近の美浜原発大阪地裁判決は運転停止の住民要求を退けた（二〇二二年一二月二〇日）。見たように、二〇二二年早期から政権の「原発再稼働・新増設」路線は、縷々伝わっていた…。「岸田政権新原発政策」決定の今、これから判決の出る多くの係争中の裁判の判決が思いやられる。

しかも、最高裁も原発問題には「政府の後押し」姿勢が著しい。フクシマ原発事故の避難民が国の賠償責任を求めた訴訟の上告審判決で、最高裁第二小法廷（菅野博之裁判長）は「津波対策が講じられていても事故が発生した可能性が相当ある」として国の責任を認めず、賠償責任はないとした（二〇二二年六月一七日）。信じ難い「判断」だ。「結論ありきの牽強付会」。「忖度」の典型と言えよう。そもそも、国も東電も津波によって「全電源が喪失し冷却機能を失ったことが事故の原因」としてきた。だが、非常用電源装置を高台に設置しておけば津波にやられずに「全電源喪失」はなかった、というのが事故後の検証結果だった。現に、女川原発は原子炉自体が海抜一〇メートル超の高所にあったので、津波による致命的な損傷を免れた。この最高裁判決には、「『想定外』に逃げ込む理不尽」（「朝日新聞」社説二〇二二年六月一八日）など当然厳しい批判が巻き起こった。「絶望の裁判所」（瀬木比呂志）を、われわれはますます見ることになろう。

⑤　フクシマ原発事故への「反省」なし

あれほどの世界最大の原発事故であったフクシマ原発事故。当然もっと大きな政治的・社会的・経済的変革の転機とすべきであった。

チェリノブイリ原発事故（一九八六年四月二六日）は、「炉心溶融」を引き起こし、それ以前のスリーマイル島原発事故（一九七九年三月二八日）よりははるかに深刻な事故だった。当時、ソ連共産党書記長として最高指導者だったゴルバチョフは、この未曾有のチェルノブイリ原発事故を経験して、グラスノスチとペレストロイカの一大国家変革を目指したといわれる。そして、既述のように、レーガンとの直接会談を通じて「東西冷戦」を終わらせた。政治家・国家指導者の「望ましい未来」へのあるべき明察と器量…。

フクシマ事故は、そのチェリノブイリ原発事故よりもっと大きな事故だった。原発関連死者数は、一三六八人に及んだ（「東京新聞」二〇一六年三月六日付）。しかも、福島の復興はまだまだ途上である。事故による県外移住者はいまだに二万一三九二人いる（福島県発表、二〇二二年一二月）。

また、事故原発の廃炉についても、実際の計画は見通しが立っていない。一号機の格納容器内の実態さえ把握できていない。しかも、貯まった処理汚染水は地元漁協などの反対を押し切って、海中放流を行うことにしている。これについては、「オンライン国際フォーラム」で世界中から「NO」の声が起きている（「東京新聞」二〇二二年一二月一八日）。

さらに貯まった「汚染土」の処分方法も定まらず、環境省が「再利用実証事業」を首都圏三カ所（新宿・所沢・つくば）で行おうとしているが、いずれも住民が強い反対姿勢を示している。科学的に「安全な土」であることの証明は、いまだになされていない。

そもそも、フクシマ事故でいっそう問題が明らかになった、高濃度放射性使用済み核燃料の最終処分方法も処分地も定まっていない。六ケ所村の再処理工場は着工後三〇年になるが、いまだに本格稼働開始の目途は立っていない。そもそも排出される高濃度放射能の「無害化」方法のない核分裂という「不完全技術」に依存する原発。稼働すれば、その厄介な高濃度放射性使用済み燃料の残出は必至。

その処分もままならないというのに、「原発回帰・増進」の愚策。賢明な政治家なら取らない方策だろう。「フクシマをわすれたか！」多くの国民・市民が、そして社説が問題にするのは当然である。

⑥ 全国の「原発差し止め」訴訟の無視

フクシマ原発事故は、「原発の危険性」を全国民にあらためて認識させ、全国の原発立地地区とその周辺地域の住民の「差し止め」訴訟が相次ぎ、いまなお係争中である。こうした状況下での「原発回帰」の岸田政策は、あまりに無神経、強引と言う以外にない。

係争中の原発訴訟を列記すれば以下のとおり。「　」は原発名、（　）内は担当裁判所。「泊」（札幌高裁）／「大間」（札幌高裁、東京地裁）／「女川」（仙台地裁）／「東海第二」（東京高裁）／「柏崎刈羽」（新潟地裁）／「浜岡」（東京高裁、静岡地裁、静岡地裁浜松支部）／「志賀」（金沢地裁、富山地裁）／「高浜」（名古屋高裁、名古屋地裁、大津地裁）／「美浜」（名古屋地裁、大津地裁、大阪地裁）／「大飯」（大津地裁、大阪高裁、京都地裁）／「島根」（広島高裁松江支部、松江地裁）／「伊方」（広島高裁、松山地裁、広島地裁、山口地裁岩国支部、大分地裁）／「玄海」（福岡高裁、佐賀地裁）／「川内」（鹿児島地裁、福岡高裁）

北は北海道から南は九州までおよそ全ての立地原発について、三一件もの多数の「差し止め」訴訟が係争中なのである。「大間」の場合は、住民ではなく津軽海峡を挟んだ対岸の函館市という自治体が原告なのである。これほどの原発への「危機感」「不信感」が全国的に根強い情勢における「再稼働・新増設」の国会・世論無視の閣議決定。もはや無神経・強引では済むまい。独裁・専制・強権制が常習とする「暴走」「暴政」というべきなのだろう。

真のエネルギー政策を

「岸田暴走原発回帰」は、経産省が進めるGX（グリーントランスフォーメーション）に基づくものである。わが国のGXと称された計画の本来の目的は、「カーボンニュートラル」つまり脱炭素化である。地球温暖化の最たる原因とされる炭素化合物の排出をいかに抑えるかは、今、まさに世界的な喫緊の課題である。

この地球規模の温暖化対策として、世界共通の目標を定めたのが「パリ協定」（二〇一五）である。協定の大きな「柱」は以下の二点。

2030年時点の電源の日本・ドイツ比較

電　源	日　本	ドイツ
自然エネルギー	36〜38%	65%
原子力	20〜22	0%（2022脱原発完了）
LNG	20	−
石炭	19	0
石油等	2	−
水素・アンモニア	1	−

出典：「ドイツの脱炭素戦略」自然エネルギー財団 2021/12

①世界の平均気温上昇を一・五℃に抑える。
②二一世紀後半に温室効果ガスの排出をゼロにする。

日本については、二酸化炭素排出量の多い国のランク五位であり（一位中国、二位アメリカ、三位インド、四位ロシア）、その国際的な削減の責務は重い。

そして、「GX」計画である。「GX」の基になっている「第六次エネルギー基本計画」の主たる計画目標を、フクシマ原発事故直後に「脱原発」を明確にしたドイツの「脱炭素計画」と比較してみる。ドイツは、脱原発やカーボンニュートラルを目的とした法制度を整備して、その具体化を進めている。「再生エネルギー法」（二〇一一年制定、二〇一四年改正）、「連邦気候保護法」（二〇一九年施行、二〇二一年改正）である。それらの法律に基づき、「気候保護計画二〇五〇」や「気候保護プログラム二〇三〇」「気候保護緊急プログラム二〇二二」などの計画が策定されてきた。いわば、「パリ協定」より率先してカーボンニュートラルについて先進的な取り組みをしているといえよう。

再生ネルギー・脱炭素を目標とした法制度をきちんと整備し、それらに基づいた「計画」を逐次立てて実行しているドイツと比較すると、わが国の「時代遅れ」の実態がよく知れる。脱原発はすでにドイツは完了しているのである。「岸田暴走原発回帰」との決定的な差異である。「再稼働」も「新増設」も「新原発」も、ドイツはすでに見向きもしていない。

また、日本は、「再生可能エネルギー」を普及しようにも、既存の電力会社の「権益」保護から欧米のように送電線の「所有権分離」をせず、大手電力会社の「分社化」という制度にとどまっているので、その「中立性」が不明確で、発・送電分離が十分な実効性をもたない。再生可能エネルギーの普及が進まない最大の原因とされる。つまり、太陽光発電や風力発電などで作った電力の送電が自由にかつ採算の取れる格安料金で利用することが困難なのである。欧米先進国は、とっくに発電・送電の企業分離体制のもと再生可能エネルギーの普及が大いに進んでいるというのに。

真のカーボンニュートラル、そして原発の扱いは、ドイツがいい「手本」であろう。原発事故などなかったドイツが脱原発を達成している一方、世界最大の原発事故を起こした当事国・日本が「原発回帰」に執着する無様さ！「愚者は、歴史も学ばなければ、未来も見えない…。」

なお、原発問題については、別稿「3 表現者の矜持と苦衷、そして市民は」をぜひ参照いただきたい。

(四) 「統治」の信託はできない——政権転換を！

見たように、岸田政権の「暴走」政策は、まったくすさまじい。国民や国会のまともな意見・審議を無視した独断専行である。軍事技術の守秘化を定めた「経済安保法」も合わせ、「仮想敵国」も明示した軍事大国化の実態は、まるで太平洋戦争に突入していった戦前の不気味な民主主義否定の軍事独裁政権の動向を彷彿とさせる。まさしく、今、岸田政権は、民主主義の否定の上で、種々の諸策を強行しているのである。民主憲法下、異常事態というべきである。もはや、われわれ国民が信託する統治の妥当性が問われていよう。別稿「1 ジョン・ロック《抵抗権》《革命権》回顧」を想起してほしい。われわれ主権者・主人公の声も聞かず「暴走」する——信託に値しない——ようなら、当然のわれわれ国民の責務・権利として統治の「刷新」、つまり「政権転換」が必要である。

各種の世論調査の「内閣支持率」も、以下のようにいっそう落ち込んでいるし、「防衛増税」への反対も、圧倒的に多い。「内閣支持率」は、内閣退陣の「危険水域」とされる三〇％を割るものもある（一二月一七―一八日調査）。

・「共同通信」内閣支持率三三％　不支持率五一％　防衛増税不支持六四％
・「朝日新聞」内閣支持率三一％　不支持率五七％　防衛増税不支持六六％
・「毎日新聞」内閣支持率二五％　不支持率六九％　防衛増税不支持——

「政権転換」は黙っていて、「向こう」からやって来るものではない。見たような多面にわたる国策の「暴走」である。まさに国家的な一大転機である。国民が真の主権者としてその責務を全うすることが、今こそ客観的に要請されている。われわれ国民の「自覚」と「決意」が必要である。

そして、その自覚・決意は、「眼に見える」形で「発信」され、国民多数の「共有」するところとしなければならない。形態はさまざまありうるであろうが、なすべきは「行動」である。デモ・集会・学習会・ビラ配り・街頭演説（呼びかけ）・SNSを通じた呼び掛け…。

一人ひとりが自覚をもって取り組みたい。想起してほしい。スウェーデンの一〇代の少女、グレタ・トゥンベリがまず一人で始めた「地球温暖化防止」のための「行動」が、今や全世界の若者たちを中心に大きな共感を呼んで世界各地で街頭行動が展開され、カーボンニュートラルは世界各国の「重要政策」にさえなってきたことを。

市民運動の真価が今こそ問われている！「政権転換」に向けて！

《追記》二〇二三年二月になって、原発問題に関して重大な「動き」があった。急遽追記したい。

まず、原子力規制委員会における石渡明委員（地質学）の「原発六〇年超運転」についての「反対」表明である。二月八日の規制委会議でのこと。翌九日の「朝日」・「毎日」・「東京」などの新聞がいっせいに大きく報道した。氏は、規制委において既述のように地震学や火山学の専門家がいないところそれらの課題について地質学の見地から専門的な「審査」を行う立場という。八日での氏の発言の一部。

「私は、この案（六〇年超運転への改変案）には反対します。…今回の改変は科学的な新知見によるものではない。運転期間を法律から落とすことになり、安全側への改変とは言えない。われわれ（規制委）が自ら進んで法改正する必要はない」

まっとうな意見である。既述のように、新委員長・山中伸介が率先して「六〇年超運転に賛成」し、早々と法令改正まで「広言」したことへの厳しい批判でもあったろう。原発推進の経産省との人的関係など「問題の多い」規制委に、ただ一人まっとうな意見を吐く委員がいたことを知る。氏の学問的な矜持と良心を見る。だが、五人の委員のうち「反対者」は氏ひとりのみ、事態は「孤軍奮闘」の態である。国民・市民の立場からは、こうした「勇気」を評価して氏を孤立させないように支援することが必要である。

そして、規制委において「新原発政策」に対して専門家から反対意見が出て、それがメディアによって広く伝わると、岸田は、規制委でのさらなる議論とその結論（翌週の臨時会議）を待たずに、僅か二日後の一〇日、「六〇年超稼働可と新増設」の自らの方針をまたしても「閣議決定」によって決定したのである。そして関連法（原子炉等規制法）の改正案などを国会に提出するという。

しかも、「新原発政策」へのパブリックコメントは三九六六件も寄せられ、その大半が「新原発政策に反対」

という国民・市民の世論を無視しての閣議決定であった。「国民の声を聞く」と大見得を切っていたのは岸田自身だった。「二枚舌」も極まれり。

さらに、岸田政権は二八日、この「延長運転」の問題を国会審議にかけるべく、「原子力の憲法」とされる「原子力基本法」の改定を含む「電気事業法」「原子炉等規制法」「再処理法」「再生可能エネルギー特別措置法」の六本の法律を「束ね法案」とすることを閣議決定した。重大なことは、この「延長運転」の規定を規制委が管轄する「原子炉等規制法」から削除し、経産省が所管する「電気事業法」に規定し直したことである。原発推進側が「判断」することになる。規制委の存立を否定した権力の「暴挙」「専横」である。安倍・菅政権すらしなかった、まさしく「独裁的暴走」である。

本稿において、既述のように、岸田政権の「暴走」を縷々指摘してきた。もはや、この「頭目」の所業は、単なる「暴走」という表現ではなく「独裁」と言うべきなのだろう。メディアの言論でも、この政治動向に対して「独裁」や「全体主義」が指摘されている（前川喜平「岸田首相は全体主義者だ」〈「東京新聞」〔本音のコラム〕二〇二三年二月五日〉、「静かなる独裁を糺す」〈「東京新聞」〔ぎろんの森〕二〇二三年二月一一日〉）。

独裁や全体主義がもたらした「悲劇」「混乱」――国の退廃・零落、そして多くの庶民の艱難・辛苦・慟哭――を忘れまい。

「毒のある新芽」は、育たぬうちに早々に摘み取らねばならない。

第四章

憲法の基本理念に沿って

――平和・民主・人権・自由・自治

14 「緊急事態条項」再考
――香港での「緊急令」発動を契機に

「逃亡犯条例」改正（中国本土への送還）の反対に端を発した香港での二〇一九年の民主化要求運動は、五年前の「雨傘運動」を彷彿とさせるような、一般市民から中高生まで幅広い人々による大規模な市民運動になってすでに一〇〇日を超えていたが、香港政府はついに「禁じ手」の緊急令（「緊急事態規制条例」）を発動するに至った。同条例はイギリスによる植民地時代の一九二二年に制定されたもの。植民地返還（一九九七）による「一国二制度」からすでに二二年。いまさらこの一〇〇年近くも前の「条例」が返還後初めて亡霊のように現れて市民を抑圧するとは、香港政治の「異常さ」を思わずにいられない。

だが、この種の緊急令は「対岸の火事」ではない。周知のように、安倍自民党が二〇一九年参院選で「緊急事態条項」（「改憲」一番の狙いといわれた）を含む「四項目改憲」を選挙公約にしたのはつい最近のことである。選挙結果は改憲に必要な議席三分の二を割ったが「改憲派」が過半を取ったことで、安倍は「改憲は国民の理解と支持を得た」と豪語した。「緊急事態条項」は死に体どころか、安倍と保守勢力が執拗に実現を目指す最大の改憲項目であり続けているのである。

ワイマール憲法「緊急令条項」（四八条）が、ナチスによって「悪用」され、ワイマール共和国の崩壊からナチスによる「ドイツ第三帝国」樹立へと時代を転換させる「道具」になったことを、われわれは広く学んできた（小林直樹『国家緊急権』学習会。二〇一九年三月二三日、石田勇治東大教授講演会「緊急事態条項の危険性　ナチスの手口を通して考える」など）。

しかし、安倍は先の第二〇〇回臨時国会所信表明演説でも強調していたように、党・政府関係人事のいっそうの「改憲シフト」を行って在任中の改憲を遮二無二追及する覚悟である。改憲への真の反対闘争は、まさにこれからが正念場である。

そこで、香港での「緊急事態規則条例」の発動を機に、再度、「緊急令」なるものの「本質」について検討を深めていっそうの理論的強化を図り「対応」に備えたいと思う。

(一)　香港の「緊急事態規則条例」、その「存続」

同条例は、"Emergency Regulation Ordinance, 1922" というもの。直訳すれば「緊急事態規則条例一九二二」。既述のようにイギリス植民地時代に制定。「緊急事態」に際して、総督（イギリスの植民地では、最高統治者を Governor in Council と呼称し、三権の上に位置して軍の最高司令官をも兼ねた。この最高統治者を日本では「総督」と呼称してきた）が緊急事態もしくは社会的災害と認定すれば、この「緊急事態条例」によってあらゆる「規則」を制定できると定めている。「規則」の有効期間は、総督が「停止」を判断するまで無期限である。つまり、総督ひとりにすべての権限が集中する「特別法規」である。

その規制措置の対象について見ると、きわめて広範な政治・経済・市民権に及び、実質的な「戒厳令」といえる。規制対象について、英文原文から訳出してみた。

a、出版物・印刷物・情報伝達手段の検閲・管理・廃棄

b、逮捕・勾留・入国禁止・国外追放

c、港湾・水域・船舶航行の規制管理
d、陸海空交通・運送の規制管理
e、輸出入貿易・生産・製造の規制管理
f、財産・資産の認可・管理・没収・処分の規制管理
g、公務員への権限授与の規制
h、労働・サービス提供の強制
i、労働その他への補償措置

このような全面的な規制措置を行う「規則」（法令）の制定が、総督（立法府の議長でもある）権限としての「緊急事態条例」発動により、立法府を経ずしてその「独断」で行うことができるのである。宗主国の植民地に対する「非民主的」一元支配、しかも当時の中国・清王朝に対する列強諸国の「干渉争い」という時代状況の「産物」と見ることもできよう。

だが、驚くべきことは、香港の植民地（委任統治）返還後においても、この「緊急事態条例」が生き続けていることである。今は、総督に代わって「行政長官」がこの緊急令を発動する。いわば独裁的権限が保持・継続されているのである。「長官ひとりの独断で法律が制定される」、およそ民主社会ではあり得ないことだ。

このたび香港行政長官・林鄭月娥（キャリー・ラム）が、この緊急事態条例を発動して取った措置は「覆面禁止法」という新たな「法」の制定だった。「覆面をすることで本人認定を困難にするからデモがいっそう過激になる」というのがその理由だが、デモ参加を官憲に知られたくないという当然のプライバシーの侵害である。そ

んな法律が「鶴のひと声」で制定されてしまう…。一〇月五日に即施行。翌六日には、同法に抗議して数万人が「覆面で」無許可デモを行った。「新法」の違反者はさっそく逮捕され、逮捕者は二〇人を超えたと新聞などは報道する（「東京新聞」二〇一九年一〇月七日 夕刊など）。

だが、見たように「緊急事態規則条例」は、「覆面違反を問う」などという限定的な規制権能にとどまらない。「戒厳令」にも比する全面的な強権・脅威を発する特別法制である。「覆面禁止法」は、いわば「序の口」にすぎない。背後の本土政権を忖度せねばならない長官であれば（そもそも長官選挙——間接制限選挙——の立候補は本土当局の同意が必要で、最終任命者は本土中央政府・国務院である）、市民のいっそうの「民主化運動」に対しては、さらなる「伝家の宝刀」が抜かれ、軍隊による暴力的鎮圧という「第二の天安門事件」が生起することもありうるだろう。

「一国二制度」とはいうものの、本土の一党独裁の政治体制に「擬する」行政長官独裁制の維持を証明する象徴的かつ実質的な方途として「廃棄せずに残す価値あり」の法制度としての「緊急事態規則条例」だったということだろう。まことに、民主化とは真逆の、「一国二制度」を弄ぶご都合主義の「緊急事態規則条例」の「存続」「温存」ではなかろうか。

(二) 香港「民主化」の現状と「緊急事態規則条例」発動の意味

香港の返還を見越して、「返還」の一〇年以上も前に宗主国としてのイギリスと返還される側の中国との間で「返還後」の香港の位置づけを定めるべく「共同声明」という形の協定が結ばれた。一九八四年の「中英連合声明」である。サッチャー首相と趙紫陽国務院総理の両首脳が、北京において鄧小平主席などの同席のもと署名した。

主たる内容は、返還後の中国の対香港政策であった。「一国二制度のもとに、中国の社会主義を香港で実施せず、香港の資本主義の制度は五〇年間維持される」というもので、いわば「香港の自治の五〇年維持」を確認、表明したのだった。

この「声明」に基づいて一九九〇年には憲法に相当する「香港基本法」(香港特別行政区基本法)が制定された。その付属文書では二〇〇七年・二〇〇八年に行政長官と立法会(議会)の選出を直接選挙とすることになっていたが、二〇〇四年(すでに一国二制度が始まっていた)に、本土の全国人民代表大会常務委員会は直接選挙移行を否定した。憲法としての「基本法」が、香港の立法会ではなく本土の「常務委員会」でいともたやすく左右されるのである。はたして、こういうものを「基本法」というべきなのか。

こうした本土政権の「反民主化」の動向には、一九八九年の天安門事件が大きく影響しているといわれる。民主化を唱導して失脚した胡耀邦の死去を悼む、学生集会に端を発した天安門の大衆集会の民主化要求だったが、周知のように鄧小平の決断で、戒厳令が敷かれ軍により鎮圧された。ほとんど暴力性のない座り込みデモだったが、警察力ではなく軍隊、それも戦車による鎮圧に、中国共産党政権の「強権的支配性」がよく反映されていた。学生たちの民主化要求に同情的だった趙紫陽総書記(「中英連合声明」の一方の署名者だった)は、いっさいの職務を剝奪され政権から追放された。「天安門」以後、「民主化」は禁句となっていったのである。

二〇一四年には、全国人民代表大会常務委員会は、行政長官選挙について、さらに、本土政府の意に沿わない人物の立候補を排除する決定を行った。同年に生起した一〇〇万人規模の「雨傘運動」は、この決定を契機として、度重なる「非民主化」(「一党独裁礼賛愛国心教育」導入なども――後述)への反対・抗議の意思を改めて表す香港市民の一大大衆行動だったのである。

要するに、香港では首長選挙も議会選挙も、民主制の根幹をなす普通選挙が本土政府により否定され続けたのである。明確な自治の否定でもある。

このように、中国本土政権の香港に対する一方的な「強硬決定」は、「一国二制度」を空文化させるに等しかった。二〇一七年に中国外務省スポークスマン・陸慷が記者会見で語った内容こそは、中国政府の「本音」を示していた。「香港は中国の特別行政区であり、香港の事務は中国の内政である。中英連合声明は…主権回復から二〇年経った二〇一七年においては歴史の遺物であり、現実的には意味をなさず、中国政府の香港に対する管理に拘束力を持たない…」そこには、「中英連合声明」——国際的な二国間共同声明である——で同意されていた香港の自治などはまるでなかったような、本土側の一方的で強引な「強硬方針」しか見られない。イギリス外務省による調査に対して、中国政府は香港渡航へのビザ発行を拒否して調査を許さなかった。

「雨傘運動」（二〇一四）をひき起させた要因は、こうした普通選挙への本土政権の「非民主化」決定に対する反対・抵抗だけではなかった。若者たちが大挙運動に参加したのは、教育における「共産党一党独裁賛美」の「道徳教育」の一斉導入が図られたのが決定的だとされている。二〇一二年、小・中・高すべての教育において「道徳・国民教育科目」という本土並みの「愛国心」教育が新たに導入された。このたび二〇一九年の民主化運動でも前線に立って活躍した黄之鋒（ジョシュア・ウォン）や周庭（アグネス・チョウ）らは、中・高生の組織「学民思潮」を立ち上げてハンガーストライキなどの反対闘争を行って、多くの若者たちの支持を得た。まさしく、思想・信条そのものにかかわる「民主化運動」だったのである。選挙における非民主化、思想における非民主化…、自由と権利は確実に奪われつつあった。文字通り「一国二制度」が空洞化されていくことへの、老若男女香港市民の危機感に発する切実な市民運動、それが「雨傘運動」だったのである。二〇一七年六月、「雨傘運動」が強力な行政庁と警察力によって「挫折」させられたのち、既述の学生、黄之鋒と周庭は来日して日本記者クラブで会見した。周庭はこう語ったという。「日本の皆さんが持っている民主的な権利は香港人が持っていないものです。ぜひ、大切にしてほしい」(「『民主の女神』の原点とは」加藤直人、東京新聞「視点」二〇一九年九月一三日付)(はたして、日本人のどれだけがこの「民主的な権利」の重要さを意識しているであろうか。この国においても、「一強政権」による「自由と権利」への侵害が着実に進行しつつあるご時世のなか…。)

本土政権が「一国二制度」を遵守し、「中英連合声明」付帯文書に明記の普通選挙を容認し、一党独裁賛美の愛国心教育などを持ち込まなければ、「雨傘運動」も生起する謂れはなかった。事実は、まったく反対に、本土政権の「一国二制度」を否定する強硬策が民主化運動を招いたのだ。「バネは圧力をかけなければ、反発しない」

このたびの香港での大規模市民運動は、既述のように「逃亡犯条例」の改定(中国本土への送還)が契機となったが、こうして返還後二〇年余の一連の本土政権による自治否定、民主化否定の強権制に対する「抵抗」「抗議」の根強い抵抗運動なのである。「民主化運動」といわれるゆえんである。

発端となった「逃亡犯条例改定案」は撤回された。香港行政府はこれで「一件落着」と踏んでいたようだが、運動はもはや返還以降の「反民主化政策」全体への批判とその具体的獲得目標に向かって進んでいた。それは「民主化要求五項目」に集約されていた。

① **逃亡犯条例改正案の完全撤回**

② **「暴動」認定の撤回**

③　**警察の暴力的制圧の責任追及と外部調査の実施**

④　**デモ参加者の無条件釈放**

⑤　**民主的選挙の実現**

である。①〜④は、いわばこのたびの運動に関する個別要求である。運動の当事者が最も重要だとする要求は当然⑤の「民主的選挙」であった。本土政府の一方的な普通選挙の否定と親中派候補者のみによる「デキ選挙」によって、香港市民の「民意」は封じ込められてきたのである。「香港市民による、香港市民の、香港市民のための」自治も、中英連合声明の一方的「無効化」によって封殺されていた。

中高生までもが自分たちの未来への「不安」を抱いて市民運動に大挙参加したのは、ゆえなしとしないのである。きわめて切実な、そして長年の「反民主」への抵抗運動なのである。簡単に、諦め、収束するような態ののではない。いわば、香港市民の「生」そのものがかかった運動なのである。

かつての雨傘運動を領導《りょうどう》した学生リーダーたち——既述の黄之鋒や周庭ら——は今回も「健在」だったが、むしろこのたびの市民運動は「リーダーなき運動」ともいわれた。大統領・朴槿恵をその座から引きずり下ろした韓国の「キャンドル運動」も、リーダーがいないといわれた。自然発生的な怒りに満ちた市民の大規模運動こそは、ほんとうの民主化運動なのかもしれない。

それにしても、香港警察の「鎮圧ぶり」はすさまじい。こん棒でデモ参加者を滅多打ちにする映像もすごかったが、片方の手にライフル、別の片方にピストルを握り、デモ隊の中に突進して包囲されると数十センチの至近距離から胸を狙っての実弾射撃である。一七歳の高校生が命をとりとめた。過剰警備この上ない。天安門の戦車を彷彿とさせた。運動側が「警察の暴力的制圧の責任追及」を要求に掲げるのは当然でもあった。

そして、である。抵抗を諦めない根強い運動に対して、ついに「禁じ手」が打たれた。香港行政長官による「緊急事態規則条例」の発動である。

香港の憲法とされる「基本法」は、こうした「緊急令」の発動を認めているのだろうか。基本法が「治安」について定めているのは、二三条である。次のように言う。

「香港特別行政区は、祖国を裏切り、国家を分裂し、叛乱を扇動し、或は国家機密を盗み取る、いかなる行為をも禁じ、外国の政治的組織や団体も香港特別区での政治活動を禁じ、香港特別行政区の政治的組織や団体が外国の政治的組織や団体との連繋を禁ずるよう、独自に立法するべきである」（傍点、引用者）

基本法制定に当たって、この「物々しい」規定には多くの批判があったが、本土政府は問答無用と押し切った。基本法制定は一九九〇年。前年一九八九年に「天安門事件」である。民主派幹部だった胡耀邦や趙紫陽らを駆逐しての「反民主強硬路線」を貫徹した指導部の「息」がそのまま「基本法」に吹き込まれたのである。

だが、この二三条は「立法すべきである」までである。その後、香港では、この二三条に沿うような立法はなされていない。つまり、「治安維持法」の類は、二〇一九年現在も香港には存在しないのである。しかも、同条文をよく読めば、「緊急事態法」についての言及はない。すなわち、長官が統治責任者として、「緊急事態」に直面した場合、立法会（議会）に代わって「緊急令」を発動して立法措置を講じるという、ワイマール憲法四八条のような「定め」ではないのである。この「基本法」（憲法）に沿うかぎり、治安維持関連の法律も制定されておらず、ましてや、治安もしくは緊急事態関連の緊急令を長官が発動する権能なども定められていないのである。

そこで、使われたのが、植民地時代の一九二二年制定の「緊急事態規則条例」だった。

基本法（憲法）を超えて行使される「旧時代の」条例とはいったい何なのか！　およそまっとうな「立憲主義」

ではない。長官も議会も「親中選挙」で押し通してきた挙句の「反民主化」の「奥の手」だったといえる。それは、ある意味、「追い込まれた」本土政権と香港政庁の「あがき」でもあろう。「禁じ手」とはそういうものだ。だが、かれらも「計算」を忘れていない。「緊急立法」は「覆面禁止法」だった。市民の運動そのものを禁じてはいない。「様子見」である。事態の推移によっては、第二、第三の「緊急立法」がなされるだろう。現に、香港市民は「覆面禁止法」以後も、数十万単位のデモで対抗している。民衆と権力との「綱引き」は当分続きそうな事態である。

なぜ、「彼ら」権力側は、香港においては「計算」を尽くしつつ、天安門事件やチベット自治区、ウィグル自治区における民衆弾圧のように、一気呵成に戒厳令的な弾圧に進まないのか。

それは、チベット地区やウィグル地区にはない、香港の特殊性によるのである。実質、資本主義経済を邁進する「自称社会主義国家」中国にとって、香港はその資本主義経済の外に向けた「窓口」なのである。第二の「天安門」となれば、その「反民主制」の先行きに見切りをつけた外国資本は香港を離れて、たとえばシンガポールのような自由経済の地に移るだろう。香港の「旨味」は失われる。鈍化が言われ始めた中国経済にとって、「窓口」香港の消滅は厳しい。

この事情を物語るように、アメリカでは一〇月一五日「香港人権・民主主義法案」が下院を通過し、上院でも問題なく通過するとされている。同法案が上院で可決され大統領が署名すれば、関税面などで香港に与えてきた特別優遇措置は撤回され、中国の対外貿易の最大「窓口」だった香港の存在価値は大きく低減する。「米中貿易摩擦」は、貿易に名を借りた両国の覇権争いである。香港問題が、またこの「争い」に利用されようとしている。

植民地時代の「緊急事態規則条例」の発動によって、香港の民主化をどこまで「圧殺」しようとするのか、カギを握る本土独裁政権の「経済」に事寄せする「打算」が注視される。だが、事の本質が、あくまで香港の真の民主化問題であることを、われわれは見失ってはならない。

(三) 大日本帝国憲法の「緊急事態条項」――戦前史「反民主化」の道具

隣国では、植民地時代の「緊急令」が亡霊のように現れて発動された。統治責任者独りに与えられた立法府を超越した立法権限、およそ民主主義に反する制度である。

だが、わが国も先の大戦に敗北して新たな憲法を制定するまでは、この種の「緊急令」は「大権」的な権能として権力の頂点に位置した天皇に付与されていた。まさしく、前近代的な統治の制度と実態だった。立憲君主国であった戦前の日本は、憲法の制定（「大日本帝国憲法」一八八九年公布、一八九〇年施行）に合わせて「緊急令」の定めをもった（後述のように、旧憲法発布以前に「戒厳令」あり）。

旧憲法が定めた戦前の治安維持を直接対象とした「緊急令」には、三つのカテゴリーの条項、八条、一四条、三一条があり、さらに付随的な経済課題に対応した条項として、七〇条（「財政緊急令」）があった。条文を見てみよう。

・第一章（天皇）

第八条：天皇ハ公共ノ安全ヲ保持シ又ハ災厄ヲ避クル為緊急ノ必要ニ由リ帝国議会閉会ノ場合ニ於テ法律ニ代ルヘキ勅令ヲ発ス

第一四条：天皇ハ戒厳ヲ宣告ス

・第二章（臣民権利義務）

第三一条：本条ニ掲ケタル条規ハ戦時又ハ国家事変ノ場合ニ於テ天皇大権ノ施行ヲ妨クルコトナシ

・第六章（会計）

第七〇条：公共ノ安全ヲ保持スル為緊急ノ需要アル場合ニ於テ内外ノ情形ニ因リ政府ハ帝国議会ヲ招集スルコト能ハサルトキハ勅令ニ依リ財政上必要ノ処分ヲ為スコトヲ得

いずれも主語は「天皇」もしくは「勅令」である。香港の「緊急令」の発動者が「総督」や「行政長官」でもあったように、「緊急事態条項」の発動は権力の頂点に委ねられるのが通常である。

旧憲法「緊急令」四条項のうち前三者は、それぞれ「緊急勅令」「戒厳」「非常大権」と略称された。この三種の緊急令の軽重の序については憲法学者の間で諸説あったが、大勢は三一条の「非常大権」が最上位とされている（小林直樹『国家緊急権』）。そして、条項相互の定義上の曖昧さもあり、またすべての「緊急事態」への対応が八条「緊急勅令」と一四条「戒厳」、七〇条「財政緊急令」によって行うことができたので、明治・大正・昭和の時代を通して三一条の「非常大権」が発動されることはなかった。

うち、最も頻繁に発動されたのは、八条「緊急勅令」と七〇条「財政緊急令」である。明治・大正・昭和を通じて全部で一〇八本の緊急令が発動された。うち八条のみによるもの八三本、八条と七〇条の双方によるもの七本、七〇条のみによるもの一八本であった（一〇八本のうち「承諾案件」九五本、そのうちの「不承諾」（衆議院）九本）。

頻繁に発動された八条、七〇条の「緊急事態条項」だが、興味深いものを見てみる。

・八条　明治二七年八月二日公布　第一三五号　許可ナクシテ朝鮮国へ渡航禁止ノ件［日清戦争］
・七〇条　明治二七年八月一六日公布　第一四四号　軍事公債条例［日清戦争］
・八条　明治三七年一月二三日公布　第一一号　防禦海面令［日露戦争］
・八条　大正一二年九月七日公布　第四〇三号　治安維持ノタメニ関スル罰則ノ件［関東大震災］
・七〇条　昭和七年二月一五日公布　第一四号　満州事件ニ関スル経費支弁ノ為公債発行ノ件［満州事変］

こうして、旧憲法「緊急事態条項」は、現憲法が発布される直前一九四六年までの通算五六年間に一〇八本も発動された。年平均二本近い数である。議会での法案審議・成立という「立法権」を超越して発動できるのだから、権力にとってこれほど便利で都合のいい「手段」「道具」はない。しかも、次に見るように、権力に「立ち向かう」国民の勢力を抑制・抑圧する「権力保持」「反民主」の宝刀としていつでも抜き回すことができるのだから、まさしく「緊急令」は権力維持装置としての重要な位置をも占めていたといえよう。

八条「緊急勅令」発動による緊急治安事態（「行政戒厳」といわれるもの）に注目してみると、
・一九〇五（明治三八）年九月六日〜一二月九日　日比谷焼打事件
・一九二三（大正一二）年九月二日〜一一月一五日　関東大震災
・一九三六（昭和一一）年二月二七日〜七月一六日　二・二六事件
の三件がある。

日比谷焼打事件というのは、日露戦争終結後、ポーツマス条約によって戦勝国の日本は、樺太南部と中国遼東半島の割譲を得たが、賠償金は得られなかった。多くの人的犠牲を払い、また莫大な戦費（国家予算の六倍の一七億円）は外債八億円、内債・増税九億円で賄われることになり、国民の不満が極度に高まり、日比谷公園での糾弾集会を機に東京市内各所で焼打ちなどの「暴動」が広がった事件である。

関東大震災については多言を要さないと思うが、日本社会が全くの「非民主化時代」に転換していく一大契機になったことに留意したい。権力はしばしば民衆が塗炭の困難に喘いでいる、まさにその時に乗じて自らに都合のいい「社会転換」に走るものだ。

まずは、朝鮮人へのヘイトクライム。この「行政戒厳」に基づく内務省の各警察署への通達に「混乱に乗じた朝鮮人が凶悪犯罪、暴動などを画策しているので注意すること」とあったことから、官憲や自警団による朝鮮人に対する「朝鮮狩り」といわれた虐殺が横行し、多くの人たちが犠牲になった。犠牲者数については数百～数千人と多くの説がある。注目すべきは、「朝鮮狩り」が、「恐怖心」「不信感」「差別意識」といった市民の間からいわば自然発生的に出たヘイトクライムではなかったとういことである。内務省通達という政府の公式見解として全国に流布された「扇動」によったのだ。後述のように、二年後に制定された治安維持法の所管官庁が内務省だったことを考えると、この大規模な「朝鮮狩り」という「社会不安」の醸成は、同法を制定するための「準備工作」だった可能性がある。権力は、目的遂行に向けては、常に「用意周到」であることをわれわれは肝に銘じておかねばならない。

韓国で制作され大ヒットになった映画の素材「朴烈事件」もこの関東大震災に乗じた、日本の司法当局が在日朝鮮人無政府主義集団を狙った「官製朝鮮狩り」といえた（周知のように、朴烈を支えて裁判を闘い若き命を捧げた日本人女性・金子文子が、二〇一八年に韓国政府から「愛国勲章」を追叙されたことは大いに記憶されていい）。

次に注視すべきは、この大震災を契機に朝鮮人だけでなく、多くの日本人の無政府主義者や社会主義者も虐殺され、「大正デモクラシー」の時代が急転換したことである。無政府主義者の大杉栄・伊藤野枝の惨殺（甘粕事件）、社会主義者一〇名の虐殺（亀戸事件）などである。この震災の二年後、一九二五年には治安維持法が制定され、時代は、まったくの非民主・軍国主義・侵略主義の時代に突入していった。その六年後の一九三一年、盧溝橋事件が起きて満州への露骨な侵略がはじまる。「災害と緊急事態条項、そして軍国主義…」。まさしく、ナチスによるワイマール憲法「緊急令」の悪用による「時代転換」の、見事ともいえるような「先例」が、この近代日本で展開されていたのだった。

旧憲法一四条「戒厳」については、同条第二項に「戒厳ノ要件及効力ハ法律ヲ以テ之ヲ定ム」とある。「戒厳令」は軍隊による行政・司法の管理を伴う緊急事態対応策であるが、法律としての「戒厳令」は旧憲法制定以前に存在していた。一八八三年の太政官布告になるその名も「戒厳令」である。旧憲法制定以前に「日清」「日露」の戦争時に二度発令されている。

・日清戦争：臨戦地域を軍事的な警戒態勢下に置く目的で臨戦地境戒厳を発令。
　宣告されたのは広島市宇品地区。
・日露戦争：臨戦地域を軍事的な警戒態勢下に置く目的で臨戦地境戒厳を発令。
　宣告されたのは長崎市、佐世保市、対馬、函館市、台湾、澎湖島、馬公要港。

「戒厳令」の発令事例はこの二件のみで、旧憲法一四条「戒厳」が発動されての事例はなかった。見たように、八条「緊急勅令」（既述のように「行政戒厳」三例あり）と七〇条「財政緊急令」の発動で済んでいたのである。

旧憲法の「緊急事態条項」の「効用」すなわち「歴史的な意味」について、あらためて整理しておこう。

①　とりわけ戦時の体制維持と戦争遂行の方策として発動・活用された。

②　災害時に民衆制圧・弾圧の方策として発動・活用された。

③　関連法案（治安維持法など）の制定を促し、「非民主」の社会形成に重大な役割を担った。

現行の日本国憲法に「緊急事態条項」がないのは、ゆえなしとしないのである。権力に都合のいい「道具」になって、容易に「非民主」社会に転換させられる「魔力」を、それは秘めているからである。戦前史における「非・反民主化」への急転換の史実は、この旧憲法・大日本帝国憲法の「緊急事態条項」の「発動史」が見事に「代弁」しているとも言えるのではなかろうか。

㈣　安倍自民・安倍政権の「緊急事態条項」再考

歴史は常に雄弁である。権力者が「緊急事態条項」を欲するほんとうの意味、そのことの「回答」を歴史は語ってきた。前項で見たとおりである。立法手続きの手間暇をかけることなく、迅速、一気呵成に国民を抑圧し縛り上げる道具になることを、それは語っていた。国民サイドではなく権力側が欲する最高法規としての条項なのである。国民主権が謳われ、尊重され、実践され、そして基本的人権が実態として尊重され遵守されているかぎり、国民は、権力者が自由に行使できそして国民に牙を剝いて襲いかかるような「緊急事態条項」などは絶対に必要としない。

「緊急令」の類（「戒厳令」など）が制定されるのは、初めから憲法に規定されている場合は別として、権力がそれを「必要」とする「背景」があるはずだ。植民地時代に制定の香港の「緊急令」（「緊急事態規則条例」）の場合は清国をめぐる列強の覇権争いがあり、わが国明治期の「戒厳令」の場合は「琉球処分」に始まる対外侵略政策（対清国、対朝鮮、対ロシアなど）があった。つまり、権力自らが作り出す「社会情勢」に対応する権力強化の「切り札」的な政策としてあったのである。

その事情は、現代においても変わらない。安倍自民や安倍政権は、ただ単に緊急事態条項を「加える」憲法改定を行おうというのではない。彼らが「作り出したい」あるいは「改変したい」社会情勢、社会形態がまずあって、それを実現する政策の一環として「憲法改定」や「緊急事態条項加憲」があるのである。したがって、彼らが「作ろう」とする社会、「作りつつある」社会とは、どういうものかを、まずは、彼らの日本社会変成の「方針」「政策」を通じて確認することが重要である。

それには、安倍と思想的にきわめて近く、日本の保守政治に大きな影響力をもつとされる「日本会議」とその方針・主張について、まず見ておくことが有効であろう（「東京新聞」「最大の右派組織・日本会議の検証」二〇一四年七月三一日、「朝日新聞」連載「日本会議をたどって」二〇一六年一一月八日〜一二月一二日、菅野完『日本会議の研究』扶桑社新書　二〇一六　など）。

日本会議は、周知のように「日本を守る会」と「日本を守る国民会議」によって一九九七年に設立された保守（右翼）団体である。会員数三万八〇〇〇人、地方支部二四一と日本最大を誇る保守組織である。しかも日本政治の中枢にまで大きく「浸透」している。日本会議国会議員懇談会メンバー二八一名（二〇一五年、衆参両院議員、うち自民党議員二四六名）、第四次安倍改造内閣（二〇一八年一〇月〜二〇一九年九月）閣僚メンバーのうち会員数一四人（七四％、閣僚総数一九人）。

その「主たる活動目標、獲得目標」は、次のようなものである。
・男系による皇位継承を明確にする皇室典範改正
・歴史と伝統に基づいた「新憲法」の制定
・自虐的な歴史教育の是正と学校教科書の関連記述の是正
・権利教育の是正
・ジェンダーフリー教育の是正
・教育場における国旗掲揚と国歌斉唱の推進と「国旗国歌法」の制定
・公共心、愛国心、情操を盛り込んだ「新教育基本法」の制定

なるほど、これらは「いつか来た道」「いつか見た道」、大日本帝国憲法とその下での教育や家族、社会のあり方を規定した諸施策の「再現」ではなかろうか。まさに保守派に典型的な「復古」「回帰」の方向を目指す主張である。教育面では「忠・孝」の世界観そのものともいえる（「我カ臣民克ク忠に克ク孝ニ億兆心ヲ一ニシテ世々厥ノ美ヲ済セルハ我カ国體ノ精華ニシテ教育ノ淵源亦實ニ此ニ存ス…」教育勅語）。

また、主張する「新憲法」の中身については、とくに「軍事力増強」「緊急事態条項」「家族保護条項」の重視が注目される（「朝日新聞」二〇一六年三月二五日付）。

さて、安倍自民党・安倍政権の諸施策である。第一次安倍政権（二〇〇六年九月～二〇〇七年八月）から第二次政権（二〇一二年一二月～二〇二〇年九月一六日）にいたる諸施策は、実にこの日本会議の目指す「主張」に見事に重なるのである。

先に、第四次安倍改造内閣における日本会議メンバーの比率が七四％であることを指摘した。まさしく政権中枢が四分の三の多数派日本会議メンバーで占められているのである。これは、まことに驚くべき事実だ。「日本会議の主張＝内閣方針・閣議決定」になっても不思議でない。ちなみに、ワイマール共和国において、一九三三年、あの一連の〈国会議事堂放火事件⇒緊急令発動⇒民主派議員・活動家排除／検挙後の総選挙〉によってナチス党が二八八議席を獲得して文字通りの第一党に躍り出た直後のヒトラー内閣の組閣についてみると、全閣僚一七人のうちナチス党員は九人、五三％である。党員議員としての比率でも「その程度」である。安倍内閣における「民間右翼団体」メンバーが七四％という比率の「異様さ」が際立っている。

果たせるかな、安倍政権は、周知のように「いつか来た道」への「回帰政策」を強引に進めていく。

こうして、安倍自民と安倍政権は、最大の保守・右翼団体「日本会議」の方針・主張に沿うような、国家主義、人権抑制、軍拡主義、言論統制、企業本位などの政策を強硬に推進し、戦前社会への「回帰」「復古」の道を突き進んできた。これは、いわば「全体主義的状況」といっていいだろう。「回帰路線」の下地は整備された。「土台はでき上った。さあ、上屋の築造はこれからだ！」まさに、最後に残った課題は、「強権」を独裁的に手中にする「緊急事態条項」と「憲法改定」なのである。「憲法全面改定」を党是とする自民党は、ついに二〇一二年に「自民党日本国憲法改正草案」を発表する。「前文」から国家を国民の上にいただく国家主義を貫く全面改憲案である。周知のように、同草案に九八条・九九条の二条にわたって、緊急事態条項が「新設」されていた。

既述のように、日本会議の方針・主張には「歴史と伝統に基づいた新憲法の制定」があったが、日本会議もその改憲運動部局の「美しい日本の憲法をつくる国民の会」も、その独自の「新憲法」の具体化についてはいっさい発表したことはない。しかし、安倍政権の政策支援組織といわれる「日本政策研究センター」の「憲法観」が「最終的な目標は明治憲法復元にある」ことも明らかになっている（後述二〇一五年五月セミナー）。「回帰」「復古」の安倍政策の色調の淵源は、この辺りにあるのだろう。「歴史と伝統に基づいた」という「枕」は、何のことはない、明治憲法への「復古」そのものだったのだ。

ここに注目すべきことがある。「二〇一二自民改憲草案」が発表されたのちに、日本会議側からも、「日本政策研究センター」からも、主要な改憲目標が「九条改定」よりも「緊急事態条項」新設（加憲）が強調されるようになったのである。

・二〇一五年五月　「日本政策研究センター」主催セミナー改憲案での提示
・二〇一五年一一月　「美しい日本の憲法をつくる国民の会」での共同代表・櫻井よし子の発言

そして、これに呼応するように、安倍も「緊急事態条項」の重要性を強調したのである（二〇一五年一一月一〇日、衆院予算委員会）。明治憲法に比肩するような国家主義的な「二〇一二全面憲法改正案」が、すぐには国民の支持を得られそうにないという情勢判断において、「現実的可能性」を目指した「戦術転換」ともいわれている。事実、二〇一九年参院選の自民党公約にもなった「改憲四項目」は、一見いかにも「国民受け」しやすい事項に限定されている。だが、そこでも最も重要な改憲項目は「緊急事態条項」なのである。

〔「自衛隊九条明記」は、国民の八割が自衛隊の存在を「肯定」し、しかも安保法制によって集団的自衛権も行使できるのだから、自衛隊の「運用」に支障を来すことは何もない。「九条明記」は形式論的な要素の趣さえある。〕

筆者が共同代表を務める「憲法を考える会」は、すでに「六・二七憲法集会」（二〇一九）において、この安倍自民・安倍政権の改憲案（「二〇一二全面改憲草案」と「二〇一八、四項目改憲案」）を徹底的に批判したが、再確認の意味も含めて、あらためてかれらの改憲眼目である「緊急事態条項」に絞って検討したい。

まず、かれらの全面改憲が示された「二〇一二全面改憲草案」における「緊急事態条項」について。

それは、独立した「条項」（九八、九九条）を設けて、要旨、次のように「謳う」。

①「二〇一二自民党改憲草案」の緊急事態条項

以下の独立した条項で規定している。

・九八条「緊急事態の宣言」

①内閣総理大臣が緊急時に緊急事態を宣言する
②国会承認
③宣言の解除
④承認の期限

・九九条「宣言の効果」

①政令の公布
②政令の事後承認
③基本的人権の制限
④衆議院の不解散と議員任期の特例

総理大臣の宣言と政令公布が眼目である。まさしく、明治憲法における天皇の「役割」を担うものだ。九九条の③は「人権関連各条は尊重されねばならない」とあるが、その前段は「機関の指示に従わなければならない」とあり「政令」によって「人権制限」はどのようにもなろう。

②「二〇一八　四項目改憲案」の緊急事態条項

独立した条項ではなく、七三条の「内閣の職務権限」に「二」を加える「加憲」の形を取っている。

・七三条の二　①内閣が緊急時に政令を制定する

②国会の承認

「内閣」が政令制定の主語になっているが、閣僚任免権は首相にあるから主語は実質、首相といえる。「二〇一二改憲案」九九条「効果」のような具体性がいっさいなく、すべてが曖昧。とくに同条③にあった「人権関連各条の尊重」の明記はいっさいなく、「人権抑圧」ははじめから目論まれているようなものだ。

また、「二〇一二改憲案」との大きな違いは、緊急事態条項発動の前提条件にある。両者を比較する。

＊「二〇一二改憲案」前提：我が国に対する外部からの武力攻撃、内乱等による社会秩序の混乱、地震等による大規模な自然災害その他の法律で定める緊急事態において…

＊「二〇一八　四項目案」同：大地震その他の異常かつ大規模な災害により…

安保体制による強力な米軍の存在と強大な警察力を考慮すれば前者の「外部からの武力攻撃や内乱」はきわめて非現実的であろう。そのような「可能性の低い」事態を前提にすることは、緊急事態条項発動の機会を極度に減少させる。独裁的権能を手中にしようという権力者にとって、「それではうま味はない！」のだ。後者がこの可能性のきわめて低い「外部攻撃と内乱」を削除したのは、そういう理由だろう。つまり、緊急事態条項発動のチャンスが多いほどいい、ということだ。「地震、火山、台風、豪雨…」災害列島日本である。「大地震その他の…大規模な災害」だけがあらためて前提条件となった。発動しやすくハードルを極度に下げたのだ。「もののしい」外部攻撃や内乱を削除したことは、国民の恐怖心・警戒感を除去するという効果もあったろう。いわば「一石二鳥」である。

「四項目改憲」化における「緊急事態条項」は、国民の「理解」を得やすい、いわば「通りのいい」前提条件に置き換えられ、なおかつ、権力者にとってその発動チャンスがきわめて多い事象へと限定されたのだ。「巧妙」? いや「狡猾」というべきか。権力の常なる姿!

彼らが「独裁権」を都合よく発揮できる「ここぞ」という「判断」をもった時に、「災害に乗じて」発動されるにちがいないのである。権力が「緊急令」を持つということは、そういうことなのだ。

関東大震災における「緊急勅令」の発動と直後の治安維持法制定の歴史的事実を、われわれは肝に銘じておくべきだろう。

元号の新制定によって、「時代は新しくなった」と喧伝されている。「令和元年」が強調されている。もっぱら権力がこの「令和」という新元号を都合よく「活用」しているようだ。この二〇一九年九月一一日、安倍は第四次安倍改造内閣の発足にあたって、「改憲を必ず成し遂げる」と言明し、一〇月四日の国会での所信表明演説では「令和の時代に日本がどのような国をめざすのか、その理想を議論すべき場こそ憲法審査会ではないか」と語った。「令和」にかこつけた改憲議論であり、天皇制をあざとく利用しているともいえよう。

折しも一〇月二二日は、新天皇の「即位の礼」に当たっていた。本項で縷々述べてきたように、多くの政治・経済・社会の課題において、徹底的な戦前回帰の施策を講じて「状況」を準備してきた安倍政権である。最後に残った課題＝改憲に向けて、「令和・新時代の改憲」のキャッチフレーズはますます声高に叫ばれ、そして改憲への策動がこれまでの国会でのたびたびの強行採決のように強引に展開されるにちがいない。

「緊急事態条項」は、いま、安倍が、そして背後の保守・右翼勢力が、最もその実現を目指す改憲項目なのである！

㈤　忘れまい！　小林直樹の名言

わが国の改憲の動きをあらためて見つめ直してきた。改憲勢力は、いま、「二〇一二全面改憲草案」を左手に、「二〇一八、四項目改憲案」を右手にと、両の手に改憲の刀をもってわれわれ国民に「闘い」を挑んでいる。それは、立憲か非立憲か、の闘いでもある。「闘い」だから、ことは当然、戦略・戦術が重要な位置を占めている。左手の刀は少々重くて（国民の高い支持はすぐには得られそうにない）立ち回りに「不便」だから、これはしばらく使わないで、右手の軽くて使い勝手のいい（「当たり」が柔らかで理解や賛同が得られやすい）刀を振り回そうというのだ。右手の刀の主要部は「緊急事態条項」である。当面はこの右手の刀が前面に振り回されるだろうが、左手に温存されている「全面改憲」が彼らの最重要の武器であることは、忘れてはならない。

「緊急事態条項」に特化された改憲との闘いが前面にある。

ここで、憲法学者・小林直樹が遺した言葉を想起したい。

「緊急時において立憲制を支えるのは国民の憲法意識、とりわけ人権意識である」（『国家緊急権――非常事態における法と政治――』学陽書房　一九七九）（傍点、引用者。以下同じ）

だが、考えてみると、「緊急時」を判定するのは権力である。台風一五号による大規模停電が続いて、死者も出たのに「災害対策基本法」の適用もなかった。「判定」はきわめて恣意的である。より正確に言えば、「作為的」

「意図的」と言ってもいいだろう。

大日本帝国憲法の緊急令の発動も、ワイマール憲法・緊急令の発動も、そして最近の香港緊急令の発動も、すべて権力のきわめて「作為」と「意図」が込められていた。それぞれ「戦争準備」であり、「体制転換」であり、「民衆弾圧」であって、いずれの場合も権力の強力な「力」の行使が伴っていた。

われわれは「緊急時」の権力判定を待っている訳にはいかない。とりわけ、いま権力がその威力を欲しがっている「緊急令」が取り沙汰されている、その局面において。幸いなことに現憲法はこの緊急令については「沈黙している」（小林）のである。つまり、憲法上の規定がない、のである。われわれの現今の闘いは、「緊急時判定を権力に委ねる」規定を許容するか否かの闘いである。

「敵」の本性とその武器をよく知らねばならない。

前項までの記述は、この「敵本性と武器」を明確にすることだった。安倍政権は、強力な保守・右翼団体と歩調を合わせて、「戦闘」状況を整備しつつこの「改憲」闘争に着手してきたのだった。

香港市民の数年越しの闘いは、いま多くのことを教えている。雨傘運動で主要な位置を占めた若者たちの闘争の出発点は、お仕着せの「一党独裁礼賛の愛国心」の教育科目導入に対する異議と抵抗だった。思想と良心の自由とそれを行使する権利への「侵害」だったからだ。中・高生がその意識を広く共有したことがすばらしい。

翻ってこの国ではどうか。前項で見たように、政治・経済・社会の多くの面において安倍政権は、われわれ国民やメディアの「自由と権利」を抑圧・制限する政策を強行してきた。それは、現憲法のあらゆる人権・自由事項に抵触する。

「憲法問題は九条問題だ」という人々も少なくない。確かに、先の大戦で国民が蒙った「辛酸」は、言語に尽くし難いものだった。平和問題は重要だ。だが、憲法はそれだけではない。一三条「個人の尊重、生命・自由・幸福追求権」、一四条「平等」、一九条「思想・良心の自由」、二一条「集会・結社・言論…の自由」、二三条「学問の自由」、二五条「生存権」、二六条「教育を受ける権利」…すべてがわれわれの全き生存を保証する「自由と権利」の条項だ。要するに、これらの「自由と権利」が保証されることが民主主義だ。「九条しか見ない」人たちには、憲法問題の深く多様な課題は見えないのではないか。「思想・良心の自由」を守ろうとした香港の若者たちは、まさに「民主闘争」を闘ったのだ。その彼らに香港と本土の権力者は、こんどは「基本法」（憲法）に規定のない「緊急令」を発動した。

あらためて、われわれは「緊急令」の何であるかに「思いを」致さねばならない。なぜなら、それは、他人事ではなく、現にいまこの国でわれわれに突き付けられている改憲の「目玉」であるからだ。

眼前に「緊急事態条項」をめぐる闘争がある。私は、小林直樹の名言を踏まえて、最後にこの「一文」を、このように締め括ろうと思う。

「緊急時はもとより平時においても、権力の恣意的で意図的な改憲の策動を排し、立憲制を支えるのは、国民の常なる憲法への深い関心と強い人権意識である」

《追記》　その後の香港情勢は、「本土の会議」によって「劇的」に変わり、「香港国家安全維持法」によって民主運動も言論機関も徹底的に弾圧・抑圧され、「一国二制度」は完全に消滅したといえる。主要な「動向」のみを簡潔に記述する。

① 第一九期中央委員会第四回全体会議（四中全会）（二〇一九年一〇月二八〜三〇日）の結論

＊「香港行政長官の任免制度の改善」

＊「国家の安全を守る法と執行制度の確立」

② 第一三回全国人民代表大会常任委員会第二〇回会議（二〇二〇年六月三〇日）

＊「香港国家安全維持法」制定

全六章六六条よりなる。「香港基本法」ではなく「中国人民共和国憲法」に基づく「国家安全、治安維持」を目的とした、戦前わが国の「治安維持法」よりはるかに精細を極めた法規。

同法施行後丸一年間での逮捕者一一七名。既述の「民主の女神」周庭も逮捕。その後「リンゴ日報」の編集者・蔡子強も逮捕。香港の民主化運動の「灯」はほとんど消えた感がある。

15 学術会議問題
――「知の世界」支配を狙う強権政治の再来

学術会議の新会員推薦者六名が菅新政権によって任命を拒否されたことが最初にメディアで報じられたのが二〇二〇年一〇月一日。これまで一〇〇〇を超える学会・団体の抗議声明が発出されるなど、大きな社会問題となった。だが、「人事問題だから」「会員出身大学に偏りがあるから」など、政権側は任命拒否についてまともな理由を明らかにしないばかりか、逆に問題の本質をはぐらかすと同時にその「改組」「解散」を視野に入れた学術会議そのものの「組織再編」の検討を行うプロジェクトチーム（ＰＴ）を自民党内に設置して短時間で「報告書」を作成させた。

一連の政権・与党の「動き」は、直接には学術会議が対象だが、その本質は、学問と大学に象徴される「知の世界」を権力の支配下に置くという、古今東西の独裁的権力が行ってきた国家統制の「常習策」と見るべきであろう。権力の「悪」を最も厳しく理論的に批判する「知の世界」は、独裁的政権にとっては常に「疎ましい」存在だからである。

歴史に残る史上初の「知の世界」弾圧を行った秦始皇帝の「焚書坑儒」を建策した丞相・李斯の言葉が何よりもその事情を語っている。曰く「かれらは…おのおのそのおさめた学問に照らして論議し、…君主に従順でないことを名誉とし、見解を異にすることをもって高尚だとし、…誹謗しているありさまです。このようなものを禁止せずに放置しておきますと、君主の勢力が衰えます。…」。

すでに、国立大学を中心として「幅を効かせていた」大学自治をその「法人化」によって有名無実化に「成功」

した権力にとって、支配すべき「知の世界」はもはや学術会議しか残っていなかった。だが、同会議は、学術の戦争協力への反省に立って、戦後すぐの時期（一九四九年）に成立した「日本学術会議法」によって設置・存続する組織であり、容易に「圧力」をかけることができる対象ではなかった。そこで、菅政権は、同学術会議法に抵触するような「任命拒否」という「荒療治」にあえて打って出たのである。しかし、この政権の「任命拒否」が、憲法二三条「学問の自由」と学術会議法七条二項の「学術会議の推薦に基づく任命」の規定に反する、違憲・違法であることは明白である。

新会員六名の任命拒否については、菅首相は官房副長官兼内閣人事局長の杉田和博から「建白」を受けたとされる。杉田のそれは、おそらく始皇帝に上奏した先の李斯の言葉と酷似していたことだろう。国家統制や国家弾圧の発想と実行は、その「本音」の同質性ゆえに時代を超えて「飛翔」するものである。このたびの学術会議問題が、しばしば「現代の焚書坑儒」といわれる所以である。

二〇二〇年一二月九日に発表された、自民党「学術会議ＰＴ」報告書の眼目は、学術会議の「法人化」であった。既述のように、国立大学の法人化とその法制度によって見事に「大学自治」を消滅させた「事蹟」――文科省による「大学支配」の確立――の再現を狙ってであることは容易に推察される。つまり、「知の世界」の最後の砦である学術会議は、その「自律性」「独立性」を剥奪して、政権のほしいままの支配下に置くということである。

しかも、古今東西の「知の世界」支配が、民衆のあらゆる自由や人権の抑圧・弾圧という独裁的強権政治の「導火線」になってきたことを顧みれば、このたびの菅政権による学術会議問題の「本質」が容易ならざるものであることに気付くのである。

自民党の「学術会議PT」の報告を受け、菅首相は「年内での法制度の方向確定」を明言していたが、コロナ禍の時世、内閣支持率が急落するなかでこの問題の「ゴリ押し」は得策でないと判断したのか、「二一年春以降に」とその結論を先送りした。しかも、学術会議の「任命拒否理由の開示」要請にはいっさい応えることもないままにである。

「学問の自由」「思想の自由」「表現の自由」という「知の世界」の自由と独立性を守るためにも、そして、この国の民主主義と人権への抑圧・弾圧という全体主義的動向を阻止するためにも、国家統制・国家弾圧の史的来歴をふくめてその本質を掘り下げ、十全な理解を得ておくことが肝要である。

(一)「現代の焚書坑儒」とその狙い

「知の世界」への権力の統制や弾圧は、古今東西きわめて同質的である、と述べた。

史上「記録」に残る最も古い「学問弾圧」として人口に膾炙する始皇帝の「焚書坑儒」は、紀元前二一三、二一二年のことである。二二〇〇年余を隔ててなお、今日の菅政権の学術会議「弾圧」が、「それ」をなぞるかのような、あまりの「相似性」に目を見張らざるをえない。「政」による「学」の統制・弾圧の同質性・普遍性に、われわれは容易に気づかされるだろう。始皇帝の「焚書坑儒」は司馬遷『史記』「秦始皇本紀」に詳しい。前述の丞相・李斯の陳述の続きはこうである（傍点、引用者）。

三四年。…「…かれらは誹謗しているありさまです。…君主の勢力が上において衰え、徒党が下において成立します。これを禁止することこそ利便であります。史官の所蔵している書籍のうち、秦の記録でないものは、みな焼き捨てましょう。…天下においてあえて儒家の詩書や諸子百家の書を所蔵しているものがあれば、ことごとく郡主のもとへさしださせて、すべて焼きすてましょう。…」始皇帝は命をくだして「よろしい」といった。

三五年…。侯生と盧生とが相談していった。「始皇の人となりは、天性剛情暴戻で自我が強い。…天下はすべて罪に問われることを畏れて諫めるものもなく、ただ俸禄を失うまいとするのみで、…臣下はその威を恐れて屈服し、いつわり欺いてご機嫌とりに終始している。…」…かくて、禁を犯したものは四百六十余人、みなこれを咸陽に坑（あなうめ）にし、天下の人々に知らせて、のちのちの懲らしめにした。…（『史記』上　野口定男・近藤光男・頼惟勤・吉田光邦訳　平凡社　一九七二）

始皇帝は皇帝としての絶対権力を確固たらしめるために、この「焚書坑儒」を断行した。菅政権が政権発足の最初の「仕事」としてこの学術会議問題を惹起したことは象徴的である。己が政権の「絶対性」——その願望——を世間に周知させるための「進軍ラッパ」だったのだろう。六人の実績ある学者を「人質」にした、この政治による「知の世界」への介入・弾圧は、始皇帝の方策と本質において何ら変わらない。引用文「三五年」の「臣下はその威を恐れて…」（傍点部）は、すでに安倍・菅政権において顕著な行政（官僚）・司法（裁判所・検察）の「付度」ぶりと変わるところがない。容易に靡《なび》きそうもない「知の世界」の弾圧は、学者たちを政権に跪かせようとする権力の執念の策動にちがいない。まさしく、「現代の焚書坑儒」という以外にない。

もとより、今は二二〇〇年前とは社会事情は異なる。民主社会においては皇帝制や絶対王政の「真似事」は、そうたやすく通用するものではなかろう。国民は「憲法」という最高法規をもって権力を縛る「立憲主義」という制度をもち、個々の事柄については個別の「法」があって、権力の「暴走」を許さない「規制」が整っている。当然、菅政権の「任命拒否」は、憲法二三条の「学問の自由は、これを保障する」、学術会議法七条二項「会員は学術会議の推薦に基づいて、内閣総理大臣が任命する」の双方に抵触するのである。後者については、憲法六条「天皇は、国会の指名に基いて、内閣総理大臣を任命する」の規定において天皇に「指名権」や「任命拒否権」がないのと同様に、総理大臣に学術会議会員の推薦権・選択権も拒否権もない、というのが法の常識だからである。

そこで、菅政権が「任命拒否」の不法・不当性を紛らわすために論点をすり替え、なおかつ「知の世界」の最後の砦である学術会議の「国家統制」を目論んだのが、その「改組」「解散」といった「組織改変」である。既述のように、与党・自民党内に「学術会議ＰＴ」（「政策決定におけるアカデミアの役割に関するＰＴ」）を立ち上げて、拙速にもわずか二ヵ月で年内に結論を出させたのである。「法人化」への組織改変を中心的結論とするその「報告」の意図が、学術会議というわが国最高のアカデミアの権力支配を狙うことは明らかである。

歴史はくり返す。

わが国民を悲惨な戦禍に巻き込んだ戦前・戦中の軍国主義政権は、ドイツにおけるナチス政権同様、紛れもない全体主義の政権だった。一九三一年に満州事変を起して対外侵略に乗り出した軍国政権は、世論を統制する手段の一つとして「知の世界」に狙いを定めた。京都大学・滝川幸辰教授の学説を問題にして休職処分にさせた（滝川事件、一九三三年）。これは、三一〇万人の邦人犠牲者を出すことになる先の「大戦」突入への突破口であり、以後一挙に「戦時体制」になだれ込んでいったのである。同年、治安維持法違反で小林多喜二検挙、拷問死。同年、ナチス・ドイツで大規模な焚書。三五年、美濃部達吉、「天皇機関説事件」。三六年、思想犯保護観察法。三七年、盧溝橋事件、日中戦争勃発。三八年、国家総動員法。三九年、第二次世界大戦勃発（ヒトラー・ドイツ、ポーランド侵攻）。四一年、太平洋戦争勃発（日本軍、真珠湾奇襲）。滝川事件からわずか四年で「日中戦争」、八年で「太平洋戦争」に突入する…。

「知の世界」への統制・弾圧が、全体主義の早期の「兆候」であることを、われわれは十分に承知しておくことが肝要である。歴史は、つねに繰り返してきたのである…。

こうした「歴史」を考察したとき、このたびの学術会議問題の底にある政権の「狙い」が見えてこようというものである。

つまり、菅政権による「現代の焚書坑儒」の「狙い」である。以下の事項が容易に予見される。

①**「知の世界」アカデミアの政権による支配**
②**「知の世界」の重要な担い手である大学のいっそうの政権支配**
③**軍事研究の全面的推進**
④**「戦争のできる国」への体制強化**

簡単な説明を加える。

①については、安倍政権において、菅首相が官房長官としてその「手腕」を振るった有力な手段としての「人事権」。その行使による公務員の「忖度」「公文書改竄」「国会虚偽答弁」に見られるような「徹底的」かつ「強

硬な」支配を学術会議にも踏襲しようというもの。大学人・研究者への萎縮効果も含めて。現に、菅首相は自ら「政策に反対する公務員は移動させる」「任命拒否は、公務員人事の問題である」旨を語っている。学術会議会員の人事は普通の公務員人事でないことは、既述の学術会議法で明快であるにもかかわらず。だが、次章で述べるように、学術会議会員の「選考権」や会長の首相「任命権」を視野に入れた人事権を政権が掌握することを目指していることはまちがいない。②について。国立大学の法人化（二〇〇四）によって、すでに「大学の自治」は有名無実化しているが、多くの大学人はなお学問の自由と大学自治は分かち難い関係であることを信奉している。こうした実態に対して、学術会議の国家統制を完遂することによってそうした「信奉」を払拭し、権力による大学支配の実勢を強化しようとするもの。③は、学術会議の重要な設置理由である先の大戦における「戦争協力の反省」をいっさい斟酌することなく、大学やその研究者が軍事研究に容易に携わるような体制を築くことを目指している。学術会議は、すでにその声明で「軍事研究非協力」を三度にわたって表明してきた（一九五〇、一九六七、二〇一七年）が、その基本姿勢に対してこのたび政権側からの「正式の要請」もあった。すなわち、井上科学技術大臣が、梶田学術会議会長に「デュアルユース（軍民両用）の研究を行うよう」直接申し入れている（二〇二〇年一一月一七日）。「衣の下の鎧」も何も、ダイレクトの「軍事研究」要求である。④は、すでに内閣法制局の「見解変更」による集団的自衛権の「合憲化」を前提にした安保法制によって「法的には」戦争のできる国にはなったが、憲法学者や研究者はもとより国民の間でも「反対論」は根強いのが現状であり、「知の世界」を統制することで、こうした「反対論」を封じ込め、集団的自衛権行使に向けた体制を強化しようというもの。

これらの「現代の焚書坑儒」の「狙い」は、こうして容易に予見されるほど、政権側の「本音」が与党議員らの発言で縷々伝わっている。これら「狙い」は、「二〇二〇年内に法制化に向けまとめる」との菅首相自らの言明もあったが、既述のように二〇二一年春以降に「先送り」された。コロナ対策への不首尾を主な理由とする内閣支持率急落への「対応」もあったろうが、この学術会議問題への「予想外」の世論の反発に対する「冷却期間」設置という思惑にもよるのだろう。

だが、この問題は、すでに一六、一八年の新会員任命の際にも政権は「難色」を示したように、菅首相が官房長官時代から「温めていた」執念の課題である。その「知の世界の政治支配」の野望は、簡単に放棄することはあるまい。

(二)「学」と「政」の交錯――究明、革新、独立、干渉、弾圧

学問と政治あるいは学者（知識人）と権力との間の基本的な「相反関係」は、はるか紀元前、国家体制ができたときから連綿と続いてきたものである。それは、言うまでもなく、学問が自立的に真理を探究し、また物事の「正否」「優劣」を究明するものだからである。国家や権力でさえも、当然の「探究」や「究明」の対象である。だからこそ、権力は独裁的になればなるほど、「自立した」学問による「裁断」を忌避したいのだ。独裁による強権が、民に安寧をもたらすことがないことを権力自身が重々承知しており、学問がその「非」を理路整然と白日のもとに晒すことを恐れるからである。始皇帝の「焚書坑儒」は、その最も古い「事例」であった。

「学」と「政」は、古来こうした「緊張した」交錯関係を紡いできた。節目となった代表的な「交錯」――究明、革新、独立、干渉、弾圧、…――の典型例を大急ぎで渉猟しておこう。

アリストテレスの「国家体制比較論」

西洋においても、学問による国家体制「究明」の歴史は古い。古代社会において学芸の華を咲かせて近代にも大きな影響を与えたギリシャでは、文字通り学問が国家体制の「優劣」を究明・考察していた。その代表がアリストテレス（BC三八四―三二二）である。彼は、アテナイのプラトン・アカデミアに都合二〇年在籍して、幅広い学問分野を考究して多くの著作を遺した。その『政治学』において、彼は、国家体制について詳細な比較考察を行った。王制、貴族制、共和制の三原型とそれらから派生する独裁制、寡頭制、民主制についてである。彼は寡頭制も民主制も単独では十全たる評価を与えず、両者が混合した「中庸」としての中間的体制を「最善の」国家体制とした。

「…中間の国制が最善であることは明らかである。なぜなら、その国制においてのみ内乱は起こらないのだから。というのも、中間層が厚いところでは、市民の間で内乱や軋轢が生まれることは最も少ないからである」（アリストテレス「政治学」第四巻 第一一章 『アリストテレス全集一七』神崎繁・相澤康隆・瀬口昌久訳 岩波書店 二〇一八）。

古代ギリシャは、周知のようにポリスと呼ばれた都市国家がそれぞれ固有の国家体制をもって併存しており、アリストテレス自身は「民主制」のアテナイの学者であったから、幸いそうした国家体制の「優劣」を直接考察した学説に対して「国家権力」の干渉や弾圧を受けることはなかった。また、その学園リュケイオンで多くの学徒を育てて「アリストテレス学派」（ペリパトス派、逍遙学派）が形成され、後世にも大きな影響を与えることになった。

ルネサンスのアカデミア

西洋において、学芸が大きな華を咲かせた時代が再びあった。ルネサンスである。一四世紀西洋社会をその猛烈な伝染性によって震撼させたペストだったが、その疫病が収まるのと併行して学芸の華が咲き始め、中世の終焉を促した。ポスト・ペストにおけるルネサンス開花については別稿でも触れているが（9「将たらざる者と矜持なき者たちへの葬送曲」）、自由と自治を追求した自治都市国家・コムーネの発展も併せて、「国家体制」構築の課題も含めた広範なルネサンスの「学芸」が近世・近代に及ぼした影響は大きかった。

林達夫と久野収はその対談集で、このルネサンスの「先駆性」について語り合っている（林達夫・久野収『思想のドラマトゥルギー』平凡社 一九七四）。林はルネサンスの重要な「ポイント」を三つ指摘する。アトリエ（ボッテーゲ）・アカデミア・マニュファクチャである。前者は言うまでもなく絵画や彫刻などの制作の場であり、〈芸術〉の産屋《うぶや》、後者は近代的生産体制を準備した小規模生産工場で、〈技術〉の産屋。注目すべきは中者のアカデミアである。ルネサンスのアカデミアは一流学者による私設の学苑で、スコラ哲学に代表される旧派大学の伝統的・旧式の学問に対抗したものであった。そこでは研究と学問上の情報交換や論争が活発に行われ、近代科学の勃興を促す推進力になった。すなわち、アカデミアは新たな〈科学〉の産屋であった。この三者を林は、「芸術・科学・技術」という語に換言もしている。

さらに、林はブルクハルトの『イタリアにおけるルネサンス文化』（一八六〇）に言及する中で、ブルクハルトがルネサンスの「自由」を重視したことを強調している。「文化とは精神の自発的生命であり、その生命の樹が育って花を開き、実を結ぶには、特殊な自由が必要であり、その自由は断じて国家や宗教に奉仕すべきではない」と。文化は広く学問を包摂するものだから、本稿の意からすればここは文化を学問と置き換えることもできよう。

ジャン＝ジャック・ルソーの「学問芸術論」

近代において学問の「社会的役割」の「消極性」「未成熟性」を論じて学問自体に刺激を与えたのは、「社会契約論」で有名なジャン＝ジャック・ルソーである。その著『学問芸術論』は、アカデミーの懸賞論文「学問と芸術の復興は、習俗の純化に寄与したか」への応募論文であった（一七五〇年）。ルソーの論は、学問・芸術の「習俗」への寄与の「否定」だった。この課題設定の「習俗」とは、広く一般民衆のそれを指すのではなく台頭するブルジョア階級のそれであり、学問・芸術はそれをさらに「補完」するものでしかないとして厳しく批判し、学問・芸術、そして学者・芸術家への真摯な「自省」を促すものとなった。つまり、学問も芸術も一部の特権的階級には「寄与」するものの、一般民衆の自由や幸福の拡充には役立っていない、というのである。

「学問、文学、芸術は、政府や法律ほど専制的ではありませんが、おそらくいっそう強力に、人間を縛っている鉄鎖を花輪でかざり、人生の目的と思われる人間の生まれながらの自由の感情をおしころし、人間に隷従状態を好ませるようにし、いわゆる文化人を作りあげました。…地上の権力者たちよ、もろもろの才能を愛し、才能をつちかうひとびとを保護するがよい」（ジャン＝ジャック・ルソー『学問芸術論』前川貞次郎訳　岩波文庫　一九六八）

もとより、その「批判」は為にするものではなかった。彼の哲学・思想がいっそう「成熟」するなかで著された『社会契約論』（一七六二年）では、人民主権に基づく社会契約説を展開して、王権神授説に依拠するフランス絶対王政を「批判」した。明らかにジョン・ロックの『統治二論』（一六八九）の影響が見られるこの書は、ルソー自身の学問・思想の深化・成熟を示すものといえた〈別稿「1　ジョン・ロック〈抵抗権〉〈革命権〉回顧」〉。彼のこの「社会契約説」は、周知のようにフランス革命（一七八九年）に大きな影響を与えたといわれる。

福澤諭吉の「学問の独立」

さて、舞台を近代のわが国に移して、「学」と「政」の「交錯」に関する論考について見ることにしよう。最も早くこの「課題」に『学問の独立』によって論陣を張ったのは、『学問のすすめ』で名高い福澤諭吉であった。『学問の独立』はもともと新聞「時事新報」に連載された論考であったが、連載終了後一冊の書籍として時事新報社から出版された（一八八三年）。原本編者の「緒言」が、この書物のもつ当時の「意義」を明快に語っている。「近年、我が日本において、都鄙上下の別なく、学問の流行すること、古来、未だその比を見ず。実に文運降盛の秋《とき》と称すべし。然るに、時運の然らしむるところ、人民、字を知るとともに大いに政治の思想を喚起して、世事ようやく繁多なるに際し、政治家の一挙一動のために、併せて天下の学問を左右進退せんとするの勢なきに非ず」。

時は一八八三〈明治一六〉年、学問・教育の普及に伴って、政治家の言動が学問に多大の影響を与えている現状がうかがえる。福澤はこの書でこう語っている。

「政治も学問も相互にその門を異にして、人事中専門の一課とするときは、各門相互に干渉すべからざるはむろん、おのおの自家の専業を勉めて、相互にかえりみることもなきを要す。…学者を優待するの先例を示されたらば、世間にも次第に学問を貴ぶの風を成して、自然に学者安身の地位も生ずべきがゆえに、専業の工たり農商たり、また政治家たる者の外は、学問社会をもって畢生安心の地と覚悟して、政壇の波瀾に動

揺することなきを得べし。……」（福澤諭吉「学問の独立」、山住正己編『福沢諭吉教育論集』所収　岩波文庫　一九九一）

当時の時代背景を見ると、確かに「政治」の動向がきわめてドラスティックで「人心安からぬ」ことが知れる。一八八一（明治一四）年には「自由民権運動」が大きな目標にしていた議会開設を巡って民権運動急進派の参議・大隈重信が意見書を提出したが容れられず、詔勅による「国会開設明治二三年、憲法欽定方針」が示され、大隈は免官されている（「明治一四年の政変」）。伊藤博文らが政府の実権を握って民権運動弾圧に舵を切り、大衆運動や言論が圧迫・弾圧されていった。翌明治一五年、軍人勅諭発布。同年、集会条例改正（政治結社支社開設、結社間連合禁止）。同年、戒厳令制定。明治一六年、新聞紙条例改正（言論取締強化）…。こうした、政治・社会情勢にあって、福澤はあらためて学問の「独立性」の重要さを訴えたのである。「学による政の考察・批判」といった厳正な「学問論」に言及しなかったが、それは当時の集会規制・言論統制の「民権運動弾圧」の政情を勘案した上でのことだったようだ。そうした「学と政の距離感」の意識は、それ以前に著わされた「学者安心論」（明治九、一八七六年）（既出『福沢諭吉教育論集』所収）でもうかがえる。自由民権運動盛んな中で、同年には、「国安妨害の新聞・雑誌の発禁処分」が布告されている。

滝川事件

明治初期のわが国の「政」と「学」は、福澤の主張した「両者間接の関係」で収まっていたが、周知のように、「富国強兵」の実を挙げ、日清・日露の両戦争に「勝利」し、さらに朝鮮併合などを重ねて、その帝国主義的体制は強化されていく。世界恐慌（一九二九）による経済の逼迫とその打開が主たる要因となって「対外膨張主義」

が採られるとともに、国政はいっきょに全体主義の様相を呈していった。治安維持法（度重なる改正）のもとに「言論の自由」はますます弾圧・封殺され、「学問の自由」も例外なくその対象となり、「翼賛体制」の形成とともに、学問弾圧は言論封殺の象徴として対外侵略・対外戦争突入への導火線となっていった。

典型的な学問弾圧といえるものは、一九三三（昭和八）年京都大学・滝川幸辰教授の学説を「非」として休職処分にしたことであった（滝川事件）。

事件のあらましはこうである。一九三二年、滝川、中央大学で「トルストイの刑法観」について講演。文部省・法務省、無政府主義的と問題視。三三年、裁判官・裁判所職員検挙、「司法官赤化事件」。司法試験委員であった滝川は「赤化教授」として非難される。内務省、滝川の著作『刑法講義』『刑法読本』を発禁処分。鳩山文相、京大総長に滝川の罷免を要求。京大教授会これを拒否。文部省、分限令によって滝川の休職処分を強行。京大内外で「弾圧反対」の抗議運動起こる。京大法学部教授三一名、抗議の辞表提出。小西総長辞職。京大法学部教授会、辞職組と復職組に分裂。

滝川自身は共産党員でもない単なる自由主義者にすぎなかったが、「司法官赤化」をネタにした権力の「思想弾圧」「学問弾圧」であり、それはまた、軍国主義にまっしぐらに突き進む「突破口」であった。当時・文学部の学生で滝川教授弾圧反対運動にも加わった哲学者の久野収は、後にこう回顧している。

「（日中戦争にむかう）過程の中でも昭和八年は、特に大きな区切りを示す事件のおこった年であった。ドイツにおけるナチスの勝利は、この年の三月に決定的となり、滝川教授の強制免官を動機とした京大事件は、この年の五月に勃発した。それは、その後一〇年におよぶファシズムの決定的支配を何よりもはっきりと予告する次元であった」（久野収『三〇年代の思想家たち』岩波書店　一九七五）

「天皇機関説事件」

さらに、「学問弾圧」を決定的にしたのは、一九三五年の「天皇機関説事件」といわれる美濃部達吉・東大名誉教授への弾圧であった。陸軍中将で貴族院議員の菊地武夫が議会で、美濃部の学説を「国体に背くもの」で美濃部を「学匪」「謀反人」と演説したのが口火となって、軍部・右派の発言力が大きくなるアクセルになった。枢密院議長・一木喜徳郎や内閣法制局長官・金森徳次郎は失脚し、美濃部の著作『憲法提要』『逐条憲法精義』『日本国憲法ノ基本主義』は発禁処分となり、文部省は二度にわたって「国体明徴に関する政府声明」を出してあらためて「統治権の主体が天皇にある」ことを明示した。

当時は、すでに満州国をめぐる国際関係が「悪化」している時期であった。三二年、満州国設立宣言。三三年、国際的批判を受け国際連盟脱退。三四年、満州国帝政強行実施（皇帝・溥儀）。軍部独裁を目指す陸軍青年将校のクーデター計画摘発（士官学校事件）。

軍部による国政実権掌握への動きは、勢いを増していた。言論封殺のなかで対外侵略への戦時体制が築かれていく。三七年、盧溝橋事件を起して、日中戦争が勃発し、国家総動員法（三八年）など全体主義体制、翼賛体制が強化されつつ太平洋戦争に突入していった。

歴史を顧みると、権力による学問への干渉や弾圧は、権力が独裁制や全体主義体制を強化していく過程において必然的に生起する問題であることを知る。

あらためて再述すれば、それは、学問が自立的に「真理」を探究し、また物事の「正否」「優劣」を究明し、国家や権力でさえも、当然「探究」や「究明」の対象とするからである。「学」と「政」は、それゆえ、権力がその「政」をより独裁的にしようとするほど、その関係はいっそう緊張することになる。干渉や弾圧は、権力が「独裁化」「全体主義化」への野望を強める「シグナル」といえるのである。

㈢　戦後日本における「学」と「政」——大学自治の消滅へ

新憲法下の民主国家においても、権力が「知の世界」を支配下に置こうとする動きは絶えなかった。とりわけ、与党勢力が国会で絶対多数を占める「一強」になるほど、その動きは露骨かつ巧妙になった。「学問の自由」の観点からすれば、国立大学の「法人化」は致命的とも言えるものであった。それは、実質的に大学自治の消滅を意味したからである。

「曲学阿世」

有名な時の首相・吉田茂の発言「曲学阿世の徒」が、当時の東大総長・南原繁に向けて発せられたのは、敗戦国日本の戦後初の講和条約締結に当たって「単独」「全面」の双方の立場の違いを巡る「批判」に起因した。吉田茂は自由党秘密会で「永世中立とか全面講和などということは、言うべくして到底行われないことであり、それを南原総長などが政治家の領域に立ち入ってかれこれ言うことは、曲学阿世の徒にほかならない」と演説したのである（一九五〇年五月三日）。これに対して三日後に南原が反論した。

「（曲学阿世の徒などという）『極印』は、満州事変以来、美濃部博士をはじめわれわれ学者にたいし、軍部とその一派によって押しつけられてきたものであり、…学問の冒瀆、学者にたいする権力的弾圧以外のものでもない。…全面講和は国民の何人もが欲するところであって、それを理由づけ、国民の覚悟を論ずるは、ことに私には政治学者としての責務である。…複雑変移する国際情勢のなかにおいて、現実を理想に近接融合せしめるために、英知と努力をかたむけることにこそ、政治と政治家の任務があるにもかかわらず、…それをはじめから曲学阿世の徒の空論として、全面講和や永世中立論を封じ去ろうとするところに、日本の民主政治の危機の問題がある」。

「理」がどちらにあるかは、言うまでもない。「学」が「政」を「究明」し、その「優劣」「正否」を比較・考究するのは、アリストテレスがそうだったように、当然のことである。さすがに、戦前の軍部体制時とちがって曲がりなりにも新憲法の民主主義下にあって、吉田は「滝川事件」のように南原を休職や退職に追い込むようなことはできなかった。ひたすら、「単独講和」調印に向け奔走した。

ポポロ事件＝「大学自治」論争

ポポロ事件は、学内で密かに活動していた警察官への学生の「行動」が「大学自治」との関係でその「是非」が問われた事件であった。

一九五二年二月に、東大学生演劇集団「ポポロ劇団」が大学の許可を得て構内大教室で松川事件を題材とした演劇公演を行った。会場に警察官四人が私服で潜入しているのを学生が見つけて、うち三人を拘束し、警察手帳を取り上げるなどした。警察手帳には彼ら警官が一九五〇年七月から東大構内に立ち入って、張り込み・尾行・盗聴等を行っていたことが記されていた。学生たちは、拘束警官に「暴力」を振るったとして起訴された。

一審判決（東京地裁、一九五四年五月一一日）は「大学自治の法益の重さは警察官の個人的法益より重い」として無罪判決。第二審判決（東京高裁、一九五六年五月八日）も「憲法二三条を中心にして形成される重大な国家的国民的法益の侵害に対し、…これを防止するもの」として第一審判決を支持。上告審は「破棄差し戻し」となり、差し戻し後の第一審判決「被告有罪」、第二審「控訴棄却」、上告審「上告棄却」（一九七三年三月二二日）。まる二一年を要する裁判であった。結果的に、学生の「暴力行為」は有罪になったが、一九六三年最高裁大法廷判決における「学問の自由」「大学の自治」については、これが「判例」として今日まで定着している。

ここで問われた学内における学生の活動（学習、研修、課外活動等）は、ひろく「大学の自治」に含まれるものかというものであったが、最高裁判決は、それを認めなかった。同判決はこう主張した。

「学問の自由の保障はすべての国民に対してそれらの自由を保障するとともに、大学が学術の中心として真理探究を本質とすることから、特に大学におけるそれらの自由を保障することを趣旨とする」

「大学の学問の自由と自治は、大学が…深く真理を探究し、専門の学芸を教授研究することを本質とすることに基づくから、直接には教授その他の研究者の研究、その結果の発表、研究結果の教授の自由とこれらを保障するための自由とを意味する。…」（最高裁、一九六三年五月二二日、大法廷判決）

学内における学生の活動の「自治性」については、「学び研鑽する権利」の観点からすればこの最高裁判決はあまりに一面的といえ、現在も必ずしも定着したものとは言い難い。のちに、「大学闘争」（一九六八〜六九）でこの「課題」はあらためて問われることになる。

「大管法」問題

一九六〇年の日米安保条約改定に当たっての岸政権の強引な「自動延長」策への大規模な反対闘争のあと、池田内閣が一九六二年に中央教育審議会（中教審）で議論させた「大学管理制度改革」は、「大学教育が革命の手段に使われているので大学の管理制度を改めるべき」という池田自身の発言に明らかなように、先の国民的な大規模安保闘争の「発信地」が大学にあり、そうした「反政権」運動を起させないために、大学への支配強化を目指そうという政権の「意図」が露骨に見てとれるものであった。大学支配への権力の初「出動」といってよいものであった。だが、この中教審方針に基づく「大学管理法案」は、中教審そのものが、教員・学生の反対運動はもとより国立大学協会（国大協）の反対表明など幅広い国民的な反対機運が生じて「答申」を断念したため、「法案化」するには至らなかった。権力側の「勇み足」に終わったのである。

「大学闘争」＝大学当局の権力化と自滅

一九六八年の日大闘争は当局の「使途不明金」問題を、同年の東大闘争は学生の不当処分を直接には問題とする「異議申し立て」運動であった。だが、それは、どちらも大学当局（学長・評議会・教授会）の「権力」の「正当性」を問うものであり、究極には「学生の権利・自治」を含めた「大学のあり方」＝「大学とは何か」を問うものであった。

両大学とも、学生の大半が行動に参加するような全学的運動となって、「一〇〇年に一度あるかないかの根底的な大学問題」（長崎浩）といわれたような大学の本質を問う重大なものであったが、どちらの大学当局もこの本質問題を「理解」することなく、警察力を借りて暴力的に対処して運動を「鎮圧」した。

だが、この日大闘争・東大闘争は、これまで学生運動を領導してきた政治的党派（セクト）の「限界」を超えたノンセクト・ラジカルといわれた無党派学生による「全共闘」が自然発生的に結成され、多くの一般学生を糾合することに成功して「新たな」運動形式をもって展開された。その「無党派性」という性格もあって、この全共闘運動はたちまち全国の大学に「波及」して日本全国で大学闘争が生起した。その波及の速さと拡がりは、しばしば、「燎原の火」と喩えられた。

この時期の大学闘争は、授業料値上げ・使途不明金・学生の不当処分などその要因は、外部の政治問題ではなく大学内部の「問題」に発した。各闘争はそれら問題を「究明」することで「大学とは何か」「大学自治の担い手は」「研究体制はどうあるべきか」といった大学存在の根源にかかわる課題を次第に照射していった。また、「自治の内実」を問うたことは、ポポロ事件最高裁判決の妥当性を問うべき契機でもあった。だが、ほとんどの大学で、特権的な「教授会自治」に固執する当局は、いわば「権威の権力化」を露わにして、外部警察力をもって鎮圧するという対応を取り、学生の「異議申し立て」に耳を傾けることはおろか「大学存在」の意味を再吟味することもなかった（東京大学当局が「入試中止」の政府決定の恫喝を前にして全共闘との協議を破棄し、ロックアウトのなか機動隊導入を要請して、学生たちを構内から実力排除して「一件落着」としたことは象徴的だった）。大学「内部」の叡智を集めて事態を解決するという真の「大学自治」を発揮するのではなく、「外部」の力に依存して表面的な「ケリ」をつけたことの「負債」は大きかった。以後、「大学の自治」それ自体も形骸化し、国立大学法人化によって「大学自治」そのものさえ消滅することになる。「大学闘争」の本質を理解しない者たちには、もはや「大学自治」を維持・継続することも叶わなかった。

国立大学法人化＝権力の大学全面支配と大学自治の消滅

権力の「時代観察」は、時に実に正鵠《せいこく》を射ていることがある。国立大学の法人化がそれである。「大管法」の失敗以来、半世紀近くにわたる権力の長年の「大学支配」の野望は、「財政難」を口実にした国立大学管理への「介入」を「法人化」という組織改変によって「その道」を拓いた。大学運営費の削減（減少）分は、「大学の自助努力」（法人化による研究費の独自的確保など）として、企業等の委託研究に依存させ、多くの大学がこれまで批判的だった「産官学共同」路線を促すものでもあった。

この一石三鳥ともいうべき新たな「大学支配」は、「国立大学法人化法」（二〇〇四年七月、成立）という新たな法制度設定による「有無を言わせぬ」強権的かつ「合法的」なものであった。その「大学支配」の内実はこうである。

・「大学支配」に実を挙げるべく年々大学を「評価」する制度としての「評価委員会」を設置した（「法人化法」九条）。

・役員として理事（学外者）を置く（同一〇条）。

・大学の「重要事項決定機関」は経営協議会において審議し、理事を構成員に入れる（同二〇条）。

・大学の最高責任者である学長選挙は、「学長選考委員会」が行う（同一二条）。

・従前の全大学構成員による「投票による学長選」は前記「選考委員会」に取って替わられた。

明らかなように、「教授会」という従前の「意思決定機関」は消滅した。問題の多い「ポポロ事件最高裁判決」すら認めた「学問の自由」と強い関わりをもつ「大学の自治」、その大学の自治を成らしめる「教授会の自治」は、雲散霧消、剝奪された。

また、学長選も全構成員による直接投票という方式から外部者が構成員となる「選考委員会」による決定になり、学内意向は必ずしも反映されないものとなった。

こうした「露骨な」大学支配を目指した「法人化」であったが、ごく一部の教員や教職員組合の反対動向はあったものの、自治意識が低下していた当時の大学も国立大学協会も、もはや一九六二年の「大管法反対運動」のような強力な反対運動を行うことなく、この「法人化」法案はやすやすと国会を通過して全国の国立大学は特殊法人にされ、権力の大学支配は「成功」する。そして同時に、大学自治は消滅したのである。

〔二〇二〇年の世相を騒がせた、東大や筑波大の学長選挙における「紛糾」は、この「法人化」による大学自治の「消滅」の実情を見事に示したものといえよう。〕

こうした、「法人化」による権力支配の「後果」が明証されるような事例がある。

問題になった学長選――学長の任期撤廃、教職員による「意向調査」の廃止、学長候補者の非公表など――で「再選」された永田学長（国大協会長でもある）の筑波大学では、防衛施設庁からの「安全保障技術研究推進制度」による大型の研究助成（五年間二〇億円）が決まり、こうした大型助成を大学が受けるのは初めてという（「筑波大学新聞」第三五五号二〇二〇年四月五日）。

また、同大学は、二〇二〇年一〇月に文科省から「指定国立大学法人」に指定された。「指定法人」になると、出資対象の拡大や余剰金運用度増などの規制緩和の特典が得られる。また、若手教員の増員（全教員の三〇％）や企業と合同の「B２A（Business to Academia）研究所」を設置して産学共同を強化するという（同大学新聞第三五九号二〇二〇年一一月六日）。いずれにしても学術会議が提唱してきた「方向」とは、明らかに真逆の道を進んでいるようだ。

国立大学の法人化こそ、その用意周到な法制度を通じて、財政・人事・運営・研究の諸分野において「実勢」を掌握し、長らく定着してきた「大学自治」も消滅させて、権力にとって「大学支配」を確実なものにした「成功例」だった。

学術会議の「改組」が、この「成功例」に倣《なら》わないはずがなかった。

四　学術会議「法人化」――「自民党PT」報告書の目指すもの

二〇二〇年一二月九日、自民党「学術会議プロジェクトチーム（PT）」は学術会議改組の報告書『日本学術会議の改革に向けた提言』（以下、「自民党PT」報告書）をまとめ、発表した。「推薦者六名の任命拒否」の理由を一切明らかにしないなかで、一政党がナショナル・アカデミーの存否について議論することの異様さ、傲慢さは、政権の体質そのものを体現していよう。あるいは、「任命拒否」はこの学術会議改組に手を染めるための「キッカケ」とする「深謀遠慮」の策だったのかもしれない。

本書二九七頁で「現代の焚書坑儒」の狙いについて考察した。一言でいえば、政権による「『知の世界』の支配」である。この「自民党PT」報告書は、その「支配」を具現化するための方策を提起するものといえる。唯一といってもいいその方策は、学術会議の「法人化」であった。かつて、国立大学を対象に政府・文科省の「支配」を貫徹ならしめ、また大学自治を消滅させた、あの「法人化」である。

「自民党PT」報告書

まちがいなく、菅政権は、残された「学」の最後の砦である学術会議の改組に乗り出すだろう。アカデミーを支配してすべての「知の世界」を傘下に置くことは、全体主義的政権のつねなる「願望」だからである。

「自民党PT」報告書の骨子は以下のとおりである。

①　ガバナンス機能強化のための「第三者機関」（評価員会・指名委員会）**の設置。**
②　政策立案者・政策決定者との政策共創能力の向上。
③　会員専門分野の比率の見直し。
④　会員の第三者機関による推薦制の導入。
⑤　財政基盤について、運営交付金のほか民間委託研究や寄付等による「競争的資金」の導入。
⑥　組織形態を「独立した法人格」とする。

これらの「方向性」は、先述の国立大学法人化の内容と酷似する。
①の「第三者機関」は、「評価委員会」にとどまらず、学術会議の運営そのものを司る「運営委員会」や会長選任の「選考委員会」へと拡大波及するだろう。
②は、既述のように、井上科学技術大臣が、梶田学術会議会長に「デュアルユース（軍民両用）の研究を行うよう」直接申し入れていることに象徴されるように、「軍事研究推進」などの政府決定政策に「歩調」を合わせろということである。
③は、理工系分野の会員を増やせ、ということ。政策批判はほとんどが人文系会員から出ることへの「牽制」と、理工系分野における民間からの委託研究の容易さ（⑥と関連）。
④は、単に「会員」のみでなく会長選任など人事面における「第三者機関」の機能強化（国立大学法人化における第三者機関の「運営委員会」や「選考委員会」のメンバーの半数は「外部」の人間である）。
⑤国立大学法人とまったく同様の財政事情。法人化以前は「産学共同」はほとんど禁句だったが、今や「競争

的資金」獲得のために、大学での「研究環境」は「産官学共同」はむしろ当たり前にさえなっている。その「コピー」をナショナル・アカデミーに押し付けようという。アカデミアの使命や役割を「わきまえない」発想。

⑥政府・自民党の学術会議「改革」の眼目＝「法人化」である。既述のように、国立大学法人化による「財政・人事・運営・研究の諸分野」を一括掌握する「魔法の杖」としての成功例に倣う「特殊法人」への組織改変である。

もとより、「自民党PT」報告書が提起するような学術会議「改革」は、その存在が定められている元の法律＝日本学術会議法の「改正」を必要とする。前述したように、国立大学の法人化も新たな「法」の制定によって成った（「国立大学法人化法」〈二〇〇四年七月、成立〉）。同法が国立大学の新たな「財政・人事・運営・研究」の全面にわたる規定を行って、権力による「大学支配」を可能ならしめたことも見てきた。

このたびの、「自民党PT」の報告を受け、菅首相はそれを重視して政府対応を行うことを明言していた。つまり、「自民党PT」報告書に沿った学術会議法の「改正」がなされることになろう。

ここで、敢えて、同「改正」によって学術会議がどのように「変容」されることになるか、「予想」してみたい。国立大学法人化法が「手本」になるだろうだから、およその内容は想像に難くない。

・学術会議の運営は、「運営委員会」が決定する。「外部の」理事が入ることは確実（大学は半数）。
・学術会議会長は会員の選挙に依らず、理事が相当数入る「選考委員会」が選任し、文科大臣が任命する。
・学術会議新会員候補は、同じく「選考委員会」が選定・推薦し、同じく文科大臣が任命する。
・軍事研究可否などの「運営方針」は、「運営委員会」の議による。

・学術会議の活動を評価するために「評価委員会」を置く。
・運営委員会や選考委員会、評価委員会などの委員の半数は外部者とする。

かくして、ナショナル・アカデミーとしての日本学術会議は、国立大学同様、文科省・政権の全き支配下に置かれることになるだろう。それは、もはやナショナル・アカデミーの名に値しまい。

くりかえすが、菅首相が六人の学術会議新推薦者の任命を拒否して「学術会議問題」を引き起こしたのは、こうした学術会議改組が狙いだったのかもしれない。そうだとすれば、相当な「深謀遠慮」――むしろ「謀略」か――というべきだろう。われわれは、こうした「方向」が見えている以上、ナショナル・アカデミーの学術会議を「第二の法人化国立大学」にしてはなるまい。

学術会議の「中間報告」

学術会議は、「自民党ＰＴ」報告書が発表されたのを受け、「中間報告」（二〇二〇年一二月一六日）を出した。法人化への改組を提起した「自民党ＰＴ」報告書に対して、ナショナル・アカデミーが具備すべき「要件」を整理し、現行の学術会議はその条件を満たしており、敢えて改組する必要性のないことを強調した。その「要件」とは以下の五点である。

① **学術的に国を代表する機関としての地位。**
② **そのための公的資格の付与。**
③ **国家財政支出による安定した財政基盤。**
④ **活動面での政府からの独立。**

⑤ **会員選考における自主性・独立性。**

これらの「要件」について、同「中間報告」は冒頭で、各国のアカデミーの設置形態は多様だが、この五点については共通したものであることを強調していた。

また、「中間報告」は、平成二七年度の内閣府「日本学術会議の新たな展望を考える有識者会議」の報告書が、「国の機関でありつつ独立性が担保されている現在の制度を変える積極的な理由を見出しにくい」としていたことを記し、今般の「自民党PT」報告書の「法人化」改組の提起に強い疑問を呈している。

事あるごとに「第三者機関」を強調する「自民党PT」であるが、文字通りの第三者の有識者会議が「制度変更必要ナシ」とした審議結果をどう受け止めたのか。一政党の「党利党略」によるナショナル・アカデミーへの「介入」などは厳に慎むべきことであることを、この有識者会議の審議結果は語っていよう。

「中間報告」はさらに、「自民党PT」報告書が改組のあり方として「独立した法人格」を提起したことを受け、具体的な「設置形態」に言及している。①「独立行政法人」、②「独自法による法人(国立大学法人に準ず)」、③「特殊法人」、④「公益法人」の四形態についてである。いずれも、先の「五要件」の確保が大きな課題であるとの注釈を付している。いずれの「形態」も、先述のような「運営委員会」「評価委員会」「選考委員会」などの多数外部者メンバーによる各種「委員会」によって、文科省・政権の意向が強く反映され、事実上「政府による管理下」に置かれることは容易に予想される。

この「設置形態」については、既述のように学術会議は「日本学術会議法」という特別法によって設置されているので、その「改組」は当然この特別法の改正を行わねばならない(特別法を廃棄することは考えられない)。いずれにしても法人化の「改組」を行えば「改正学術会議法」という「独自法による法人」になるはずである。

つまり、前記②の設置形態、国立大学法人と酷似した形態になる。本稿は、再三、政権や「自民党ＰＴ」が目指すのは、この国立大学法人の「方向」であろうと指摘してきた。初めから「成功例」に倣った「改組」が目論まれていたということであろう。

すでに古参の元大学教員から「学術会議の法人化反対」の投書もメディアに現れている（「東京新聞」二〇二〇年一二月一九日）。「法人化」後における「自治消滅」という著しい大学の変容を体験した大学人なら、「法人化学術会議」の危険性は容易に推察することができるにちがいない。

さらに、学術会議は年明けの二〇二一年一月二八日、「声明」を発している。「日本学術会議会員任命問題の解決を求めます」と題した同声明は、任命拒否された六名の推薦者のすみやかな任命をあらためて強く求めている。

任命権者の菅首相も政権も、自ら「任命拒否」という前代未聞の違憲・違法問題を引き起こしながら、「拒否」の理由をいまだに示すこともなく、また、この任命問題の解決を図ろうともしない。無責任のそしりは免れない。任命問題そのものを「放置」したままで、自党の「ＰＴ」に学術会議の「改組」を提起させることは、問題のすり替えであり、あるいは初めから「改組」が狙いの「謀略」だったと取られても仕方ないところである。

㈤　全国民的課題——民主主義の危機

今般の学術会議問題は、如上の権力と「知の世界」、あるいは政治と学問との間の古くて新しい「国家統制」の歴史的推移の「帰結」として捉えねば、その本質を見抜くことはできないであろう。それは、繰り返しになるが、権力が独裁化を狙う時に必然的に現出する、対国内民主主義の抑圧・弾圧という全体主義的政策の「初動」だということである。

一方、権力に対峙する「抵抗勢力」の側の課題もきわめて重要である。

池田内閣の「大管法」を阻止したのは、大学関係者ばかりではない全国民的な反対運動の「力」であった。権力と国民大衆とのパワーバランスにおいて、国民大衆の「重石」がより重かったのである。本書三一二〜三一三頁で紙幅を割いてその「史的実態」を辿ったのは、全体主義が進行するなかで、この「国民力」「市民力」をどう構築するかという課題への「前奏曲」として意図したのだった。

学術会議問題の帰趨は、まさしくこの両者のパワーバランスがどうなるかによるであろう。そのためにも、この学術会議問題の史的で理論的な位置づけが求められているのである。

この国民サイドのパワーバランスを考えるに当たって、少々考慮する課題がある。それは、国民の間にある「象牙の塔へのアパシー」とでもいうべき「無関心」である。検察幹部の定年延長を狙った「検察庁法改正」の閣議決定に基づく改正法案に対しては、多くの芸能人を含めた国民的な反対の声がＳＮＳを通じて大いに盛り上がり、権力に法案審議を断念させた。だが、この学術会議問題では、一部映画人・演劇人の反対声明が出されたものの、一〇〇〇を超えた抗議声明を発出した団体は、学会や市民運動団体などもともと「学問の自由」や「民主主義・人権」を問題にする組織であり、一般大衆とは少々かけ離れた「知の世界」の関係者たちであった。

この一般大衆の「無関心」がどのように「関心」に変わるかは、学術会議問題の帰趨にかかる重要なことがらであろう。

ここで、「国民力」「市民力」の重要さについては、「緊急事態条項」の問題において憲法学者の小林直樹がその「至言」によって指摘していたことを想起したい。

「緊急時はもとより平時においても、権力の恣意的で意図的な改憲の策動を排し、立憲制を支えるのは、国民の常なる憲法への深い関心と強い人権意識である」（小林直樹『国家緊急権―非常事態における法と政治―』学陽書房　一九七九）

ここで「改憲」を「学術会議改組」、「立憲制」を「学問の自由」、「人権意識」を「自由意識」と置き換えれば、まさしく、菅政権のこのたびの学術会議にかかる「野望」「策動」に対する最大の「カギ」が「国民力」「市民力」にあることが容易に理解されるだろう。

権力の「暴走」を阻止できるか否かの最終的な「力」は確かに「国民力」「市民力」に違いないが、先の「知の世界」へのアパシーがあるとすれば、それをどれだけ希薄化できるかが重要になる。おそらく、その回答はきわめて「簡単」なことではないか。

まずは、「知の世界」の人びとが真剣に闘い続けること、自分たちの「命」の問題として闘うことに尽きるのではないだろうか。権力に阿《おもね》る者たちが出るのはいつの世も同じで、彼らは所詮「知の世界」の者たりえないから、けっきょく「世間」も相手にはしないだろう。真摯に闘う「知の世界」の人びと――学者、知識人、大学人など――のその「真摯さ」がいずれ世間に届くはずである。

「学問の自由」「言論の自由」「表現の自由」に直接携わる者たちの問題意識・当事者意識とその「使命」の発揮である。これら「自由」に携わる者をここで一括りにして「知識人」と呼ぶことにする。あるいは、職業人になる以前のそれら「自由」を学ぶ者たちもこの「括り」に入れてもいいかもしれない。香港における「一国二制度」の民主主義と自由を守る闘いの最前線に立つのは、これら若き学生たちであることを想起すれば十分だろう。

そして次に、「知の世界」や「専門領域」の裡に留まり続けるのではなく、こうした「知の危急存亡」においては、進んで国民・市民へ働きかけることである。小林直樹が言うように、国民力こそが帰趨を制するのであれば、かれら国民との「共同戦線」を張ることである。学術会議もまた、内部での議論や対政府交渉、あるいは声明発出に留まるのではなく、積極的に国民・市民へ働きかけ彼らとの共同戦線を張って共闘し、かれらの「底力」を借りる必要があろう。集会、シンポジウム、講演会、学習会など国民・市民との「交流場」を設けて、質的にも量的にも「共闘の輪」を最大限拡充することである。

こうした、「何をなすべきか」について、すでに多くの識者がその体験を通して、名言を残している。

加藤周一は、「知識人」には、危機に臨んではその「自由」を守る使命あるいは任務があることを強調し、さらに「人民との共闘」の重要性についても明快に語っている。

「民主主義のために、再び反革命に成功の機会を与へないために、知識人は、力を獲得しなければならず、現実的な方法を発見しなければならない。之は、趣味の問題でも、イデオロギーの問題でもなく、怖るべき年々の体験と社会的責任の問題である。人民のために語り、人民と共に進み、人民の中で闘ふ以外に、道はないのだ」（加藤周一「知識人の任務」『言葉と戦車を見すえて』筑摩書房 二〇〇九）

ノーム・チョムスキーは、「言論の自由」「表現の自由」に関してかかわった自らの信念を語りつつ、その普遍的な重要性を示唆する。

「わたしが関心をもったのは、…表現の自由についての根本的権利のいちじるしい侵害という部分だけです。…表明された思想や、思想を表明しようとしている人物について、わたしに具体的に知る義務があるとはまったく思いません。…『理性』の根本原理にしたがい、市民の権利を守ろうとする人間にとっては、これが自明の理であることはいうまでもないでしょう」（ノーム・チョムスキー『チョムスキー、世界を語る』田桐正彦訳　トランスビュー二〇〇二）

ここで、チョムスキーが述べていることは含意が深い。他者の「自由」の闘いの支援をする時に肝心なことは、「自由への侵害」という基本的なことが重大なのであって、その「他者」の思想や人物像が問題なのではないということである。これは、今回の学術会議問題に敷衍してみれば、任命拒否された六名の学者個々の思想信条や人物像などが問題なのではなく、「学問の自由」を侵害した政権の違憲・違法行為そのものが問題だ、ということになろう。それはさらに、「彼ら六人が学者である」ことも問題でないことを意味する。「自由」の問題は、「学問」であろうと、「言論」であろうと、「表現」であろうと、近代憲法なら国民が等しく保有する基本的権利である。その権利侵害があった時には、それは当事者の問題に限定されるのではなく、等しくその権利を有する国民全体の問題なのだ、ということになる。まさしく、学術会議問題は、単に学術会議だけ、あるいは当の六人の学者だけの問題ではなく、日本国民すべてに向けられた「自由」の侵害なのである。

西ドイツの大統領だったヴァイツゼッカーは、真の政治家のみがもつ政治への深い理解と信念を持っていた。

彼は、ヒトラーによって無惨にも悪用されたヴァイマール憲法に替わる「基本法」の効用について語るなかで、「自由」と「真実」の探求へのすべての国民の「参加」を促していた。

「自分は真実を把握しているなどと考えて、他人の自由を制限してはなりません。しかし、真実をめぐる争いなしにすますわけにはいきません。有権者も政治家も、老いも若きも、男も女も、素人も専門家も、われわれ全員が自由と真実の探求とを結びつけつつ将来の問題の解決に参加する必要があります」（リヒャルト・フォン・ヴァイツゼッカー「基本法とともに四〇年」『ヴァイツゼッカー大統領演説集』永井清彦訳　岩波書店　一九九五）

自由と真実は、まさしく全国民の課題だということである。

ヴァイツゼッカーが「国民参加」を呼び掛けたのは、それが民主主義の基本原則でもあるからだ。「基本法」はいわば憲法に該当するものだが、ここで日本国憲法についての「基本」をあらためて確認しておきたい。芦部信喜が憲法学の泰斗《たいと》であることはよく知られているが、氏は「立憲主義と民主主義」について明快に語っている。

「立憲主義は民主主義とも密接に結びついている。すなわち、①国民が権力の支配から自由であるためには、国民自らが能動的に統治に参加するという民主制度を必要とするから、自由の確保は、国民の国政への積極的な参加が確立している体制においてはじめて現実のものとなり、②民主主義は、個人尊重の原理を基礎とするので、すべての国民の自由と平等が確保されてはじめて開花する、という関係にある」（芦部信喜『憲法 第七版』岩波書店 二〇一九）

だが、立憲主義に言及する時、われわれが看過できない権力の「動向」がある。敢えて立ち止まって考えたい。「自民党憲法改正草案」（二〇一二）は、前文「日本国は…」で始まるように国民主権よりも国家主義を前面に押し出して露骨に「戦前回帰」を謳ったものであるが、見逃されがちな問題がある。それは「憲法は権力を縛る」という近代憲法の大原則である「立憲主義」をも否定して、「国民を縛る」ことを条項に明記したことである。

・現日本国憲法九九条「天皇又は摂政及び国務大臣、国会議員、裁判官その他の公務員は、この憲法を尊重し擁護する義務を負ふ」

・自民党改憲草案一〇二条一項「全て国民は、この憲法を尊重しなければならない」

現憲法には「国民の尊重義務」など規定しない。もともと憲法は国民が権力を縛る武器であるという近代立憲主義に立脚するからである。ところが「自民党改憲草案」は、上記のように条項を設けて国民の「尊重義務」まで謳っている。近代憲法の「立憲主義」を否定する以外の何ものでもない。

国民と権力との「対峙」における憲法の重大な意義について「近代立憲主義」の重要性を復権させ、また自身憲法「改正」への権力の恣意的な動向に対して「異」を唱えて批判を続けてきた憲法学者の樋口陽一は、この自民党の「改正草案」について、ことに「個人尊重」という現憲法の基本理念が抹殺されていることを重大視している。

「現行憲法本文の核をなす一三条の、『すべて国民は、個人として尊重される』の文言の『個人』が『人』に替えられることは、『人類普遍の原理』を拒絶することの意味を、一層鮮明にするだろう。それは、個人を出発点として公共社会を想定してきたホッブス以来の近代国家思想そのものの拒否に他ならないからであ

る」（樋口陽一「学問・政治・憲法のトリアーデ」『抑止力としての憲法』岩波書店　二〇一七）

戦前の「国家主義」の明治憲法下で全体主義が強化される過程で、学者・知識人への弾圧がやがて一般国民の弾圧へ、そして国家総動員の戦時体制へと突き進んだ事実をあらためて想起する必要がある。知識人へのあるいは学問への「アパシー」では済まないのである。アカデミーに対する介入・弾圧は、重ねて記すが、全国民弾圧への「序曲」なのである。

中国侵略・太平洋戦争へと一気に「戦時体制」に傾斜していく、その「序曲」となった「滝川事件」。同事件の時、学生として運動にかかわった久野収については先にも触れた。この「知識人弾圧事件」について、後年、氏は「いかに戦うべきか」をあらためて述懐している。期せずして、加藤周一同様、「国民との共闘」の重要さを強調しているのである。

「…もちろん外へ出てゆくためには当時の政治権力の苛酷な抑圧をどうしても避けることはできない。これは、どうしても否定することのできない頑固な壁である。しかしこの頑固な壁を破るためにはやはり国民との協力が必要である。この協力のみが壁を破りうるのであって、道はそれ以外にどこにもなかった」（久野収『三〇年代の思想家たち』岩波書店　一九七五）

筆者が共同代表を務める「憲法を考える会」（フリージアの会）は、この学術会議問題に対して、すぐさま「声明」を発出し（二〇二〇年一〇月五日）、この問題がわが国の民主主義全般に対する「蟻の一穴」であることを強調し、この危険な政権への「信託」拒否を国民・市民に広く訴えた。

最後に、同声明の一部を引用して本稿を閉じることにしたい。

「この任命拒否は、学術会議だけの問題でも、また学問の自由だけの問題でもありません。…学問や言論の自由への挑戦・弾圧は、必ず広範な平和・民主主義・人権などの諸相に及ぶものです。『蟻の一穴』です。現憲法が定める諸規定の強固に見える『堤』も、その一穴から容易に崩壊するものです。安易に見てはなりません。…このたびの任命拒否は全国民的問題であり、その不気味な背景に思いを致さねばなりません。こんな非立憲的政権に、私たちは憲法前文に謳うような統治を信託することはできません！」

《追記》　二〇二一年一〇月四日に発足した岸田政権。その新政権は、学術会議自体はもとより、多くの学会・市民団体、メディアなどからこれほど多くの「異議申し立て」の言動があったにもかかわらず、学術会議問題については「もう前政権で済んだこと」と、任命拒否の六会員候補者の「任命復活」どころか、まったく「意に介す」ことがなかった。

その岸田政権は、二二年も押し迫った一二月六日、一連の「暴走政策」（「別稿13「暴走」政権――軍事大国化・原発回帰・経済安保法・学術会議介入…」参照）の一環のなかで、「済んだはずの」この問題にいきなり「新たな介入方針」を決定、発表してその「権力亡者」たるの本質をあらためて顕示したのである。

内閣府は、同一二月六日付けで「日本学術会議の在り方についての方針」なる文書（A４判、三頁）を公表した。「科学的助言等」「会員等の選考・任命」「活動の評価・検証等」「財政基盤の充実」「改革のフォローアップ」の五項目である。政権は、この方針に基づき、次期通常国会で現行の「日本学術会議法」を改正するとしている。

主な重大問題は、「選考・任命」と「フォローアップ」の項である。「任命・選考」の項では、会員外の第三者による選考への関与と、内閣総理大臣による任命をはっきりと位置付けるとしている。

また「フォローアップ」の項では、法改正後の改革のあり方として「国とは別の法人格」を含む組織改変の方向性を明記している。

本稿でも述べたように、前者の「選考・任命」は、明らかに国の「介入」を意図したものであって、学術会議の独立性を剝奪して学問の世界を権力支配下に置くことを意味する。

後者の「法人化」は、同じく本稿で見たように菅政権下の「自民党PT」が打ち出したもので、国立大学法人化による「大学自治の消滅」を想起すれば、やはり学術会議の独立性の簒奪《さんだつ》を意味しよう。「前政権で決着済み」としていた学術会議問題に、岸田政権は「鎧をかなぐり捨て」、いよいよ本性を露わに「法改正」による「介入・支配」に乗り出したのである。

しかし、およそ、古今東西、学問の世界を支配下に置こうとした独裁的・専制的・強権的な権力者は、つねに「自滅」していったことを本稿も見てきた。「愚者は歴史から学ばず」という…。

一方、当の学術会議は、一二月二一日の総会においてこの「政府方針」に「反発」する六項目より成る声明（実質A4判、三頁。「内閣府『日本学術会議の在り方についての方針』について再考を求めます」）を採択し、発表した。文末で「日本学術会議の独立性を危うくしかねない法制化だけを強行することは、真に取り組むべき課題を見失った行為と言わざるを得ず、強く再考を求めたい」と結んでいる。声明タイトルもだが、「再考を求める」というのは、「法」に基づいた独立した学問団体としての矜持と責任を感得できるような強い姿勢を認めがたいものでもある。しかも、この声明は、前述の「フォローアップ」における「法人化」の「危険性」については一切触れていない。先の「自民党ＰＴ」の学術会議改変の骨子がこの「法人化」であったことを忘れたのだろうか。岸田政権は、その「方針」をきちんと「温め続けている」ではないか。

そもそも、学術会議は、政権との「交渉」だけで、この「難題」が解決できると考えているのか。「六人任命拒否」問題が起きた時から、「これは学術会議問題にとどまらない重大問題だ」と、筆者も、そして一〇〇〇を超える実に多くの学会・市民団体や、多数のメディアが指摘してきたことである。「国民と共に政権に立ち向かう」ことが唯一の解決の方途である。政権が現行学術会議法の改正という「法制化」を明言しているのだから、なおさらである。

たとえば、「信濃毎日新聞」は一二月二三日の社説「学術会議の声明　議論を社会に広めねば」において「学術会議の存在意義や会員選考のあり方について、市民との対話や議論の場を広げることが欠かせない」と主張している。まったくその通りである。くり返すが、この問題は、「国民との共闘」以外に活路は開けないだろう。

16 大坂なおみの「問題提起」を考える
――人権思想の原点から

日本国籍を有し、女子テニスプレーヤーとして全米・全豪の「四大大会」をそれぞれ二度制覇し、世界ランキング二位として二〇二一年の全仏オープンテニスに臨んだ大坂なおみだが、同大会直前に発した自身のツイッターで「試合後の記者会見拒否」を明言し、実際、一回戦勝利後の会見を拒否して主催者から一万五〇〇〇ドル（約一六五万円）のペナルティーを科され、そして、その後彼女は二回戦を棄権し、自身が「うつ病」に悩んできたことを告白した。

彼女の一連の「言動」は、世界のメディアやアスリートをはじめ病理の専門家までをも含めて、多くの議論を呼んでいる。

「多額の報酬を得ているプロスポーツの選手が記者会見に応じるのは当然」「自分の言い分が通らないから棄権というのは、彼女のわがままだ」「病気なら初めから大会に参加しなければいい」などの否定的な意見がある一方、「選手を代表してよく問題提起をしてくれた」「選手としての精神的抑圧はよく理解できる」「プロスポーツ（の主催者）は選手の人間性を軽んじている」などの同情論や賛成論も多い。人権重視の昨今の世界的風潮にあって、むしろ大坂のスポンサー企業など、彼女の言動を支持する向きも多いようだが…。

ここでは、彼女の「問題提起」が何であったかに焦点を絞り、「商品」として扱われやすいプロスポーツ選手の「人権問題」について考察したい。

「人権」は、絶対王政や強権君主制を倒す「革命」を通じて確立していった、あらゆる人間についての「自由・

平等・博愛」の理念・思想が反映された現代憲法の根幹をなす基本的で普遍的な要素だからである。「憲法に関心をもつ」者なら、当然無視できない課題でもある。

わが国では、「男女雇用機会均等法」が一九八六年に施行されて三五年。だが、国会議員の女性比率や企業役員の女性比率などはＯＥＣＤ加盟国の中で最下位と、女性への「差別」が依然として根強い。

最近のＬＧＢＴ法案（性的少数者差別禁止法）の国会審議においても、全与野党が法案成立促進の合意をしていたにもかかわらず、自民党内の議論で「種の保存原則にもとる」などの時代錯誤の暴論が出て、結局国会への法案提出が見送られたばかりである。人権後進国、日本…。

女性や性的少数者への人権無視は、このように顕著なこの国である。果たしてそうした人権無視の風潮は、女性やマイノリティに対してだけだろうか。アスリート、とりわけその活動を職業とするプロのアスリートにこの「人権無視」はないのか。このたびの「大坂なおみ問題」は、この課題を見事に照らす好例と言えるであろう。

折から、日本ではコロナ感染症が収まらず、九都道府県に対して緊急事態宣言が発令・延長され、特に医療崩壊や医療逼迫が強く懸念され、毎日一〇〇人前後の死者も出ているというこの時節に、オリンピック・パラリンピックの開催が強行されようとして大きな社会的関心事になっている。莫大なテレビ放映権の収入を重視するＩＯＣの役員たちの、「東京が緊急事態宣言下でも開催する」などという本来の「平和の祭典」としてのオリンピック精神とは相容れない非常識な発言が飛び交って、世界中からヒンシュクを買っているのである。ビジネス化したスポーツの人の命や健康をも無視したような「商売根性丸出し」の姿勢は、このたびのテニス四大大会主催者とその軌を一にするといってもいいだろう。「大坂問題」は、あらためてこのスポーツの過度のビジネス化・商業化と人権をめぐる問題を示しているのである。

(一)　大坂なおみの問題提起

はじめに確認しておきたいが、大坂の「会見拒否問題」は、彼女の年収の程度とは関係ないことである。年収の多いプロ・アスリートはどんな会見にも出席せねばならないというのであれば、プロのビジネスマンとして全世界のユーザーから利潤を稼ぎ彼女の数百倍・数千倍もの資産を保有する、ビル・ゲイツ（マイクロソフト創業者）やジェフ・ベソス（アマゾン創業者）らの大富豪は、すべからく望みもしない会見に出席して多くのカメラを前にして答えたくない質問にも応じなければならなくなろう。人権は、まさに、人種、性、言語、宗教、職業、そして貧富の別を超えて、あらゆる人に平等に備わり、また付与されるべき基本的権利である。

彼女がこの「記者会見拒否」の問題についてはじめに発したツイッターは、このように記されていた（二〇二一年五月二七日付。原文英語。筆者訳）。

「…私は、ローランギャロス（全仏オープン）の間、記者会見に臨まないということを表明すべくこのツイッターを書いています。人々がアスリートのメンタルヘルスに配慮しないことをしばしば感じてきたし、現に、記者会見に臨んだ時にはいつも実際そうだと思ってきました。…もし、主催者が『記者会見に応じよ、そうしなければ罰金を科す』と主張し続け、またその共同作業の中核をなすアスリートのメンタルヘルスを無視続けるなら、私はもう笑うしかない。…」

「笑うしかない」といった彼女流の表現は別にして、このツイッターの文言が、大会主催者に重大な問題提起をしていることは、誰にも容易に解ることだろう。その重大な指摘は、こう整理できよう。

それは主催者側の問題として「改善」すべく突き付けられているのである。

①　記者会見を義務化し、それに反したら罰金を科すことになっていること。
②　大会の「主人公」である選手たちのメンタルヘルスへの配慮がないこと。

そして、彼女は全仏オープン一回戦でルーマニアのパトリツイア・マリア・ツイグ選手に6－4、7－6のストレート勝ちを収めた後、コート上でのインタビューには応じたが、記者会見は「宣言」どおり行わなかった。

これに対して、主催者（四大大会主催者 Grand Slam Board）は、大坂に一万五〇〇〇ドルの罰金を科し、さらに異例の「共同声明」を発した（五月三〇日）。「今後も記者会見拒否が続けば、いっさいの四大大会（グランドスラム）への出場停止もある」と。

これは、どうみても、はじめの大坂のツイッター（五月二七日）での問題提起を考慮した上での対応とは言えまい。「記者会見の義務化と罰金」「メンタルヘルスへの配慮ナシ」という指摘にまったく真摯に応えていない。罰金を科した上に、「四大大会からの締め出し」の恫喝をしたにすぎない。「主催者」はかくも傲慢なのだ、ということを天下に示したも同然である。大坂が前述のツイッターで「共同作業の中核をなすアスリート」とわざわざ記したのは、「大会の主人公は主催者ではなく選手たちだ」と暗示していたのだということに留意すべきである。実際、そのとおりだからだ。われわれ一般民衆がテレビにかじりついてテニス中継を観るのは、主催者の立居振舞や運営なんかではさらさらなく、選手たちの試合そのものである。選手あっての大会だ。

四大大会主催者の「対応」が出たあと、大坂は二回戦の棄権を表明し、「反論」をおこなった。そのツイッターで彼女はこう述べた。

「怒りは理解の欠如。変化は人々を不快にさせる」

そしてインスタグラムには「さようなら、これで清々する」とうたったCDのカバー写真を載せた。どう見ても、大坂と四大大会主催者との「応酬」である。そして大坂は実際に二回戦を棄権し、さらにツイッターで自身が「うつ病」を病んできたことを告白したのである（五月三一日）。

「…今は、数日前に投稿したときには意図も想像もしていなかった状況です。…実は、私は二〇一八年の全米オープン以降、長い間ウツを患い、対処するのに本当に苦労してきました。…パリでは、すでに不安で傷つきやすい状態になっていたので、自分を守るためにも記者会見を回避した方がよいと考えていました。いいいい先んじてそれを発表したのは、ルールが部分的にかなり古く、それを強調したかったからです。…時期が来たらツアーと協力して、選手たちや報道機関、ファンの皆さんと事態を改善する方法を話し合いたいと思っています。…」（傍点、引用者）

大坂の試合中の仕草や試合後のインタビューなどをテレビで観ていれば、彼女がデリケートな性格であることは容易に想像できる。彼女がツイッターで綴ったように、初めて全米オープンのクイーンになってからは一挙に世界注視の選手になって、メディアを含めた周囲の視線や言動によって緊張も強いられていっそうストレスも溜まり、精神のバランスを崩して「うつ病」を患ったというのもきっと事実だろう。

だが、この「二回戦棄権」の決断と、自身のうつ病告白のツイッターに接して、筆者はやや「違和感」を覚えたのも否定しない。それは、こういうことである。

まず、「棄権」という方法をとることによって、自ら「仕掛けた」改革論争の「場」から退却してしまったこと。彼女が問いかけた一つの問題は、すべての大会参加選手に勝敗の如何を問わず、勝者も敗者もすべからく記者会見に応じる「義務」を負い、しかもそれへの違反には少なからぬ罰金が科されるという大会ルールへの疑問とその改善だったはずであり、それには当然主催者との交渉や他の選手をも含めた幅広い論議が不可欠であり、「棄権・退場」では、自ら交渉や議論の場を放棄することになってしまう、ということである。

次に、彼女が提起したもう一つの課題は、選手のメンタルヘルスへの主催者の配慮のなさであり、大会におけるそのメンタルヘルス配慮の具体的方策はどうあるのがいいのかという「改善策」についても、当然選手側の意向も反映した関係者間での議論や合意が必要である。「棄権」では、議論の場の放棄になってしまう。

しかも、彼女の提起した二つの問題は、大会ルールの「改善」問題であって彼女個人の問題ではなく、大会にかかわる関係者（主催者・選手・メディアなど）すべての問題であり、基本的には大坂自身が「うつ病」を患ったか否かという次元の問題ではないということである。メンタルヘルス・ケアという選手全体にかかわる課題が、本人が罹患を「告白」することで、個人問題に矮小化されてしまう惧れがある。つまり、「それは、それは、お気の毒でしたねえ」という同情を誘うことにはなっても、大会としてのより公式的なメンタルヘルス・ケア方策策定への全体的合議への新たな提起にはなりにくい、ということである。

もちろん、こうした「個人事情」を開陳するという「対応」をとったのは、それなりの「いきさつ」があってのことだったことも、われわれは理解する必要がある。おそらく、それは主催者声明が「すべての四大大会からの排除」を示唆したことが原因だろう。まさしく、恫喝である。正当なルール改善への問題提起に対して、主催者は「問答無用、お前を永久に放逐するぞ」と脅したのである。

大坂はもともと「個人事情」の開陳は望んでいなかったろう。それは、彼女自身の先のツイッターの文言からも読み取れる。「今は、数日前に投稿したときには意図も想像もしていなかった状況です」。

第三者として「判定」すれば、大坂の「戦略・戦術」の「甘さ」は否定しえないだろう。ルールへの疑問とその改正の必要性を主張することはきわめて正当なことであって、大会自体のより望ましい運営に資することでもある。しかし、はじめに「記者会見拒否」を宣言したことは、議論の余地を残すことにはなりにくいし、また、自らの「足場」を失うことにもなる。大坂と主催者は、互いにプライドをぶつけて「ルールどおりにやる」「それなら棄権する」という、すでに見たような意地の張り合いの「応酬」になってしまった。

だが、われわれは、大坂の「稚拙な」戦略・戦術だと思えても、彼女の立場を擁護すべきである。なぜなら、主催者こそは選手をその「ルール」によって（大会への参加の諾否権も有する）支配・君臨する絶対権力者であり、選手との関係は、まさしく「強者と弱者」あるいは「君主と従者」との関係だからである。大学生と同年代の二二歳という若者の言動である。われわれは、彼女の真意を汲みとり理解することがたいせつであり、また、「社会的問題」「人権問題」としてそれを普遍化して考察することが客観的に要請されてもいるのである。

大坂が全仏大会からの「棄権」を表明し、自身が「うつ病」を患ってきたことを告白すると、世間はこぞって大阪への同情論や支持論が沸騰した。「弱者いじめ」として「世間体」を悪くした主催者は、すかさず、声明を世間に向けて発したのである（六月一日）。

「可能な限りのサポートと援助を提供したい。彼女は卓越したアスリートで、自身が適切と判断した時の復帰を楽しみにしている」

四大大会からの締め出しの恫喝をし、結果、彼女に「棄権」の選択を取らせた張本人が、むしろ「空々しい」声明発出ではある。世間の批判をかわすための「お為ごかし」であることは明白である。大坂の問題提起にいっさい触れていないことでも、それはよく解ることである。

あらためて、その大坂の問題提起を確認しておきたい。それは、彼女のツイッターでもはっきりと謳われていた。「先んじてそれを発表したのは、ルールが部分的にかなり古く、それを強調したかったからです」（前記引用ツイッター文、傍点部）。筆者が整理したその二点を再掲する。

① 記者会見を義務化しそれに反したら罰金を科すことになっていること。

② 大会の「主人公」である選手たちのメンタルヘルスへの配慮がないこと。

㈡ 「テニス四大大会」（グランド・スラム）とそのルールの特異性

大坂が四大大会が定める記者会見の義務を拒否した「動機」は、そのルールの「古さ」を問題にしたからだった。では、そのルールというのはどういうものなのか、きちんと見る必要がある。

それは公式規則集として公開されている。原題は“2021 OFFICIAL GRAND SLAM RULE BOOK.” A4判で全八二頁にわたって実にきめ細かく諸々の規則が定められている。その中で参加選手に課せられた規則は、「グランドスラム行動規約」（GLAND SLAM CODE OF CONDUCT）の第Ⅲ章「選手の現場での義務違反」（PLAYER ON-SITE OFFENCES）に規定されている。その中の「H」が記者会見の義務を、「T」が罰則について詳細に定めている。各項要点を訳出してみた。

H 記者会見：選手もしくはそのチームは、勝者、敗者にかかわらず、負傷で出席不能でない限り、三〇分以内に試合後の記者会見に出席しなければならない。この規定に違反した場合は上限二万ドルの罰金が科せられる。

T 不履行：すべて規則不履行の場合は、大会代表者と審査者による決定は最終的なものであり、不服申立てはできない。規則不履行をなしたすべての選手は、罰金科料に加えて当大会で得たランキングポイントと賞金を失う。また、規則不履行の選手は、当該試合のほか他の試合（四大大会）の出場ができなくなる。

「H」の記者会見について、主催者は「メディアが競技の発展やファン拡大に大きく貢献している」（五月三〇日声明）として、記者会見を義務付けた規則の「正当性」を主張していた。部分的には一理あるが、今や、グランドスラムは全世界にテレビ中継され一日何億人もの視聴者がライブで「観戦」している時世である。試合後のコート上でのインタビューもある傍ら会見場での別途記者会見にどれほどの「意味」があるのか、疑問である。テレビの生中継がなかった時代なら、「Press Conference」も大きな意義もあっただろうが。もうそんな時代ではなかろう。今は、ウインブルドン大会が始まった一〇〇年以上も前の一九世紀後半でもない。「記者会見」への固執は時代錯誤というべきだろう。

のちに見るように、サッカーやラグビーや野球やゴルフなど、他のプロスポーツの世界的大会で、「記者会見」を罰金科料つきの規則で強制しているスポーツはほかにはひとつもない。

しかも、グランドスラムの記者会見は、「敗者」にも義務付けられているのである。いったい、試合直後に、精神的に打ちのめされ、あるいは落胆し、あるいは取り乱している敗者に向かって、何を聞こうというのか。「敗因をどう思うか？」とでも聞くのか。敗因を、マイクを前に大勢の報道陣に冷静に語れるほど解っていれば、試合は負けなかったにちがいない。「記者会見」は報道陣への主催者側のサービスではあっても、敗者の選手には

「困惑」「迷惑」「悲惨」でしかないに違いない。敗者への「いたわり」の精神がまったく欠如している。大坂が「メンタルヘルスへの配慮がない」と指摘したのは至極当然だろう。そうしたヘルスケアの視点がないルール、しかも従わなければ罰金を科すと規定する強制的で一方的な「記者会見」のルール。明らかに、選手への人間的配慮を著しく欠如した、主催者側の独善といわれても仕方ないだろう。

ちなみに、テニス四大大会よりもはるかに大規模で、オリンピックに勝るとも劣らないスポーツ・イベントであるサッカー・ワールドカップを主催する国際サッカー連盟ＦＩＦＡの「大会規則」を覗いてみる。入手可能だった最新の二〇二〇年のクラブ・ワールドカップの規則（“FIFA REGULATIONS Club World Cup Qatar 2020”）を見た。

メディア関係の規定は「Ⅻ 商業権 Commercial Rights」の「43 メディアおよびマーケティング規則 Media and Marketing Regulations」の項目のみである。その内容は、要約こうである。

「ＦＩＦＡは、ワールドカップ２０２０に基づくすべての権利を有する。それら権利は、財政に関する権利、映像・音声の録画・録音の権利、再生・放送の権利、多媒体メディアの権利、マーケティング・プロモーションの権利などである。ワールドカップ２０２０に参加するすべてのクラブはメディア・マーケティング規則に適応し、またその要員・役員・選手たちにこの規則に適応するよう努めねばならない」

参加クラブや選手たちがメディアの会見に臨まねばならない義務規定、ましてや罰金を科してまでそれを強制する規定はない。

前述のように、サッカー以外のラグビー、野球、バスケットボール、ゴルフなどの世界的大会で、罰則つきで記者会見を規則で義務化しているスポーツは、このテニスの四大大会（グランドスラム）以外には見当たらない。グランドスラム主催者（Grand Slam Board）とそのルールの「特異性」が際立っているのである。

大坂が「ルールが部分的にかなり古い」と指摘したのは、まさにこの「特異性」――古くて特異な体質――を指していたのである。大坂は、自らの個人的体験を踏まえて「メンタルヘルス」を問題にしていたが、本質的にはそれは「一部」であって、この「記者会見の強制と罰則」の問題は、選手のより一般的な「人権問題」として捉えるべき課題であろう。

同じ「規則」のもとでグランドスラムで活躍した、また現に活躍している往年の、そして現役のテニスプレーヤーたちや他のプロスポーツの選手たちの、今回の「大坂問題」への「反応」にも、これが「人権問題」であると受け止めていることが窺える。

＊セリーナ・ウイリアム　「なおみの心情を察するだけ。どのような状態か解るから、抱きしめてあげたい」

＊ビリー・ジーン・キング「大阪選手がウツで苦しんでいるという事実を明らかにしたことはとても勇敢だ。いま重要なことは彼女に余裕と時間を与えることだ」

＊マルチナ・ナブラチロワ「アスリートとして私たちは身体をケアーするように教えられているが、精神面や感情面が軽視されているかもしれない。これは、記者会見する・しない以上の問題」

＊ソフィア・ケニン　「彼女の決断と行動を尊重する」

＊杉山愛「システムの古い体制に対して一石を投じるために発信したと思うが、違うところに焦点が当たったり他の選手の意見が出たりして結果は彼女の思うとおりではなかったと思う」

＊ノバク・ジョコビッチ　「彼女を応援する。とても勇敢な行動をとったと思う。彼女からすればとても思い切った決断だったと言えるだろう」

＊ステファン・カリー（NBA）「君がこのような決断をする必要などいっさいなかった。だけど、権力側が守ってくれないときに、こうして正々堂々と振る舞うことにはほんとうに感服するし、心からリスペクトしている」

ナブラチロワ、杉山愛、ステファン・カリーなどは、この「大坂問題」の本質をよく理解していることを示していよう。まさに、主催者の選手の「人権」を配慮しない古い体質や制度の問題であるということを。

㈢　人権という原点

人権という課題を考えるときに、おそらく多くの人（とりわけ「一九六〇年代の若者文化全盛期」を体験した者）にとって、それは「人間疎外」の問題に発するものだと受け止めるのではなかろうか。六〇年代は、ジャズや映画、演劇などの鑑賞や実践をはじめ、哲学・思想関係の読書隆盛など「若者文化」が一斉に開花した時期であった。

「人間疎外」の課題に多くの若者たちが関心をもったのは、そのような「若者文化」全盛期にあって、なおいっそう「社会と己との拒否しえない相対関係において、人間いかに生きるべきか」を一人ひとりが自らに問いかけるという真摯さがあってのことだったろう。マルクス、とりわけ「初期マルクス」の思索が、そうした「問い」に大きな役割を果たしたのも、五月革命や大学闘争などに象徴されるように、世界の若者たちが己の生きる世界の「改革」に向け、真摯に模索した当時の「社会事情」にも拠ったといえよう。

周知のように、マルクスは、強固な身分制階級社会であった王政や君主制を排した近代社会になっても、人びとが「別のかたち」で人間性を失っている事情に強い関心を抱いた。それは、産業革命後の産業展開における「労働の商品化」の問題であった。資本を活用して生産活動を展開する資本家は、利潤を最大化するために生産経費としての労賃（商品化した労働の対価）をできるだけ安価に抑えようとする。そこに労働提供者である労働者の「人間性」への抑圧が生まれる。まさしく「資本の論理」である。

マルクスの多くの名言のなかに、次のような言葉がある。

「ラディカルであるとは、事柄の本質において把握することである。だが、人間にとっての根本は、人間自身である」（『ユダヤ人問題に寄せて』）

「人間の意識がその存在を規定するのではなくて、逆に、人間の社会的存在がその意識を規定するのである」（『経済学批判』）

人がわが労働を商品として提供し、その対価としての賃金によって暮らしを維持するといった「賃労働社会」の存在であることを自覚し、使用者側の強力な「抑制」に縛られている自己を再確認したとき、彼（彼女）は自ずと人間的な不自由と束縛を感ぜずにはいられないだろう。マルクスのいう「ラディカルな自己発見」である。換言すれば、それが「人間疎外」の出発点の自覚である。

マルクス以後、二〇世紀になってマルキシズムを標榜する共産主義者が「社会主義革命」を起して社会主義国家も生まれた。だが、スターリン指導の「社会主義ソ連」は、ハンナ・アレントも指摘したように、全体主義国家として民衆の人権は極度に規制・抑圧された社会であった。「連邦」に併合された中央アジア諸国の多くの民衆はもとより、旧来のロシア帝国内の住民の「人間疎外」は解消されるどころではなかった。資本主義国家においても、「人間疎外」の深刻化は進んだ。人種、性別、言語、貧富、宗教などの相違による「差別」は一向に解消されなかった。

第二次大戦後、国際連合がこうした世界的な人権問題に対して最初の「取り組み」をしたのが「国連憲章」の制定だった（一九四五年）。国連憲章第一条は「目的及び原則」を定め、その第三項は、具体的にこう規定している。

「経済的、社会的、文化的又は人道的性質を有する国際問題を解決することについて、並びに人種、性、言語、又は宗教による差別なく、すべての者のために人権及び基本的自由を尊重するように助長奨励することについて、国際協力を達成すること」

今なお、世界各地で地域紛争や国内動乱が絶えず、国境を越えて脱出する集団的な「難民」も多く、また内乱・騒乱でなくとも、あらゆる国で現実に性差や人種やマイノリティなどへの偏見に基づく「差別」やそれに起因する殺傷事件も日常茶飯の態で後を絶たない。

そして、この国連憲章の「規定」は、このように「一般論」を謳ったが、実際に生起しているこうした諸々の人権問題の詳しい内容については定めてはいなかった。

そこで、国連はあらためて経済社会理事会のもとに「人権委員会」を設け、より詳細の人権に関する規定をもつ「人権章典」を制定することになった。結果、できあがったのが「世界人権宣言」（Universal Declaration of Human Rights）である。一九四八年に国連総会で採択された。それは、国連憲章が国家や地域に向けた「任務」

を前提としたのに対して、すべての個人や機関に向けて果たすべき責務を規定したのだった。その三〇条より成る主要な規定を、要点確認すれば以下のとおりである。

《前文》「人類社会のすべての構成員の固有の尊厳と平等で譲ることのできない権利とを承認することは、世界における自由、正義及び平和の基礎である。…社会の各個人及び各機関がこの世界人権宣言を常に念頭に置きながら、…これらの権利と自由との尊厳を指導及び教育によって促進すること…に努力するように、すべての人民とすべての国とが達成すべき共通の基準として、この世界人権宣言を公布する」

《第一条》「すべての人間は、生まれながらにして自由であり、かつ、…平等である」

《第二条》「すべての人は、人種、皮膚の色、性、言語、宗教、政治上の意見…による差別を受けることなく、この宣言が掲げる自由と権利とを享有することができる」

《第三条》「すべて人は、生命、自由及び身体に安全に対する権利を有する」

《第八条》「すべて人は、…与えられた基本的権利を侵害する行為に対し、…効果的な救済を受ける権利を有する」

《第一八条》「すべて人は、思想、良心及び宗教の自由を享有する権利を有する」

《第一九条》「すべて人は、意見及び表現の自由を享有する権利を有する」

世界人権宣言は条約ではないが、国連総会において反対ゼロで可決採択されたものであり、国連加盟国には当然遵守の義務がある。

しかし、「人権問題」は国や地域の「社会事情」が大きく反映される複雑なものでもある。政治・経済・民族・人種事情などがその要因である。

とりわけ、戦後における経済の発展は、新技術の開発・応用、ＡＩを駆使したマネジメントの飛躍的活用もあって、めざましいものがあり、企業の国際化や「労働」のあり方もより複雑多様に変わってきた。そこで、ビジネス界においても「人権問題」が生起するようなった。

国連は、あらためてこうした経済界において派生する人権問題にも対処することが迫られ、「人権と多国籍企業」に関する検討がハーバード大学のジョン・ラギー教授に委ねられた。かくして、「ラギー原則」と呼ばれるビジネス界における「人権擁護」の国際規範が生まれた。正式名称は、「ビジネスと人権に関する指導原則」(Guiding Principles on Business and Human Rights) という（二〇〇八年、国連人権理事会決議採択）。全三一条から成る同「規範」の要約内容は以下の通り。

《一般原則》

a　人権及び基本的人権を尊重し、保護し、充足する国家の義務

b　法令順遵守と人権尊重が要求される社会的期間としての企業の役割

c　権利と義務が侵害・違反された場合の、救済を備えていることの要請

《人権を保護する国家の義務》（略）

《人権を保護する企業の責任》

11　企業は人権を尊重すべきである。

13　企業に以下の事項を要求する。
　a　企業活動による人権への悪影響の惹起、助長を回避する。惹起した場合は対処する
14　人権尊重の企業責任は、企業の規模・業種・活動状況・所有者・組織構成に関係なく、全ての企業に適用される。
15　人権尊重の義務を果たすため、企業は、以下の方針と手続を持つべきである。
　a　人権尊重の責任を果たすというコミットメント
　b　人権デューデリジェンス（注意義務と努力）手続
　c　企業が惹起・寄与したあらゆる人権の悪影響からの救済手続

この規範に基づき、各国には「ビジネスと人権に関する行動計画」策定が求められた。こうして、今や私企業に対してもその業態や規模にかかわらず、人権尊重の義務が課せられるようになったのである。

先ごろ、多くのメディアの注目を集めた、トヨタ自動車の社員の自殺事件が想起される。自殺の原因は、上司によるパワーハラスメントとされた。「世界のトヨタ」の人権侵害による死亡という「不祥事」である。二〇二一年四月に「和解」が成立し、社長が遺族に謝罪をし、人事制度や社風の改革を約束し、再発防止に努めると語ったという。社員の自殺は二〇一七年一〇月、遺族の訴えで労働基準監督署がパワハラと自殺の因果関係を認定した「労災」との結論を下したのが二〇一九年九月。「大トヨタ」にしては、労基署認定以前の自主解決がなかったこと、時間がかかりすぎたことへの批判もある。

世界一位の生産台数を誇る大自動車企業のトヨタにして、このような状態である。「ラギー原則」（ビジネスと人権に関する指導原則）が、徹底するにはまだまだ時間を要するようである。

しかし、世界は確実に「人権尊重」の意識と気風と、そしてそれを実行する種々の「宣言」「規範」「規則」「法律」も整備されてきた。

「大坂問題」を人権問題として考えるべき時代に、今やわれわれは居るのである。それはわれわれ自身の「人権意識」をも問うている。

筆者がしばしば、この人権意識について引用する憲法学者・小林直樹の「至言」がある。

「緊急事態においても平時においても、立憲制を支えるのは国民全体の憲法意識、とりわけ人権意識である」「国民全体」は、所詮個々の集合体である。一人ひとりの「人権感覚」「人権意識」こそが緊要なのである。筆者は好きな言葉ではないが、「民度」という用語がある。明治以降に使われ出した「和製漢語」ともいわれる。さまざまに使われて、定まった定義はないようである。たとえば、岩波の「広辞苑」には「その地域に住んでいる人びとの経済力や文化の程度」とある。ウィキペディアでは「特定の地域・国に住む人びとまたは集団の平均的な知的水準、教育水準、文化水準、行動様式の成熟度の程度を指す」としている。これが一般的に使われている内容に沿っていようか。

「人権意識」のもち様も、この「民度」にかかわっているにちがいない。本稿の内容に限定して、この「民度」という用語をあえて用いるとすれば、それは「その国や地域のひとびとが人権に関してもつ日頃の関心や理解の程度」ということになろうか。

「大坂問題」を人権問題として捉えるかどうかは、また、一人ひとりの「民度」の問題でもあろう。

(四) テニス界にも人権思想を

前項で、人権擁護の義務が今や企業にまで課せられていることを見た。そうした現状の社会事情に接して誰もが気付かされるのは、スポーツを職業としている「世界」の人権意識の低さであろう。

周知のように、オリンピックやサッカー・ワールドカップの観客やテレビ視聴者の「動員数」は世界で延べ一〇〇億人を超えるといわれる「巨大イベント」になっている。大会のスポンサーやテレビ放送局の契約金は一〇〇〇億円単位の巨額であり、まさに「巨大ビジネス」である。その「事情」を少々覗いてみる。

世界的なスポーツ・イベントが今や商業主義の「巨大市場」になっていることは、サマランチ会長以後とくにその傾向の顕著さを指摘されるIOC（国際オリンピック委員会）のあり方が象徴的である。アメリカの放送局NBC一局との放映権契約（二〇一四年契約）は、二〇三二年大会までの五回分計七六億五〇〇〇万ドル（約七八〇〇億円）（一回分約一五六〇億円）という巨額である。これに、各国の放送局や放送連合体との放映権料や、大会の公式スポンサーとの契約金収入などが加わる。「平和の祭典」ではなく「営利の祭典」「ビジネスの祭典」とまで揶揄される所以である。

コロナ・パンデミックの最中、開催地の緊急事態宣言下でも、「大会は必ず実施する」――つまり、開催国においてコロナ感染による医療逼迫が生起し死者が出ていようとも――というIOC役員の表明は、その「ビジネス志向体質」の「見事な」発露なのであろう。果たして、近代オリンピックを創始したクーベルタン男爵は、静かに眠っていられるだろうか。そればかりではない。オリンピックの理念が「平和の祭典」であることを学校教

夏季オリンピック大会

夏季オリンピック大会	バルセロナ	アトランタ	シドニー
テレビ放送の国数	193	214	220
メイン局の総放送時間数	2700時間	3000時間	3400時間
世界の延べ視聴者数	166億人	196億人	226億人

育で教えられている子どもたちにとって、こうしたＩＯＣの姿勢は「非道徳」そのものにしか映るまい。半面教師の存在も教育的な意味があるというべきか。

手許に、少々古い論考だが、スポーツのテレビ放映権料の問題について考察した論考がある（「テレビの放映権料高騰と放送・通信業界の再編」早川武彦『研究年報二〇〇〇』一橋大学スポーツ科学研究室　二〇〇〇年九月）。同論考によれば、バルセロナ（一九九二）、アトランタ（一九九六）、シドニー（二〇〇〇）の夏季オリンピックの「テレビ放送の国」「メイン放送局の放送時間」「世界の延べ視聴者数」は上表のとおりである。

オリンピックというスポーツ・イベントが、いかに巨大な「市場」において遂行されているか一目瞭然である。二〇年後の今は、さらにその「巨大さ」は何倍にもなっているにちがいない。

ＩＯＣだけではもちろんない。二〇一四年開催のサッカー・ワールドカップ（第二〇回ブラジル大会）の主催者ＦＩＦＡと世界の全テレビ局との間の放映権料は、計約二〇〇〇億円といわれた。放映権料に加えてスポンサー企業群からの契約金も加わる。

前出の早川論考は、アメリカにおけるフットボールの放映権料のデータも掲げている。それによれば、ＮＢＣ、ＣＢＳ　ＦＯＸ、ＡＢＣの各放送局がＮＦＬ（National Football League）と契約した放映権料はいずれも莫大なものである。現在はこの数倍といわれる

	1994〜97	（上段）総額 （下段）1年あたりの額	1998〜2005	（上段）総額 （下段）1年あたりの額
AFC	NBC	868	CBS	4000
		217		500
NFC	FOX	1580	FOX	4400
		395		550
マンデーナイト（月曜夜）	ABC	920	ABC	4400
		230		550

（契約料単位：100万ドル）。
AFC: American Football Conference　NFC: National Football Conference
（ともにNFL傘下のフォットボール・カンファレンス）

テレビ時代、ファンは家に居ながらにして試合をライブで観戦できるのだ。それだけ、放映権料は契約のたびに大きく増大する。ビジネス化したスポーツ・イベントは、今やこの放映権料なしには存在しえない。スポーツ・イベントはまさに巨大市場であり、その主催者は「大商人」なのだ。

もちろんテニスも例外ではない。オリンピックやサッカーほどではないが、世界的な大会を管轄する各協会のビジネス化は進んでいる。たとえば、二〇一八年のテニス全米オープンは大坂なおみがグランドスラム初制覇を果たした大会だが、この大会を主催した全米テニス協会のこの年の収入は、放映権料・スポンサー契約料・チケット売り上げを含めて約三三〇億円だったという。また世界の女子テニスの試合を統括するWTA（Women's Tennis Association）は、二〇一七〜二六年の一〇年間の国際試合の放映権料を総額五億二五〇〇万ドル（約五七七億円）で契約したという。

「企業の人権尊重義務」を謳った「ラギー原則」について前項でみた。このように、巨大なビジネスと化している世界的なスポーツ・イベントについては、ラギー原則のような「人権尊重の義務」を課した世界共通の規範や規則がないのが実情である。そこに、プロ・アスリートの人権問題が発生する要因がある。

集団スポーツ、たとえば野球やバスケットボールのようなチーム単位で競われるスポーツの場合は、選手集団による選手会という名の「労働組合」も結成され、選手の権利を主張できる制度化も進んでいる。たとえば、アメリカのプロ野球ＭＬＢでは、「メジャーリーグベースボール選手会」（Major League Baseball Players Association）があって、選手の肖像権管理、契約交渉、ＦＡ権、トレードなど選手の権利擁護にきわめて強い影響力をもっている。契約切れの選手が自由契約の権利をもつ制度（フリーエージェント制）の導入について、この選手会が五〇日間のストライキを打ち、七一三試合を中止させた（一九八一年）のは今でも語り草になっている。同様の選手会（選手労組）は、ＮＢＡ（バスケットボール）やＮＦＬ（フットボール）にも存在する。

だが、テニスのような「個人スポーツ」は、大会主催者が開催する大会に「個人で」参加する。選手個人が登録する各国のテニス協会はあっても、それは、選手の「人権擁護」を図るような組織でもない。大会参加選手は、すでに定められた大会主催者のルールに黙って従うしかないのである。もとより、選手自体が「個人的存在」だから集団スポーツのように「選手会」を作ることもありえない。

そこに、テニスのような「個人スポーツ」において、選手への人権無配慮、人権無視の「一方的な」ルールが「通用」する土壌が生まれるのである。

あらためて、「大坂問題」を考える。

彼女の「うつ病」告白によって、ことはあたかも「メンタルヘルス」そのものに絞られてしまった感がある。たとえば、「東京新聞」（六月九日朝刊）は、「心の不調　けがと同様の配慮を」の見出しで日本スポーツ精神医学会理事長・内田直の寄稿文を掲載した。確かに、アスリートのメンタルヘルスは、これまで無視されがちであり、すべてのスポーツ・イベントの主催者が考慮すべきことであろう。だが、彼女の「問題提起」はメンタルヘルスに限定した「狭い」ルールのことではなかったはずである。まして自身の「うつ病」を披歴する積りもなかったろう。彼女のツイッターの文言を再掲する。

「…今は、数日前に投稿したときには意図も想像もしていなかった状況です。…先んじてそれを発表したのは、ルールが部分的にかなり古く、それを強調したかったからです」

そのテニス四大大会（グランドスラム）の「問題の」ルールは二項で見たとおりである。「グランドスラム行動規約」（GLAND SLAM CODE OF CONDUCT）の第Ⅲ章「選手の現場での義務違反」（PLAYER ON-SITE OFF-ENCES）に規定されている。その中の「H」が記者会見の義務を、「T」が罰則について詳細に定めている。選手に罰則つきで記者会見を「強要」するルールは、他のプロスポーツにはないことも考察した。世界のビジネス界が「人権擁護の義務」が課される時代に、このテニス界（巨大化したビジネスそのものでありながら）が、その「主人公」たる選手——それも労組のような集団的発言力を持ちえない個人参加でしかありえない弱い立場の個人——への一方的な人権を無視したルールを強制することは、許されるものではなかろう。テニス界における「人権擁護の義務」。この課題こそ、このたび大坂なおみが勇気をもって提起した問題である。

一九世紀、近代化が進みつつも、依然として奴隷制の実態が残るアメリカの「民主化」に向け、多くの発言を遺した文学者、H・D・ソローに『市民の反抗』（Civil Disobedience）（邦訳　飯田実　岩波文庫　一九九七）という著作がある。ソローは同書のなかでこう述べている。

「もし千人といわず百人が…いや、たったひとりの『誠実な』人間が、このマサチューセッツ州で奴隷の所有をやめ、政府との共犯関係からきっぱりと身をひき、そのために郡刑務所に監禁されるならば、そのことが取りも直さずアメリカにおける奴隷制度の廃止となるであろう」

「世直し」には、「たったひとりの誠実な人間」の勇気ある先駆的行動こそが必要なのだ。見たように、多くのアスリートが大坂の「行動」を賛えた。彼らには、テニス界「改革」に向けた大坂の「たったひとりの誠実な行動」が解ったからである。

われわれ一般大衆も、テニスのよき観戦者であるべく、そして、人権が選手にも等しく擁護されるよう、大坂なおみの「問題提起」を無駄にしてはならない。

それは、アスリートに局限されることではなく、一般大衆であるわれわれの人権に直結する重大な問題だからである。

17 ロシアのウクライナ侵略に想う
――暴虐を糺せ　証言・懐旧・回顧・検証

(一) よみがえる幼き頃の「記憶と体験」

二〇二二年二月二四日、突然ロシアによるウクライナ侵略が始まった。テレビは毎日、無差別攻撃による惨状を伝えている。おぞましい映像は、私の「人生出発点」ともいえる太平洋戦争に絡む哀しき「記憶と体験」をよみがえらせた。平穏静謐な日常では、けして浮かばないものである。

二〇一五年度ノーベル文学賞受賞者のスベトラーナ・アレクシエーヴィッチは、戦争や原発事故の被害者・被災者の体験談を聞き取って文章化する独自の「記録文学」の世界を築いた。中でも子供の時にナチス・ドイツ軍侵略の戦禍に遭った一〇一人の「記憶」をまとめた『ボタン穴から見た戦争』(原題『最後の生き証人』。三浦みどり訳　岩波現代文庫二〇一六)は、忘れがたい作品だった。彼女は述べる。「子供の記憶は(大人のそれより)もっと強烈で悲劇的な瞬間をつかみだす…」。

私は、アレクシエーヴィッチに「勇気」をもらって、自分の幼児期の「記憶と体験」を綴ることから、この二一世紀の大悲劇であるウクライナ侵略について記していきたいと思う。私自身が、もはや「最後の生き証人」の世代でもあろうから。

真っ赤な高崎の夜空

それは、私が三歳の時の「事件」の記憶である。

一九四二年に生を受けた私は、一九四五年に激しくなってきた米軍の無差別空襲から避難するため、父の親戚を頼って東京から群馬県・高崎市に家族ともども疎開した。私の「人生初の記憶」はその高崎でのことである。記憶にあるのは、暗い筈の夜空が真っ赤に染まっていた「異様な」光景である。三歳児の記憶に鮮明に残ったほどだから、初めての驚愕と恐怖に眼を見開いていたにちがいない。

後年、親たちが話す戦禍や疎開先のできごとを聞いて、それは、B29爆撃機の大編隊による空襲だと知った。母親は迷子にならないように幼児の私を背負って田んぼのある地帯まで逃げ、畦道で高崎の街が燃え盛るのを恐ろしくて声も出せずにただ見ていたのだという。

高崎市の公開資料によれば、同市が米軍の空襲を受けたのは、一九四五年の七月一〇日、八月五日、八月一四日の三回。八月一四日深夜から一五日にかけてが一番激しかったという。

私が母親の背で見た「真っ赤な夜空」はおそらくこの八月一四日深夜の空襲だったろう。天皇による無条件降伏「玉音放送」の何時間か前の大空襲だった。降伏が判っていた上での空襲…。死者二一人、罹災戸数八三九戸、罹災者三六二四人の惨事。これも後日親から聞いた。東京・神田のニコライ堂坂下の生家は焼け落ちていたと。すぐに、頭のなかで真っ赤な神田の夜空が浮かんだ。高崎と同じような。

大空襲、それは、木造家屋の多い日本の住宅街に徹底的なダメージを与えるべく家屋に付着して炎上しやすくする液体焼夷剤の入った「焼夷弾」によるものだった。非武装の無垢の一般市民の家々を焼き払うなどというのは、原爆による市街地への大規模破壊と同じく、むしろ「戦争犯罪」ともいうべき行為ではなかろうか。「戦勝国」

の非道が何も問われないのも、正義や道徳に反しよう。

戦争というものは、必ずやこうした無慈悲で無体な破壊と殺戮をくり返すものだ。戦争は「狂気」によって生じ、さらなる「狂気」を生み出す。そして、嘆き苦しむのは、つねに何の罪もない民衆である。ロシア軍の爆撃から母親に手を引かれて避難するウクライナの子どもたちのいたいけな姿は、B29大編隊の空襲を逃れて母親の背で真っ赤な夜空を凝視していた私自身の姿に重なるのだ。

母の着物とサツマイモ

あれは五歳の秋だった。都会は敗戦直後の食糧難の時代、とても白米など手に入らない。母親に手を引かれて中央線（当時は省線電車といわれた）の西荻窪駅から乗車した。多摩地域の農家を訪ねてのサツマイモの「仕入れ」である。農家はいい返事をしない。一〇軒目くらいだろうか、もう足も棒になるほどくたびれていたころ、ようやく一軒の農家で「商談」が成立する。母親が背負っていたリュックサックから取り出した絹の着物が、私の目の前で、わずか一〇本ほどのサツマイモと物々交換されたのだ。五歳児の幼児でももう事の是非は判断できる。その物々交換の場面に私は釘付けになった。当時はインフレで、「物々交換」隆盛の世だった。だが、弱者の弱みにつけ込むとは、不正義もいいところだ。それは、「人生初の不条理」体験だった。「まさか、大切ものだったろう母親の絹の着物が、たかだかサツマイモに交換されるなんて！」五歳児ながら、無性に腹が立った。その農家のアルジの顔を睨んでいたにちがいない。が、何も言えなかった。母親がありがたそうにサツマイモをリュックに収めているのを見て…。あとから思えば、母は家を出る時から腹を決めていたのだ。

その夜の主食は、そのサツマイモだった。いい匂いを放った蒸かしイモの山になって食卓に出てきた。ほかの家族は、昼間そんな物々交換があったことは知らない。私は、とても手が出せずに、離れて恨めしそうにサツマイモの山を睨んでいた。母親は、そんな私に気づいて、何事もなかったかのように声を発した。「ミキちゃん、いま食べないと夜、お腹が空いて眠れなくなるよ」と。自分でも表現のしようのない「憤怒と無念と感謝」の複雑な気持ちを貯め込んでいた私を、解ってくれていた母親だった…。涙なしには思い出せない、幼児期の「二番目」の重大な体験と記憶である。

これら二つの幼児期の記憶と体験は、命にかかわるほどのものではない。が、戦争とそれに起因する「非情」と「不条理」を強く自覚させ、「非戦」「平和」への心情を培わせるには十分なものであった。それらは、いわば私の人生の「出発点」とも言えた。

(二) ウクライナ「懐旧」

ウクライナの土地は、不思議と後年の私の人生に「かかわり」をもっていた。

おそらく、ウクライナという土地がわが国と初めて「関係」をもったのは、政治や外交の世界においてではなく、意外にも建築の世界においてであったろう。

また、忘れがたい名作映画の名場面もいずれもウクライナの地が舞台だった。

ハリコフの大劇場設計競技

一九三〇（昭和五）年、新生ウクライナ共和国（ウクライナ・ソヴィエト社会主義共和国）の首都・ハリコフ（ハルキウ）〔四年後に首都はキエフ移る〕に多目的オーディトリアムを建設するために、世界に向けて公開コンペ（設計競技）がもたれた。日本は、職能としての設計家・建築家の制度的自律という面では、欧米諸国よりはるかに立ち遅れていた。そんな情況のなかでの国際コンペであった。日本からは数案の応募があり、そのうち唯一川喜田煉七郎の案が四等に入賞した。国際コンペにおける日本人初の受賞だった。当時、彼はほとんど無名の二七歳。しかも、あのバウハウスの創始者で名だたるワルター・グロピウスですら八等だったから、その入賞は画期的なできごとだった。

川喜田は、建築家としてはまだ「これから」という存在だった。しかし、彼は、進取の気風に富み、根っからの努力家であり、そして、まるでバウハウスの理念と世界を独り体現するかのような造形に対する「総合的世界観」をもった人物だった。

そんな彼がとりわけ戦後の建築界において十分な評価を得ていないことに気づいて、私は、彼についての評論を書いてきた。「川喜田煉七郎の復権を！」（『SA』誌　一九七六年七月　のち『三村翰評論集』二〇〇六所収）、「川喜田煉七郎論」（『商店建築』誌　一九七六年六月〜一九七七年一二月 計一一回連載）である。また、一九七八年六月には、彼が設計した「霊楽堂」の図面一式が遠山音楽財団で見つかり、それについての「解説」を当時のNHK教育テレビの一時間番組で行ったこともあった。

川喜田はハリコフ・コンペ入賞の翌年、「建築工芸研究所」（のちの「新建築工芸学院」）を設立して造形教育を始めた。この学院の卒業生には、桑沢洋子（桑沢デザイン研究所、東京造形大学の創始者）、亀倉雄策（グラフィックデザイナー）、勅使河原蒼風（いけばな草月流創始者）など、のちに「その世界」の道を拓いて大活躍した著名人が多くいる。

先の「川喜田煉七郎の復権を！」の文章の最後を、私は次のように記して結んだ。

「彼の遺したものは、大きく深い。人間を、建築を、デザインをもっとも深く見つめ行動してきた人間の軌跡であった。彼の問いかけは、本質的であるがゆえに今なお続いている。応えるべきは、一人ひとりのはずである。」

そんな偉人・川喜田を世間に知らしめたのが、ハリコフの大劇場国際コンペだったのである。ウクライナもハリコフも、この国際コンペと川喜田の入賞によって、日本でも一般に認知されるようになったといっても過言ではないだろう。

オデッサの階段広場と戦艦ポチョムキン

一九〇五年という年は、とりわけロシア史において意味のある年であった。同年一月、サンクトペテルブルクでは、労働者の請願行進に政府軍が発砲して大勢の死傷者を出し（「血の日曜日事件」）、ロシア全土で帝政への抗議・反対運動が起きる（第一次ロシア革命）。五月には、バルチック艦隊が全滅させられ対日戦争に敗北し、帝政の屋台骨が崩れつつあった。同じ年、黒海において、オデッサ（オデーサ）を母港とする戦艦ポチョムキン号で兵士の反乱が勃発する。一九二五年、エイゼンシュテインはこの戦艦での反乱を映画化。映画史にその名をとどめる名作「戦艦ポチョムキン」である。

同映画は、ロシア革命の正当性と革新性を主張するプロパガンダの気味があり、必ずしも史実に則ってはいないが、モンタージュという新たな手法をふんだんに取り入れて、観る者に強い感動をもたらした。とりわけ、反乱軍を鼓舞すべく集まった市民の群衆に対して、政府軍が容赦ない銃撃を加えて蹴散らす「オデッサの階段広場」

の場面は圧巻で、この映画の名場面といわれる。

私は、かつて、ポーランドの大学教授と親交を結んだ縁から同国の現代建築の特集を日本の建築雑誌で企画したことがあった。ちょうど自身の劇作の演出のために来日していたポーランド人の映画監督、アンジェイ・ワイダと対談してその特集の誌面を飾った（「アンジェイ・ワイダ氏に聞く映画・演劇・都市・建築」『ＳＤ』一九八九年一一月　のち『三村翰評論集』所収）。その対談のなかで、私は、「表現論」をめぐって彼の名作映画「灰とダイヤモンド」における最終場面で、主人公・マチェクがゴミ捨て場でのたうち回って死ぬ情景の「暗喩」について触れるなどして、さらにこの「オデッサの階段」の場面について語った。

「…映画『戦艦ポチョムキン』のなかで、ロシア軍に発砲されて階段をころげ落ちていく人びととといっしょに、母親を失った乳母車が落ちていくアップのシーンなどは、私に強烈な印象を与えました。ツァーリズムの狂暴さをエイゼンシュテインが表現しようとしたもので、彼のいわんとするところがそのシーンひとつでよみがえってくる。私たちの記憶と映像が結びつく、そういう問題も表現にはつねにあるのではないでしょうか」

ヘルソンの広大なひまわり畑――映画「ひまわり」

日本人が最も好む外国映画の一つといわれる「ひまわり」。監督は、あのネオレアリズモの一翼を担ったヴィットリオ・デ・シーカ、俳優は、ソフィア・ローレン、マルチェロ・マストロヤンニが主演。音楽は、ヘンリー・マンシーニ。日本での公開は一九七〇年。

イタリアの町に住む新婚の夫婦。だが、夫（マストロヤンニ）はソ連の戦地に出征したまま消息も知れない。

待ちわびた妻（ローレン）は、消息を絶ったという現地に飛ぶ。地平線まで続くひまわり畑…。彼女は夫らしい外国人が現地の若い女性と暮らしていると聞き、その女性を訪ねる。男は戦中、意識を失って雪の中倒れているところをその女性に救われた。女性は、職場から帰る彼を駅に迎えに行く。妻も「確認」のため駅に向かう。列車から降りてきたのは、紛れもなくかつての夫だった。ゆがむ妻の顔。彼女は動き出したその列車に飛び乗った。数年後、夫はイタリアの元の妻の家に突然現れる。だが、元妻はすでに再婚して子供まで設けていた。彼女は「もう一緒には暮らせない」と悟る。彼はソ連に帰っていく。駅まで送る彼女。列車が走り出す。見送る彼女の涙が止まらない…。マンシーニの哀しい調べが、妻の表情に重なる…。戦争が、こうして新婚の男女を引き裂いた。

あの広大なひまわり畑は、黒海に面するヘルソン州で撮影された。ひまわりの花言葉は「あなただけを見つめる」。いかにも、ネオレアリズモらしい、哀愁漂うなかにしっかりと「非戦」「反戦」のメッセージがこめられた作品である（同映画は、ロシアのウクライナ侵略が始まってから日本各地で再上映されている。必見の映画として勧めたい）。

大学闘争の「終焉」によって大学院を中途で去らざるを得ず、日々「不消化」な思いを抱いていた身にとって、そのメッセージは久しぶりにしみじみとした感懐を覚えさせるものであった。

ハリコフもオデッサもヘルソンも、建築や映画という「文化」の事象に結びついた忘れがたい追懐の土地が、いまや独裁者の一存で攻撃され無惨な破壊に遭っている！

㈢　民族のアイデンティティ――「時間」「空間」「名称」

ロシアの侵略が始まって、三ヵ月が過ぎた。ウクライナ側の猛烈な反撃で、ロシアの目論見は完全に狂い、長期戦の様相である。彼らウクライナ人の不屈の闘志は、どこから来るのだろうか。単なる「愛国心」ではなさそうだ。もっと根強く強靭なプライドを感じる。その淵源を尋ねてみたい。

キエフ・ルーシ公国——「ウクライナ」の発祥

スラブ族が現在のウクライナの地に定住するようになったのは七世紀とされる。彼らは当初、数十戸規模の小集落ごとに点在して、農耕中心の社会を形成した。中心の町は、族長の名にちなんでキエフと呼ばれた。九世紀、北方ドニエプル川上流から下って進出してきたバイキング族（彼らはルーシ——これがロシアの語源である——と自称した）が勢力を張り、次第にスラブ族に同化していった。一〇世紀初頭、その末裔が都をドニエプルからキエフに移して「キエフ・ルーシ公国」を樹立する。

ウクライナという地名が史上初めて現れたのは、まだキエフ・ルーシ公国が盛んなころの一二、一三世紀といわれる。『キエフ年代記』に、その名が一定の国・地方を指す固有名詞として散見されているという。帝政ロシアの故国・モスクワ公国が台頭するのはずっと後の一四八〇年のことである。

しかし、このキエフ・ルーシ公国も一三世紀にはモンゴルの攻撃を受けて弱体化し、一四世紀にはリトアニアの支配化におかれ、さらにその西部はポーランドの領有するところとなる。

ヘトマン・コサック国家——自立・独立への奮闘

一三世紀にキエフ・ルーシ公国が解体状態になったあと、タタール部族が跋扈した。だが、肥沃な土地だったので、ポーランドやリトアニア領内の貧しい者たちが移住するようになり、一五世紀には彼らは集落を形成し、一六世紀にはタタールの奴隷狩りに備えて武装し、集団を組織した。彼らは、タタールから「コサック」と呼ばれるようになった。コサックとは、タタール語の「カザーク」に由来し、「自由人」「冒険者」を意味する。やがて彼らは、大規模な集団となってドニエプル川の中・下流域を中心に一大勢力を張った。その軍事力は、南部のクリミア汗国や黒海対岸のオスマン・トルコを襲撃し、北方のモスクワ公国とも戦を交えるほど強力で、周辺各国から恐れられた。

一七世紀の半ばには、コサックの頭領・フメリニツキーはタタールの協力を得てポーランド軍との戦闘に勝利して「休戦協定」を結び、初めてコサックの国家「ヘトマン（元首・頭領のポーランド語）国家」が生まれた。だが、ポーランドとの間で戦闘が再発する。今度はタタールがポーランド側について、ヘトマン国家は敗北する。そこで、モスクワ国に援助を求めて「ペレヤスレフ協定」を結んだ（一六五四）。これがコサックの「運命」を定めた。ヘトマン・コサック国がモスクワ国の「属国」になることを意味したからである。「自由人」コサックは、永らく抑圧下で不自由をかこつことになった。

ウクライナ国民共和国とソヴィエトの侵攻・支配

ウクライナは、その歴史的な「自立性」を証するように、一九一七年に帝政ロシアが崩壊したときに「独立」を宣言している。同年二月に「臨時政府」ができた二月革命のときに、ウクライナでは諸政党・諸団体が参加する「ウクライナ中央ラーダ（評議会）」が結成された。「中央ラーダ」はペトログラードの臨時政府に自治を要請し、ひと悶着あったが承認された。

同年の一〇月革命によって、ボルシェビキが実権を握ると、一一月に中央ラーダは再び「ウニヴェルサル」（コサック語のアピール）を発して、「ウクライナ国民共和国」の創設を宣言し、帝政ロシア時代のウクライナ領域を回復した。だが、ペトログラードのボルシェビキ・ソヴィエト政府は、これを認めず「傘下」に置くべくウクライナに侵攻する。熾烈な戦闘は一九一七年末から一九二一年末まで四年に及んだ。勝利を得たソヴィエト政権は、「ウクライナ・ソヴィエト社会主義共和国」を成立させ、ウクライナはソ連の支配下に置かれた。一〇〇年前にもウクライナ侵略戦争があったのである。

ウクライナ国歌に偲ばれるアイデンティティへの矜持

ウクライナ人のプライドの高さは、その歴史としての「時間」、ドニエプル川流域を中心とする肥沃な大地の「空間」（＝郷土）、そして「ウクライナ」という固有名、この「時・空・名」にまつわるアイデンティティそのものへの矜持といえよう。ポーランド王国・モスクワ国・ロシア帝国・ソ連への従属という、その自主独立を阻まれ抑圧されてきた永い歴史があればなおさらである。

しかも、その「時空」は、豊かな文化をも育んだ。多くの優れた芸術家や学者たちが輩出した。作家のゴーゴリ、エレンブルグ…。音楽家のプロコフィエフ、ホロヴィッツ、スターン…。画家のレーピン、マレーヴィッチ…。舞踏家のニジンスキー…。そして、細菌学者のメチニコフ、ストレプトマイシン発見者のワクスマン。ヘリコプター開発者のシコルスキー。物理学者のガモフ…など。世界に名の知れた著名人たちである。後述のトロツキーもウクライナ出身である。

ウクライナ国歌は、一度一九一七年の「ウクライナ国民共和国」創設の時に国歌に指定されていたが、ソ連崩壊後の一九九一年に独立した翌九二年、一部が修正され再度国歌に指定された。三番まであるが一番の歌詞のみここに掲げる。「時・空・名」がすべて込められた詞。民族へのプライドを示す「コサック」の文言。そして抑圧されてきた「抵抗」と「義憤」の情も伝わってくる。

ウクライナの栄光は滅びず　自由も然り
運命は再び我等に微笑まん
朝日に散る霧の如く　敵は消え失せよう
我等が自由の土地を自らの手で治めるのだ
自由のために身も心も捧げよう
今こそコサック民族の血を示す時ぞ！

(四) プーチンとスターリン――全体主義的独裁の専制と暴虐

ロシア崩壊のずっと前の一九七〇年代に、私はヨーロッパの社会主義諸国を一ヵ月近く旅行した。普通に道を通行していて「秘密警察」らしき者から長時間尋問に遇い、「監視社会」の実際を体験した。また、現地の人びとがさまざまな場所で「公務員」たちから犬猫のような扱いを受け、そして彼らが毎日を怯えながら生活しているのを見てきた。街は、どこも昼間からほとんど人通りがなくシーンと静まりかえっていて、不気味でさえあった。チェコスロバキアのブラティスラバでは、多くの建物の外壁が、「プラハの春」（一九六八）で侵攻したソ連軍による銃撃の弾痕だらけのままだった。ポーランドで会った大学人たちは、ソ連を頭に戴く二重権力の厄介さを語り、「カチンの森事件」（後述）もあってか「反ソ感情」が強かった。ソ連崩壊の前に、「ベルリンの壁」の崩壊があった。東ドイツを旅した者には、彼らの「喜び」がよく解った。人民は、社会主義革命によって「解放」

されるどころか、君主専制時代のように「抑圧」されていた。

この東欧諸国の旅の実感は、まさしく「裏切られた革命」だった。「国家は官僚に属しているようなものである。…こうした関係が固定化し、常態となり、適法化されるとなれば、…プロレタリア革命の社会的獲得物は完全に失われてしまうだろう」（『裏切られた革命』藤井一行訳　岩波文庫　一九九二）。一九三六年のトロツキーの「憂慮」は現実のものとなっていた。かつてのヨーロッパ社会主義諸国を「西側」に近づけたのは、ほかならぬロシア（ソ連）そのものではなかったか。

プーチンの権力者像と独裁制

二〇世紀、二度の世界大戦を経験して、世界が「戦争の愚」の教訓を大いに得てきたはずのこの二一世紀に、ウクライナ侵略戦争——それも無差別の破壊と殺戮の残虐な侵略——を引き起こしたプーチンについては、あらためてその「人物像」を問わずにはおけない。『プーチンの実像』（朝日新聞国際報道部／駒木・吉田・梅原　朝日新聞出版　二〇一九）などでその実相が容易に知れる。

①　**ＫＧＢメンバー**　彼は子どもの時からスパイに憧れていたという。ふつう子供たちは正義感に満ちているから、人を欺いて機密情報を得るような「卑劣な」行動は毛嫌いするが、彼はそうではなかった。「いじめられっ子」の劣等感がそうさせたという。大学を卒業してすぐにＫＧＢ入りする。一六年間の在籍。謀略・権謀術数はここで磨かれた。

②　**政治家への転身**　ＫＧＢメンバーとして東ドイツ駐在時に「ベルリンの壁」崩壊を眼前にし、政治家への転身を決意。翌年、出身地レニングラード市のソヴィエト議長の補佐官。九六年にモスクワに移って大統領府総

務局次長。九八年、連邦保安庁（FSB、KGBの発展組織）長官。ここから、彼は権力への階段を一気に駆け上がる。同年、大統領エリツィンの汚職疑惑を謀略で救ったプーチンは、翌九九年首相。謀略のチェチェン戦争勝利（後述）で二〇〇〇年の大統領選で権力の座を射止める。

③ **国家親衛隊**　大統領になったプーチンは、さまざまな「権力集中」策を取る。二〇一六年の国家親衛隊創設はその典型。連邦軍、連邦保安庁FSBとは独立した、あのホロコースト実行の「ナチス親衛隊SS」を想起させる大統領直属組織。発足当時は二〜三万人の隊員が今は四〇万人以上という。

④ **オルガルヒとシロヴィキ**　さらに、権力集中を図ったのがオルガルヒとシロヴィキ。前者は、石油・天然ガス・銀行など財閥・有力企業の経営者とその集団。経済力にモノを言わせた「金権勢力」。後者は、プーチンの職歴に関係する治安・国防・諜報関係組織の高級職員の集団。こちらは「武力・警察・諜報権力」。このオルガルヒとシロヴィキが、両輪の輪となり「プーチン独裁車」を走らせた。

⑤ **「政敵」「批判者」等の抹殺・暗殺**　国家親衛隊やシロヴィキといった直属の「武力・諜報権力」を駆使して、政敵や批判者などを抹殺・暗殺（未遂を含む）し、独裁制・専制を固めていった。

＊政敵排除：野党指導者、アレクセイ・ナワリヌイの「毒殺」未遂事件（二〇二〇年一二月）。

＊機密保持：KGB・FSB職員だったアレクサンドル・リトヴィネンコの亡命先ロンドンでの毒殺（二〇〇六年一一月）。〔彼は、チェチェン戦争がロシア側の「自作自演」だと公言していた。〕

＊批判者排除：ノーバヤ・ガゼータ紙の記者アンナ・ポリトコフスカヤの暗殺（二〇〇六年一〇月七日）。〔彼女は、チェチェン戦争などで厳しく政権批判。暗殺日はプーチンの誕生日。〕他にもノーバヤ・ガゼータ紙の記者だけでも数名が暗殺（二〇〇〇年、二〇〇三年、二〇〇六年）。今ウクライナ戦争中、同紙編集長ドミトリー・ム

ラトフも、列車内で襲撃（二〇二二年三月）。

＊民主化主張者排除：演出家・映画監督キリル・セレブレンニコフ逮捕（二〇一七年八月）。

⑥ **個人資産の集積**　プーチン個人の、オルガルヒなどからの「献金」「寄贈」「徴収」等による「隠し資産」は膨大な額に上るといわれる。投資家のビル・ブラウダーが二〇一七年にアメリカ上院で陳述した内容では約二〇〇〇億ドル（日本円約二二兆円）とされた。驚くべき巨額、独裁者にして可能。

⑦ **ロシア正教会との癒着**　イギリス有力紙タイムズはキリル総主教がＫＧＢ出身者であることを報じた。彼は「西側諸国がロシア国境に軍事力で迫っている」と公言し国民に「参戦」するよう総主教としての説教で毎日のように呼び掛けている（二〇二二年三月～）。

⑧ **侵攻・制圧・支配**　プーチンは、謀略による残虐な侵略の「常習者」である。以下諸事例が雄弁。

＊第二次チェチェン戦争（一九九九）　モスクワなどのアパート爆破「テロ事件」を契機に、プーチン首相指導下でロシア軍がチェチェンへ侵略し制圧。独立派大量殺害。二〇〇二年親ロシア派による共和国設立。テロ事件はＦＳＢの「自作自演」とされる（前出リトヴィネンコなど証言多数）。

＊南オセチア戦争（ロシア・グルジア戦争、二〇〇八年）　二〇〇六年に国民投票で独立を決めたグルジア（現ジョージア）内のロシア人系居住地、南オセチアとアブハジア地域の「紛争」に乗じてロシア軍が侵攻。二〇〇九年休戦。ロシアは両地域の独立を承認し、両地域にロシア軍が駐留。

＊クリミア武力併合（二〇一四）　クリミア半島地域のロシア系住民の保護名目で、ロシア軍が侵攻。プーチンはクリミアの独立を認める大統領令に署名。「クリミア共和国」と称している。

＊シリア空爆（二〇一五）　内戦でアサド政権側が劣勢になり、ロシアはアサド政権側を支援すべく軍事介入。

無差別空爆で四〇〇人以上の一般市民の犠牲者を出す。ＢＢＣは「アサド政府軍」（実際はロシア軍によるともいわれる）が一〇六回に及ぶ化学兵器の使用を行ったと報じた。

以上の「実相」を見れば、プーチンの「政治」が全体主義的独裁であることは、誰の目にも明らかだろう。このたびのウクライナ侵略も、「南オセチア戦争」や「クリミア武力併合」とまったく同じ「理屈」である。『プーチン自らを語る』を著わしたナタリア・ゲボルクヤンは語った。「プーチンは戦術家だ。しかし戦略はない」（既出『プーチンの実像』）。また、アメリカの国務副長官だったストローブ・タルボットは大統領プーチンと面談したあと、こう語っていた。「最初から彼は本質を見せていた。『警官』だ。もっと詳しくいえば、ＫＧＢの男、それも防諜畑だ。…」（同前）この「手」の独裁者による謀略的な侵略戦争。許されざる愚挙・暴挙。天は黙したままでいるのだろうか。

スターリンの全体主義的独裁

レーニンの指導下で一九一七年一一月（ロジア歴一〇月）に革命を成し遂げたロシア。トロツキーやジノヴィエフ、カーメネフらの「活躍」の前に、スターリンの存在はむしろ目立たなかった。彼が、「頭角」を表すのは、一九二二年に党の書記長に収まって以降である。政治局・組織局・書記局の三部局すべてのメンバーだったスターリンは、レーニンの急病による指導力低下に合わせて、その三部局の情報と権限を駆使して党運営のヘゲモニーを握っていく。二四年にレーニンが死去してからは、彼はあらゆる「手立て」を尽くして権力を書記長の自身に集中させ、独裁権力を樹立する。

スターリン支配下のソ連政治の「特質」とその「問題」は、およそ以下のように整理できるだろう。

①　**一国社会主義路線**　元来、共産主義は「万国の労働者よ、団結せよ！」（マルクス・エンゲルス『共産党宣言』一八四八）に象徴されるように、国際的な視野で「革命」を目指すものであった。レーニンも「世界革命」の視点でロシア革命を行った。ペトログラードにおいて革命の口火を切ったトロツキーなど多くの「同志」たちも同じ考えだった。だが、レーニンが斃れた年に、スターリンはトロツキーを名指しで批判して「一国社会主義」の路線を示し、政敵を排除しつつそれを実現していった。

②　**共産党組織の階級化・階層化＝人事掌握と独裁化**　「民主集中制」はもとはボルシェビキの組織原理だったが、スターリン支配下の一九三四年にソ連共産党の正式な組織原理となり規約にも明記された。要は、「上意下達」の原理である。党は徹底的な「階級化・階層化」が進み、上部による人事掌握も徹底され、その頂点である「書記長」への権力が一点集中し、独裁制を補完するようになった。

③　**農業の集団化・国営化＝農村と民族主義への抑圧・弾圧**　革命直後のソ連は食糧不足に直面していた。一九二八年には穀物調達の強行策が採られた。「集団化農業」（コルホーズ）と「国営化農業」（ソホーズ）が強制的に導入された。各地の農民の抵抗は強かった。とりわけ、穀倉地帯のウクライナやベラルーシ、北カフカース（グルジア・アゼルバイジャンの地域）でその傾向は著しかった。強制的な穀物徴収もあり、数百万の農民が餓死した。農業の「集団化」「国営化」は、ことに民族意識の強かった穀倉地帯の農民への「分断」と「統制」による抑圧・弾圧策でもあった。

④　**指導部等の粛清――「大粛清」「大テロル」**　政敵を排除するのは、独裁者の常套手段である。スターリンが持ち合わせない能力と資質を備えていたトロツキーは、スターリンにとって最大の政敵だった。トロツキーは一九二九年に「国外追放」の身となる。有能な古参党員のジノヴィエフやカーメネフらは、一九三六年有名な「モ

スクワ裁判」にかけられ有罪判決を受けて「公開銃殺」され、トロツキーは一九四〇年メキシコで惨殺される（後述）。「粛清」の対象は、「政敵」に限らなかった。一九三六年からの三年間で経済分野の指導者の五〇％が粛清されたといわれる。ウクライナでは、共産党員が一九三三年からの三年間で一〇万人が「消滅」している。スターリンによるこうした粛清・処刑は、歴史家などが後日「大粛清」「大テロル」と呼んだ。

⑤ **少数民族等の弾圧・虐殺**　北カフカース地域の少数民族の六〇万人が「ドイツ軍への協力」を理由に、中央アジアやシベリアに強制追放された。ソ連内の朝鮮人、ドイツ人、バルト三国の三民族、ポーランド人なども同様に追放された。「カチンの森事件」（一九三九年ポーランドに侵攻したロシア軍がポーランド軍将校ら二万二〇〇〇人を拉致して殺害、穴埋めした事件）もスターリンの指示だった。

⑥ **「第三インターナショナル」（コミンテルン）の圧殺と「私物化」**　一九一九年に設立された第三インターナショナル（コミンテルン）は、もともと世界革命の実現を目指す組織として発足した。だが、レーニンの死後、スターリンが「一国社会主義」論を打ち出してのちは、各国共産党がソ連を支援する組織に変質する。「大粛清」が起きた三〇年代後半には、コミンテルン内部でも多くの者が粛清された。粛清は外国の共産党組織にも及び、インド・朝鮮・モンゴル・メキシコ・イラン・トルコなどの共産党指導者が処刑されたといわれる。

一九四〇年五月のメキシコ共産党員・画家シケイロスらによるトロツキー襲撃はコミンテルンの「指令」によるものだった（メキシコ共産党においてその「指令」に反対したヴァレンティン・カンパらは、党から除名された）。三ヵ月後、トロツキーは、スペイン共産党員ラモン・メルカデルによりピッケルで脳天を砕かれ惨殺。地球の裏側までコミンテルンを利用しての執拗な暗殺の計画と実行（トロツキー暗殺の事情は『メキシコ時代のトロツキー』小倉英敬　新泉社　二〇〇七に詳しい）。世界革命が目的だったコミンテルンは、かくして独裁者スターリンによって暗殺組織にまで零落した。

その著名な著作『全体主義の起源』でスターリン支配のロシアを全体主義の一形態とみなした、ハンナ・アーレントは言う。

「権力を掌握した全体主義的独裁者はその嘘をより一貫して、かつてより大規模に実行できるし、また実行せねばならないことになる。…」（『全体主義の起源3　全体主義』大久保和郎・大久保かおり訳　みすず書房新版　二〇一七）

ソルジェニーツィンは、一九七〇年にノーベル文学賞受賞が決定した時に、スウェーデン・アカデミーに送付した「自伝」のなかで、こう記している。

「私はもうずっと前からスターリンに対しては批判的でした。彼はレーニン主義から逸脱しており、…理論的にも貧弱で非文化的な言葉でしゃべる、と思っていたからです」（『イワン・デニーソヴィッチの一日』木村浩訳　新潮文庫「解説」一九六三）

メキシコの地で暗殺されたトロツキーの名誉のために、あえて、彼がもち、スターリンがもちあわせていなかった「資質」に触れておこう。それは、芸術の本質への理解という「資質」である。

トロツキーは言う。

「人間は、自身の感情を支配し、本能を自覚の高みにもちあげて、自身を新しい段階に高めることを…目的とするだろう。芸術は、言語芸術であれ、演劇であれ、美術であれ、音楽であれ、建築であれ、この過程にすばらしい形式をもたらすであろう」（トロツキー『芸術と革命』桑野隆訳　岩波文庫　一九九三）

全体主義的独裁者は、まず、芸術とは無縁である。いや、無縁というより、芸術への理解も志向もないというべきなのだろう。スターリンが「非文化的だった」ことは、さもありなん、である。芸術は、人間性の本質にあずかる感性と知性に訴えて、人間そのものに迫り、人間形成を促すものである。独裁者は、劣等感に起因する権力への果てしない上昇志向の欲望に自身が支配されるという皮相な人間性ゆえに、芸術が訴えるべき感性と知性をもはや喪失しているのである。

スターリンもプーチンも芸術について語ることはなかった。否、語れなかったにちがいない。二人の余りに相似的な全体主義的独裁に顕現する、それは人間の本質に関わる致命的な「欠陥」であろう。

(五)「理不尽」への無力？　だが「言葉」を、そして連帯の「合唱」を

「戦況」は残虐さの度を増している。キーフ近郊のブチャやボロジャンカなどにおける一般市民の虐殺——後ろ手で銃殺のうえ路上に放置され、あるいは土中に埋められた無数の死体——を始め、南東部地域でのロシア軍の狂暴な無差別攻撃が目立つ。五月下旬時点のウクライナの被災状況：国外避難民約六四四万人、国内避難民約八〇〇万人、教育施設損壊一八七三校、医療施設損壊二三五件、失業者約四八〇万人、戦争犯罪事案一万三〇〇〇件以上。南東部だけで死者二万人超（「東京新聞」二〇二二年五月二四日付による）。農産物輸出大国のウクライナ、その輸出量は九割減。世界各地で農産物不足による物価高騰が起きている。

四月四日、国際人権団体ヒューマン・ライツ・ウォッチ（ＨＲＷ）は、現地調査の結果を発表して「戦争犯罪として捜査されるべきだ」とした。また、バルト三国とポーランドの大統領四人がキーフ郊外のブチャを視察した時、リトアニアのナウセーダ大統領は語った。「これは、ナチスよりも酷い。」ブチャだけではない。キーフ

郊外の町や村、東部のハルキウ（ハリコフ）やマリウポリなども破壊しつくされている。徹底した残虐な破壊行動は「焦土作戦」というのだろう。確かに、あのナチスでもこれほど酷い焦土作戦はやらなかった。ピョートル大帝を最も尊敬する指導者として慕い「ロシア帝国の夢想者」とも言われる独裁者プーチン、その戦争犯罪と世界的混乱の責めはきわめて重い。

だが、一般市民――グローバル化時代の世界市民というべき――である私たちに何ができるか？

それは、「声」を上げ続けることであろう。一人ひとりがこの非情で、残酷で、理不尽な戦争に断固とした反対・糾弾の声を上げ、そしてその声を国境を超えた世界市民の集団の声にしていくことである。独裁者が、大衆の「うねり」の前に、生涯を全うしたことなどなかった。全体主義も独裁制も、それを許すかどうかは、私たちの意識次第である。「世論の審判」とは、そういうものだ。無慈悲・不正義・不条理に泣いている子どもたちの未来のためにも、正すべきは正さねばならない。

イマニュエル・カントは二五〇年も前に述べていた。

「いかなる国家も、ほかの国家の体制や統治に、暴力をもって干渉してはならない」（『永遠平和のために』宇都宮芳明訳　岩波文庫　一九八五）

今や当然の道義・常識を世の権力者たちに知らしめ、「正道」を歩ませるも、その首をすげ替えるも、私たち市民の責務であり権利でもある。なぜなら、私たちこそが主人公であるからだ！

《追記》 本稿でも触れたノーベル文学賞の受賞者、スベトラーナ・アレクシェービッチは、現在ベラルーシ（「欧州最後の独裁者」と言われるルカシェンコが約三〇年大統領の座に坐っている）を離れてベルリンに事実上亡命しているという。

最近の彼女のロシアのウクライナ侵略についての「コメント」が伝えられた。ＮＨＫの取材に「歴史はくり返すというより、今のロシアはソ連時代よりはるかに恐ろしい」（ＮＨＫ「国際報道二〇二二」二〇二二年六月二九日）。また、「朝日新聞」のインタビューに対して、彼女は現在のロシアをファシズムと断定して、次のように語っている。

「私はウクライナが何らかの勝利を収める形で終わると考えています。世界が団結し、ロシアのファシズムに立ち向かうのです。ロシアのファシズムは危険で、ウクライナで止まるとは限りません。プーチンは（ソ連から脱退した）バルト三国やモルドバのことも惜しんでいます。ソ連の全ての断片を惜しんでいます。ウクライナが戦っているのは自らのためだけでなく、全世界のためです。…大事なのは、どんな独裁者も、時を止められないでしょう。どんなファシズムも、時を止めることはできない。彼らは勝てないでしょう。…」（「朝日新聞デジタル」聞き手・根本晃二〇二三年一月二日）

最後に、一九世紀に生きたウクライナの「国民的詩人」とされるシェフチェンコの「詩」について触れたい（紙幅の都合で、ごく簡単に）。とくにその詩「死者と生者とまだ生まれざる同郷の人たちへ」は、ウクライナの「過去と現在」をいみじくも「透視」するかのようで胸に迫る。ぜひ、実際の詩に触れてほしい（『シェフチェンコ詩集』藤井悦子編訳　岩波文庫　二〇二二年一〇月）。

第五章　芸術・文化を通して

18 女流能楽師の先駆者・津村紀三子に想う
――能楽における「女性解放」

女性が男性と同じような社会的存在であること、つまり「男女平等」は、人間存在の基本にかかわる重大な「人権問題」である。新憲法においてこそ、その平等は謳われているが、わが国における実態は二一世紀になってもきわめて不十分である。世界経済フォーラム（WEF）は、毎年「ジェンダー・ギャップの少なさ」の国別世界ランキングを発表しているが、最新二〇二二年のもので、日本は一一六位と圧倒的に「後進国」である。G7の中で「最下位」であるのはもとより、韓国の九九位、中国の一〇二位以下なのである。

そんな実情のわが国だが、それでもまがりなりにも現在の「平等性」を獲得するまでには、女性自身による壮烈な「闘い」があった。わが国近代において「女性解放」の最初の運動を華々しく展開したのは、平塚らいてうだったろう。彼女は雑誌『青踏』を発刊したとき、その有名な巻頭文「元始女性は太陽だった」でその口火を切った。一九一一（明治四四）年のことだった。「精神集注を不断に継続せしめよ。…潜める天才を産む日まで、隠れたる太陽の輝くまで…」「烈しく欲求することは事実を産む最も確実な真原因である」。その女性解放を求める「情熱」は、まさしくパイオニアのそれであった。

平塚が渇望した「天才」のひとりが、古式豊かな「能」の世界に現れたのである。

わが国のユネスコ無形文化遺産第一号である「能」は、芸能の中で最も歴史が古い伝統芸能といえる。それだけに「女人禁制」の歴史が永く続き、戦前まで女性能楽師の存在はおろか、能舞台に女性が上がることも許されなかったのである。そんな女人禁制の能楽の世界で「女性解放」の先陣を切った女性能楽師がいたことは、あまり知られていない。

二一世紀の現在、プロの能楽師の団体・能楽協会の会員約一五五〇人のうち女性は約二五〇人（一六・一％）に達するという。国会議員の女性比率が約八％だから、能楽界における「女性解放」は、まあ進んでいるといっていい。だが、このような情況が産まれるには、パイオニアの壮絶な「闘い」があった。

津村紀三子こそ知る人ぞ知る、そのパイオニアである。事実上の女流能楽師第一号の彼女の生涯は、驚嘆と感動なしにたどることはできない。私たちはいまその人となりと足跡を、金森の労作を通して容易に知ることができる（金森敦子『女流誕生　能楽師津村紀三子の生涯』　法政大学出版局　一九九四）。

まず、津村紀三子の生涯を、能楽活動を中心に概観しておこう。

一九〇二（明治三五）年生まれ。七歳で謡曲の稽古を始める。一三歳で謡本の詞章の見事さに感銘を受け、多くの流派の名人の舞台を観続けつつ二百十番の全曲ほとんどを暗唱する。一七歳にして子女に謡曲・仕舞を教え始める。一九歳で京城（ソウル）の舞台で仕舞「羽衣」を舞い、これを契機に京城で能楽教室を開く。京城での演能が師の観世銕之丞（華雪）の知るところとなり破門される。この間、大鼓（髙安流）・小鼓（大蔵流）・太鼓（観世流）などを習う。二三歳で東京での活動の拠点組織「緑泉会」を結成、年二回の定期公演を目指す。三七歳、「安宅」を上演。この時、囃子方の「引き上げ」と装束貸出拒否（直面の弁慶を女性が演じることへの能楽界の圧力）のため、自前の囃子方と「袴能」で演能。三八歳、観世流師範の免許。四六歳、能楽協会会員（一九四八年）。四七歳、「道成寺」を抜《ひら》くが失敗。四八歳、再度「道成寺」に挑戦、成功。肺結核を患う。以後六年間病床に臥す。この間、新作能の制作に精を出す。計一〇曲を作能。六五歳、内弟子藤村禮次郎を養子とし緑泉会の後継者にする。六九歳、女性で初めて「鸚鵡《おうむ》小町」を抜く。七二歳、心筋梗塞にて没。

津村の能楽活動には、きわめて非凡な才能と資質を見出すことができる。

まず、第一に、能楽に対する知性と感性の秀逸さである。一三歳の少女にして謡本の詞章の文学性を読み取った感性と読解力の高さである。

第二に能楽に対するどん欲さである。それは「熱心」を超えた「入魂」とでもいうべきものである。多くの名人の舞台に通い、十代にして二百十番の全曲を諳んじるほどだった。

第三に、師匠としての「早熟さ」である。能楽に触れて一〇年、一七歳の若年で謡曲・仕舞を教え始めている。

第四に、タブーに挑戦する「果敢さ」である。女人禁制の舞台であることを知りつつ敢えて舞台に立つことで、「婦人能」の新方向を開示した。

第五に、能楽に対する「視野の広さ」である。謡曲・仕舞のワクに留まることなく、ワキ方や囃子方についても専門家についてどん欲に修練し、人に教えられるほどに会得している。

第六に、演能者としての実力の高さである。能評家からも早くからその演能は高く評価され、戦後いち早く能楽協会はその能力を認めて会員にした。

第七に、師匠・能者としての能力の高さである。シテ以外に三役をも弟子に仕込み、早くに「一門」での上演体制を整え、また弟子から多くのプロ能楽師（シテ方八人、囃子方三人）と無数のセミプロを輩出した。多くの新作作能はまた非凡な才能を証している。

彼女の能楽活動はほとんど流派家元のように広く深いが、なんといっても私たちを驚嘆・感心させるのは、能楽が男性芸能としてあった時代に、女性の身で叙上のような諸活動を孤軍奮闘展開し、「一門」すら形成したこと、そして一貫して見られた能者としての全能的な才能である。もとより、当時の能楽界の「女だてらに」の視線や仕打ちに、彼女は「苦闘」の連続であった。

彼女の残した言葉がある。「（「安宅」上演を妨害され）私はこのとき、遂に怒り心頭にこみ上げて、袴をはき舞台に出て、一時間も、能楽だけが女性に解放されていない、そのゆがみを滔々と話しました」。「ただしかし、彼女は女性解放の「闘い」を意図して能楽に携わったのではない。次のようにも語っている。「謡曲文学から受けた、心が震えるような感動を能というものに仕上げて、それが皆さんにどう響くか、それを見ていただきたいだけなのです…」。彼女の活動は、ひたすら能楽そのものへの愛着と真摯さと情熱に支えられていたといえる。

津村が三七歳のとき、東京音楽学校能楽科に女学生の入学が許可され、国費での女性能楽師の養成が始まる。彼女はこのエリートたちに先駆けて、いわば荒野の「雑草」のように逞しく根を張り「花」を咲かせたのである。高価な装束や面などを調達するために、その日常生活はきわめて質素だったともいう。

現在の二五〇人を超えるプロの女流能楽師の存在は、まさしく「厳しく、険しい」茨の道を踏み分けて拓いた津村の孤軍奮闘の「格闘」によるものといっても過言ではないだろう。まさに津村は、平塚らいてうが渇望した、能楽世界における「天才」だった。能舞台に新たな太陽の陽が射し込んだのである。

能楽は徳川幕府が江戸城舞台での演能を正式な正月行事に組み込み、また各流派家元に邸を与えて庇護したほどで、武士層にとって必須の「教養」となり、謡曲稽古は江戸期にはすでに「大衆化」していた。それが、まず裕福な商人層にも拡がってさらに町人世界に浸透し、いっそう「身近な」稽古事になっていった。

私事になるが、遊び盛りの小学生の頃、昔、観世流で謡曲を嗜《たしな》んだ父親に謡曲の稽古を受けた。子供にも理解し易いということだったか、謡本は「橋弁慶」だった。五条の橋の上で弁慶が牛若丸に挑んで降参する、あの話である。見台の前に正座しての稽古は足は痺れるは、で子供にとってはほとんど「地獄」同然だったが…。「それは西塔の傍らに住む、武蔵坊弁慶にて候。我、宿願の仔細あって…」三つ子の魂…？　何十年経っても「橋弁慶」の詞章は口をついて出てくる。一般市民にとって、確かに能は身近な存在になっていた。

現在、女性にも「解放」された能楽の世界である。大衆化はいっそう進み、謡曲・仕舞を稽古する素人衆の人口は二〇〇万人ともいわれる。多くのカルチャースクール同様、その生徒の過半は女性である。そして向かう「目」は必ずしも甘くはない。「婦人能といえばややもすると、…有閑マダムのお座敷的慰み事を思わせる」などという「男目」批評は昔からあるし（坂元雪鳥「能評」「朝日新聞」昭和一二年六月一七日）、多くは真摯に励む生徒衆なのだが中には集団の「素謡い」で「口パク」で舞台に上がる者もいて能楽への姿勢を同性からも疑問視される実態も残念ながらあるようだ。

津村の労苦あっての今日の能楽の「女性解放」と「大衆化」を想えば、素人衆も「襟を正して」稽古に励むべきなのだろう。

津村紀三子は、能楽への「こだわり」について、叙上のように「震えるような感動を能に仕上げて見ていただきたいだけ」と述べてはいたが、戦後、能楽協会の会員になって正式にプロの能楽師として認められるには、まさしく「女だてらに」の厳しい「差別」「閉鎖」の世界の辛酸を舐めずには済まなかったのである。

津村は、能楽が性差を超えた至高の芸能でありうることをその生涯を通して証してみせた。男女の別を超えて、彼女から学ぶことはきわめて多い。

いかなる領域においても、「解放」の先駆者は、同じような辛苦の道を辿って「隠れた太陽」から「輝く太陽」となって現れ至るにちがいない。

19 「欅坂46」の歌「不協和音」をめぐって
――プロテストと歌

アイドルグループの歌について「一文」を書くなどということは、年寄りにとってまずありえないことだろう。ことの始まりは、香港の民主化運動にあった。弾圧が激しくなって、運動のリーダーのひとり「民主の女神」と言われた周庭さんが逮捕され、獄中にあった時に日本のアイドルグループ「欅坂46」の歌「不協和音」を想い浮かべながら頑張っていた、と聞いたことである。まったく「無縁」だったその「不協和音」という歌がかの民主化運動とどんな風に「関わる」のか、周庭（アグネス・チョウ）さんへの「応援」の心情もあって、『覗いてみよう』ということになった。きっと、「民主の女神」を頑張らせただけの「何か」があるにちがいと。

はたして、「その歌」をめぐって、およそ「統治」や「支配」の不都合や不条理に対する若いころのプロテストの「思い」が蘇り、その当時の「反戦歌」「反抗歌」が口をついて出てきたものである。

そう、市民運動が生き生き展開されるには、歌の力は偉大なのだ、ということをあらためて思い知ったのである。

㈠　周庭さんを支えた「不協和音」の歌って？

何で一〇代女性アイドルグループの「欅坂46」なんだ？　我ながら、まさか、アイドルグループについての一文を綴ることになるとは、夢にも思わなかった。そもそも、彼女らアイドルグループのことは、名前くらいは知っていたが、一度もその歌を聴いたこともなく、ほとんど知らないと言っていい「対象」だったのだから…。ほんとうに、世の中どう「転ぶのか」不思議だ。

「こと」は、香港の「民主の女神」こと周庭さんの会見での発言に始まる。

香港における「一国二制度」を完璧に否定する「香港国家安全維持法」（以下、「国安法」）が中国本土の全人代によって決定、施行されたのは二〇二一年六月三〇日。香港の憲法である「香港基本法」や議会の「香港立法会」を超えての重大な法律の制定・施行だった。すでにその事自体が「一国二制度」の否定である。

六六条から成る同法は、いわば強硬な治安維持法。香港の政権や中国本土の香港政策に「反対」する言動は、すべて「国家分裂罪」や「国家権力転覆罪」などの罪状に該当して取り締まりの対象となるのだ。「香港が香港でなくなる」、世界が不安と危惧を抱いてこの中国の独断専行を批判した。

「雨傘運動」（二〇一四）以来、香港における民主化運動の中心的なメンバーだった周庭さんが、二〇二一年八月一〇日、この「国安法」違反の容疑で逮捕された。同じ日に、「リンゴ日報」などを発行するメディアグループの創業者・黎智英氏ら七人も逮捕された。「国安法」の最初の発動だった。

同日逮捕された人たちは、深夜に全員が釈放された。一説に、世界の中国に対する批判の声の多さ、大きさがあったからだという。しかし、彼らが起訴・公訴されることは自明のことのようだ。

周知のように、周庭さんが釈放された時の会見で出た話の中に、この「欅坂46」の歌「不協和音」のことがあった。

彼女はこう語った。「…世界のみなさんから応援をいただいて。そして日本のみなさんが私のためにハッシュタグを作ったことも弁護士から聞きましたので、本当にいろんな愛そして支持をいただきました。…拘束されている時に、**不協和音という日本語の歌詞**が頭の中で浮かんでいました。…これからも香港人のひとりとして頑張って行きたいと思っています。…」。

私は、初めこの「不協和音という日本語の歌詞」のことが解らなかった。後の報道などでそれが「欅坂46」の歌のことだと知った。「なんで不協和音なの?」と妙なところでタイトルの「異質さ」「奇抜さ」に疑問を抱きつつ、その歌のことが気になった。拘束された、おそらく狭い取調室のなかで「いままでで一番怖かった」と自身語った周庭さんを「支えた」歌。そんな歌が日本のアイドルグループにあったのだ。香港の「動静」に関心をもつ者として、「その歌は知らなきゃダメだろ」と自分のなかで声が響いた。まったく縁遠かったアイドルグループの歌の世界への「探訪」が始まった!

(二) 「過激な」歌詞

さっそく、件の歌が入っているCDを入手することにした。店頭で買うには池袋まで出なければならない。この節、コロナ禍のもと「外出自粛」でバスも電車も敬遠している身としては、家に居ながらにして買い物のできるネット通販を利用した。便利さゆえに利用しながら、一方で懸念している「二律背反」(大袈裟か)の自分がいる。「翌日には宅配されるのだから、売り場を設けて商売している商店・業者には脅威の相手だ。しかも、ネット通販の企業は巨大資本だし…。しかも自分の利用しているのはアメリカの超巨大通販だ」チクチクとヨコ腹を針で刺されるような「痛み」を感じながら、「外に出られないから」と言い訳を自らにしている…、妙な気分。

「不協和音」はアップテンポな曲だ。あらためてジェネレーション・ギャップを思い知る。そういえば、年末恒例の「紅白歌合戦」も、この種の若者向きのアップテンポの歌が多くなってから視なくなって久しい…。やはりこの歌に関心をもった周庭さんも若者なんだ、とあらためて実感。

目的は、曲の「調子」じゃない。「歌詞」である。会見で周庭さんは「曲」とは言わず、「歌詞」と言ったのだ。CD付属の歌詞を見る。ああ、何という字の小ささよ。一文字の大きさが一ミリと二ミリの間だから――ちょっと想像してほしい。新聞の文字だって一文字三ミリくらいはあるのだ――「4ポ」だろう。4ポなんていう印刷物は通常お目にかからない。日常の読書用眼鏡じゃ見えない。拡大鏡のお世話になる。この歌詞冊子、年寄り用にはもともと作ってないか…。そう、年寄りが見るなんて、制作者は予想だにしていないだろうな。まず、そんなボヤキで始まった。

いまどき、こんな歌もあるのだ。曲調はともかく、歌詞を見て少々驚く。この「平和ボケ」の時代に！「最後の最後まで抵抗し続ける」「不協和音で既成概念を壊せ！」「一度妥協したら死んだも同然」…、激しい、厳しい、直截的なコトバの連続である。けっこう長い歌だ。

ほんとうに、今どきこんな過激な「自己主張」の歌が…。知らなかった。それも、およそ似つかわしくない、可愛い少女たちのアイドルグループが歌っている！　けれど、歌詞について率直に言えば、このアップテンポの曲がそぐわない感がした。それぞれの言葉の「重み」が飛んでしまう。むしろ、反対にバラードのようにゆったりと歌った方が聴く者の心にじっくりと届くのではないか。何しろ、歌詞はとても「重たい」のだから。CDを何度も聴きながら、そんな風に思った。周庭さんが「曲」とか「歌」と言わずに、「歌詞」と限定的に表現したのも、彼女もまたこのアップテンポの曲調に多少の疑問・違和感があったのかもしれない。

しかし、香港の女性が日本のアイドルグループの歌を知っている！ もう芸能や芸術の世界は、アナログの時代と違ってデジタルの技術・手段を介してとっくに国境越えのグローバル化を果たしているということなのだろう。

あらためて、「不協和音」の歌詞の「異質さ」と「激しさ」に印象を深くした。「闘う者」の心理、ことに「激しさ」の裏の「孤独さ」を巧みに表現する。私は、フト、「心情の重なり」を覚え、自分の人生をかけた、もう半世紀前の「大学闘争」を思った。

㈢ 若者はどう受け入れた？

この歌「不協和音」は、二〇一七年二月にTV深夜放送で、三月にラジオ放送で発表され、同四月にはシングルCDが発売されているというから、もう三年以上も経つ。

アイドルグループのこの歌を聴いた当時の若者たちに、こんな「過激な」歌詞がどのように受け止められたのか、知りたいと思った。

もとより、若者たちにアンケートを取るほどのことでもない。おおよその「流行り方」が判れば十分である。幸い、この歌のヒットの仕方が判る「チャート順位」やCDの売り上げに対する日本レコード協会の「日本ゴールドディスク大賞」※の実績も知ることができる。こんな「好成績」を遺している。

※ CDやDVDの売り上げ実績によって、その年のレコード産業の発展に貢献したアーティスト及び作品を顕彰

＊「チャート順位」
・デイリー一位（オリコン）二〇一七年四月四日（推定売上　四五万六五一八枚）
・週間一位（オリコン）二〇一七年四月三～九日（推定売上　六三二万、六六七一枚）
〔デビュー一年以内で四作目の「オリコン週間一位」は女性アーティスト史上初、という。〕
・週間一位（Billboard Japan Hot 100）二〇一七年四月一七日（推定売上　六五万三〇三二枚）
・週間一位（SUPER HITS PERFECT RANKING 50）
・二〇一七年三月度月間三位（オリコン）
・二〇一七年四月度月間四位（オリコン）
・二〇一七年度上半期四位（オリコン）
・二〇一七年度年間八位（オリコン）
・Billboard Japan 年間チャート2017 アーティスト・ランキング二位

＊「ゴールドディスク」
・第三二回ゴールドディスク　トリプル・プラチナ（二〇一七年五月一〇日、推定売上　七五万枚以上）

＊その他の受賞など
・「MTV VMA 2017」特別賞 Best Buzz Award　を受賞　二〇一七年九月
・「Yahoo! 検索大賞2017」パーソンカテゴリー・アイドル部門　受賞　二〇一七年一二月六日
・ＮＨＫ紅白歌合戦出場（連続二回目）、「不協和音」熱唱　二〇一七年一二月三一日

チャート順位やCDの売り上げ実績、受賞などから当時の若者に大いに受けた「歌」だったことが知れる。発売一ヵ月ほどで売り上げ枚数七五万枚以上というのだから、相当のものだ。年寄り連中が知らないだけのことだったのである（「欅坂46」は年末の「紅白」に出場してこの「不協和音」を歌っていた！　まことに残念ながら、既述のように、私はこのころすでに「紅白」を視聴しなくなっていた）。

このアイドルグループ「欅坂46」は、周知のように音楽プロデューサーの秋元康が結成した。少女アイドルグループについては、かの「AKB48」（二〇一一）に続いて多くの「〇〇坂46」が生まれた。みな「坂」がつくので「坂道シリーズ」というそうだ。「乃木坂46」（二〇一一）、「欅坂46」（二〇一五）、「吉本坂46」（二〇一八）、「日向坂46」（二〇一九、「けやき坂46」〈結成二〇一五〉から改名）である。「欅坂46」はこの「坂道シリーズ」の第二弾となる。多くの同世代の若い女性アイドルグループの「共存」だから、それぞれの特徴化・特色化が必然とされたのだろう。

プロデューサーの秋元康は、ことに「欅坂46」の特色化について、先行の「AKB48」との「差別化」を意識していたそうだ。こんなことを語っている。

「…一〇代半ばの世代というのは、自分たちの価値観について迷うわけです。…もしかしたらその世代の「迷いや戸惑い、思い込み」といったものが僕の頭の中にあって、それが詞として出てくるのかもしれないですね。…そういう意味では、欅坂46では自問自答や、彼女たちの迷いそのものを描きたかったんだなと思います」（エンタウォッチング「秋元康が明かす　欅坂46と乃木坂46が向かう先」二〇一六年一〇月一二日）

どうやら「不協和音」の歌詞の「過激さ」「厳しさ」は、若かりし頃の秋元の裡にあって、そして今なお頭の隅にある世間への「抵抗」や人生への「懐疑」といった感情の発露だったようだ。誰もが人生のある時期――中、高生の頃が一般だろう――に世間の不条理や不正義に対して抱く「怒り」「思い込み」の情、あるいは将来を見通すことができない「不安」の情、そんな情がないまぜになって、必死に自己を確認しようとする孤独な「叫び」…。「不協和音」の歌詞の「激しさ」「厳しさ」の淵源が少しは理解できたように思う。

そんな歌が当時の若者たちに大いに受け入れられたのだ。二〇一七年、この歌が流行った時期を振り返ると、日本の若者たちが香港の周庭さんたちのように、社会のあるべき姿を求めて活動、運動していたという記憶は、残念ながらない。

ちょうどこの年は、安倍政権が「共謀罪法」を成立させようとしていた時期である。多くの識者が、戦前の「治安維持法」との類似性を指摘した法律である。少なからぬ「大人」たちが連日のように国会議事堂を囲んで反対の意思表示をしていた。筆者も腰痛をおして、しばしば参加した。政権は、「いつものように」数を頼んでの「強行採決」で法案を通した。

だが、「大きな力でねじ伏せた」(「不協和音」の歌詞)、まさに非民主主義的な政権・与党の強硬策に対して、「不協和音」の歌に「共鳴」したであろう若者たちが抗議する姿を見かけることはなかった。

若者たちといえば、その少し前に、ＳＥＡＬＤｓのグループが活躍して多くの耳目を惹いた。彼らが「自由と民主主義のための学生緊急行動」として活動を始めたのは、二〇一五年五月。安倍政権が集団的自衛権を容認して日本が「戦争のできる国になる」安保法制の制定を目指していたころである。国会議事堂を囲んだ数万人の反対行動のなかに常に彼らの集団があって、ラップ調の演説など特段目立つ抗議活動をしていたものだ。そのＳＥＡＬＤｓも翌年二〇一六年八月には活動を停止してしまう。残念なことに実に短い期間の活動だった。

私は、フト、期待感をもって想像する。SEALDsが結成された時期は、「欅坂46」が結成された時期に重なる。二〇一五年、同じ年である。プロデューサーの秋元康が言っていたように、「欅坂46」は、先行した「AKB48」や「乃木坂46」とは「差別化」して、若者の正義感や反抗感などを主題にした歌詞の曲を歌った。多くの若者が「共鳴」してチャート一位獲得や受賞もした。

彼女らの最初のリリース曲「サイレントマジョリティー」（二〇一六年四月六日）に、すでにその傾向は明白だった。「君は君らしく生きて行く自由があるんだ」「未来は君たちのためにある」…、いかにも若者への応援歌・激励歌のようだった。

ひょっとして、SEALDsに集った若者たちにも、この「サイレントマジョリティー」の歌が「応援歌」になっていたのか、と希望的に想像する。

CDの売り上げ枚数だけに「反映」され、「歌は所詮歌さ」ではあまりに寂しいではないか。「不協和音」が香港の周庭さんを「支えた」ように、この足元の日本でも若者たちの「外の世界」「社会」への批判的言動への支援歌であってほしかったと…、これは、年寄りの願望にすぎないのだろうか。

㈣　反戦歌、反抗歌――プロテスト・ソング――が素直に歌える国柄と時代を…

周庭さんの会見から、アイドルグループ「欅坂46」の歌「不協和音」を知ることになった。既述のように、その歌詞は一〇代の多感な若者が抱く「正義感」や「反抗感」といった激しく、厳しい言葉に満ちていた。冒頭のように、「えっ、日本のこの時代に?.」と、その激しさや厳しさの、ある意味「非時代性」に思わず驚いた。一九六〇年代の「若者時代」――それは、文化面でも政治面でも最も若者が輝いていた時代だった――を若者のひとりとして実体験してきた者には、「不協和音」が「平和ボケ」ともいわれるこの時代に生まれたことが「信じられない」という心情だった。

もちろん、それは否定すべきことではない。「平和ボケ」の時代に、こうした歌を世に出そうとした作詞・作曲・制作などの関係者の「心意気」を多とすべきなのだろう。その「欅坂46」は二〇二〇年一〇月に「櫻坂46」に改名するという。結成後五年。アイドルグループという一〇代少女グループの年齢的な「宿命」なのだろうか。その意味でも彼女らのこの歌「不協和音」は忘れずにおこうと思う。

周庭さんが、われわれ日本人に向かってしきりと語ってきた言葉がある。「日本には自分の考えや意志を率直に表現する自由がある。日本の皆さんはぜひその自由をだいじにしてほしい」。不自由な世界にいる者ほど自由の尊さや有難さ、その価値を思い知るのだろう。周庭さんの言葉を噛みしめたい。

状況が先か、「表現」が先か、いま思い出してもどちらとも言い難い。

「六〇年代」は、確かに世界的な「反戦」気分を押し上げたベトナム戦争があった。次第に、アメリカ本国においてもこの戦争への不条理を問う声が大きくなり、戦闘要員の召集令状を大衆の前で破り捨てる若者たちが続出した。一方で、歌の「表現」によってその反戦の空気を盛り上げたのは、アメリカ人歌手たちよる多くのフォークソングだった。

ジョーン・バエズやボブ・ディラン、ＰＰＭ（Peter, Paul & Mary）などがその筆頭だった。バエズのきれいな透き通った声、ディランの落ち着いた歌い方、ＰＰＭの男女混成のハーモニーが忘れられない。アメリカでのフォークソングの大流行を受けて、日本でも盛んになった。シンガーソングライターの岡林信康などが「反戦歌」

を訴えたその筆頭だったか。

バエズの一番の歌は何と言っても“We Shall Overcome”だろう。日本でも反戦や政権への抗議の集会でどれだけ歌われただろうか。そう、「いつかは勝利する」という明日への期待感、希望をもつことのできた時代だった。

ボブ・ディランは、“Blowin' In The Wind”だろう。

「どれだけ多くの砲弾が飛び交ったら、それらは禁止されるんだ？……」「答えは風の中に舞っているよ」

世情の不条理を問いつつ、しかし「答えは風の中」という「不確実性」を強調していっそう不条理を訴える見事な詞だった。そのゆるやかな歌のテンポがこの詞の「心情」によく合っていた。

私がいちばん好きだった歌い手はＰＰＭだった。唯一の女性メンバー・Maryは、アルトの声の持主で、PeterとPaulの二人の男性の声に実によくマッチしていた。彼女がメイン・ボーカルを務めた“If I had a Hammer”や“500 Miles”などは、こちらの心によく沁みとおった。彼らの曲はどれもよかった。筆者はＬＰ（一九六七年日本コンサート特別盤）を何度も聴いてほとんど暗唱した。彼らの歌も、けしてアップテンポではなく、聴きやすかった。いちばんの好みは、“Puff”だったろうか。必ずしも反戦や正義の曲ではないがリズムがよく、Magic Dragonの存在に「童心」をよみがえさせるものがあった。

反戦・正義の曲なら、文字通り“Cruel War”だろう。もともとは南北戦争時代には歌われていた古いトラディショナル・フォークソングをピーターが「三声」で歌うようにアレンジした。六〇年代アメリカでベトナム戦争時の反戦歌として、大いに歌われた。筆者の「和訳」だとこうである。

貴方の戦友として行進するわ
誰も気づかないわよ
貴方といっしょに行かせてよ
ダメだ、愛しい人よ、ダメなんだ
ああ　ジョニー、ああ　ジョニー
意地悪になってしまったの
私は人類の誰よりも貴方を愛しているのよ
…

"If I had a Hammer" も「正義」の歌だ。もとはピーター・シーガーの作曲になる曲で公民権運動で広く歌われていたがＰＰＭのアレンジで大ヒットした。メアリーのボーカルがよく通る歌だった。同じく、筆者の和訳。

…
そう、もしも私がハンマーを持っていたら、
そしてベルを持っていたら、
そして歌があったら、国中の
それは正義のハンマーさ、
自由のベルさ
…

六〇年代の日本での「運動の時代」では、古くからの反戦歌（「インターナショナル」一八八八年、「聞け万国の労働者」一九二二年、「がんばろう」一九六〇年など）がよく歌われていた。フォークソングの「反戦歌」は何と言っても、「友よ　この闇の向こうには　友よ　輝くあしたがある」と歌った岡林信康の「友よ」だろう。しかし、「戦争を知らない子供たち」（作詞・北山修、作曲・杉田二郎　一九七〇）もこの「友よ」（一九七一）も、実際は一九七〇年代になってから生まれた歌である。

一九六〇年代にこうして多くのプロテスト・ソングを身近にしてきた者にとっては、今の時代「不協和音」のような歌がほとんど単発的にしか存在しえないことも寂しい。「不協和音」のCDを買い、聴いた一〇〇万人ほどの若者たちにとって、それはどういう位置を占めたのだろう。「欅坂46」のアイドルグループが歌うノリのいい歌として、そして自分の世界の「外側」のこととして素通りしていった「愉しみ」の一部にしかすぎなかったのか。既述のように、その曲がリリースされた二〇一七年以降の若者たちの「反戦」や「正義」の行動がきわめて低調なことを思うと、「不協和音」のような歌も、この時節は「愉しみの消耗品」としてしかなかったのか、昔「若者」の年寄りは考えてしまうのである。

だが、民主化運動を熾烈に闘う闘士の周庭さんに、その歌は届いていた。ネガティブに捉えるのはよそう。この時節、この日本で何よりも足りないのは、こうした「反戦」や「正義」の歌声を聴かないという事実そのものではないのか。若者たちが低調なら、反戦や正義の運動・活動に加わる中高年のオジサン・オバサンたちが、歌おうではないか。今の運動にいちばん欠落しているのは、かつての若者たちの運動に顕著だった「明るさ」や「朗らかさ」がないことだ。それは、何よりも歌が歌われないからではないのか。歌声は、若者たちの専売特許ではあるまい。

周庭さんの会見から、あらためて歌の重要な意義を考えさせられた。「反戦」や「正義」「抵抗」「反抗」の歌が今も存在しうること、まずその「自由」があることを確認したい。周庭さんの言葉にもあったように「日本には表現の自由がある」のだ。自民党をはじめとする保守勢力は「一二年憲法改正草案」に見るように、その「自由」にタガをはめようとしている。そうさせないためにも、われわれは、いま、「反戦」「正義」「抵抗」「反抗」の歌を作り、大声で歌っていこう！

20 映画「鉄道員」余話
――ネオレアリズモ、そして、ポスト・コロナの表現者の出番！

(一)「涙」の淵源――観賞と状況と

偶然テレビのチャンネルを廻したら映画「鉄道員」（イタリア）を放映していた。「また観る機会があった！」途中からだったが、すっかり引き込まれて最後まで観てしまった。初めてのことに、随所でホロッと涙ぐんでいる自身に気づいた。歳で涙腺が緩んできたか。いや、けしてその所為でもなさそうだ。「今までこんなことなかった。なぜ？」少々その由縁をたどってみた。どうやら、今の私が置かれた「状況」にもよるものだろう、ということになった。

この映画、もう何度観ただろうか。戦後イタリア映画の名作と世評も定まっているようだが、確かにいい映画だ。私の場合、いや多くの人もそうだろうが、観るたびに新たな発見があったり、新たな感動を覚えたりする。だから、この映画、何度観ても飽きないのだ。

イタリアでの制作は一九五六年、日本公開は一九五八年だから、もう六〇年以上も昔の映画だ。けれど、少しも「古さ」を感じさせない。

機関士一家の家族の家庭内関係と鉄道組合の家庭外関係という日常世界を描いた「ホームドラマ」と言ってもいい映画だが、それぞれの役を演じる役者の演技のすばらしさと、描かれる人々の人間性・人間関係の豊かさ、すみずみまで行き届いた情景と描写のディテールが、いつも観る者を魅せるのだ。

とくに今回印象深かったのは、主人公機関士のアンドレア・マルコッツィ（ピエトロ・ジェルミ）、その親友リヴェラーニ（サロ・ウルツィ）、アンドレアの妻サーラ（ルイザ・デル・ノーチェ）、末息子のサンドロ（エドアルド・ネヴォラ）らが織りなす、観る者の心の機微に触れる「人間模様」だった。

長女のジュリアは流産で夫婦中が悪くなり、兄の長男マルチェロは父の厳格な「分からず屋」と衝突して家を出てしまう。家族関係が順調でないことに主人公アンドレアの心中は穏やかではない。そんなある日、彼は機関車を運転中に投身自殺の事故に遭い、その動揺から信号無視を起こして、処分されて落ち込む。そして、鉄道組合のストライキの方針を承知しつつ、思うところあってアンドレアは自分の機関車に乗りこむが、「スト破り」の批難を浴びる。彼は、心乱れて酒に溺れ、家族にも鉄道仲間にも寄り付かなくなる。忍従・辛抱の妻サーラの心中の嘆きは深い。ある夜、末息子サンドロをベッドで抱いて、「家族がばらばらで…」と泣く。

ベテラン機関士の父を尊敬する末息子サンドロは、母のためにも父を街に探す。それを手伝うのがアンドレアの親友リヴェラーニ。二人はとある酒場で酒浸りのアンドレアを見つけ出す。

そんないたいけな末息子とリヴェラーニの一所懸命さもあって、もともとすぐれた機関士アンドレアを気持ちよく迎える、酒場に集まる鉄道仲間たち。アンドレアは得意のギターを弾く。だが、酒浸りのせいか、そこで昏倒してしまう…。病に臥せるアンドレア。

クリスマスイブ。思いもよらず、リヴェラーニをはじめ大勢の鉄道仲間とその家族がアンドレアの家に寄り集まって、賑やかな宴となる。アンドレアも喜んで宴の輪に加わる。仕事に就いた長男マルチェロも顔を出す。よりを戻した長女ジュリアからは、今晩家に来ると電話がある。家族の絆も全部戻った。妻サーラにも最高の笑顔が戻る。

その夜、気分のいいアンドレアは妻にギターを持ってきてくれと頼んで、ベッドの上でギターを弾く。そして、

そのまま眠るように、静かに天に旅立つのだった…。

ざっと、「あらすじ」は以上のとおり。

私が、このたび、「ウルッ」ときたのは二ヵ所である。一つは、「スト破り」の汚名を着せられて酒浸っていたアンドレアを、笑顔と拍手で迎える鉄道仲間の酒場のシーン。「友情」といったような一見上品なものではなく、もっと泥臭い「連帯感」のようなものだろうか。「トモダチナラ、アタリマエ！」というブラジル人サッカー選手のTVコマーシャルがその昔話題を呼んだが、私はこれまで、この酒場のシーンにはあまり「感動」したことはなかった。「ほんとうの友人というのは、そういうものさ」という先入観もあったろう。だが、このたびは、どうして「ホロリ」なのだろう。考えてみた。

そういえば、もう何か月も仲間・友人たちに会っていない。このコロナ禍、「外出自粛」で、バスも電車も忌避している。外出は、薬の処方を求めての医院や食料買い出しのスーパーに出向く時だけ。それもいつもひとりでのマイカー運転。寄り道などする所もない。こうした「日常」を強いるこのコロナ禍、人生初の体験である。自分でも気づかないところで、どうやら「人恋しさ」が募っているようだ。「人恋しい」といっても、まあ市民運動で「活動」する仲間たちである。この「外出」と「会合」の自粛で、まったく会う機会を奪われている。冗

談半分で、「閉門蟄居」の心境などとうそぶいていたのだが、精神の逼塞は静かに「進行」していたようだ。聞けば、この「外出自粛」の生活のなかで「鬱（ウツ）」になる人もいるという。精神というのは、実に微妙なものだ。心を開いて語り合える仲間たちの存在の意味を、この酒場のシーンであらためて想った。

二つめの「ウルッ」は、これも「さもありなん」と、いままであまり強く心に響くシーンではなかったのだが、アンドレアの妻サーラが家族の離反を嘆き、声にして涙を流すシーンであった。辛抱の人サーラは、夫や子供たちの前ではついぞ泣かなかった。しかし、長女も長男も、そして頼るべき夫も家に寄りつかなくなってしまった。一家がばらばらに離散したという事実もさることながら、母親としてまた妻として一家の心の拠り所となっていない自身の存在への「もどかしさ」「不甲斐なさ」に打ちのめされていたにちがいない。幼い末息子だけが「ママー」と自分を慕ってくれる。思わずその末息子を抱きしめて、夜、ベッドで「家族がばらばらで…」とさめざめと泣くサーラだった。

これは、まったく「私事」なのだが、三年前に妻を亡くした。伴侶を亡くしたある知人は、「三年経ったら立ち直った」と語った。「そういうものか」と思ってきたが、私の場合は、――露出の趣味はないが「個人事情」を許されたい――今でも毎朝仏壇の前で涙のない日はない。妻との旅行などを思い出しては、また涙の日常だ。「立ち直って」いるのだろうか。思えば、妻も辛抱の人だった。自分以外の家族のために尽くす無私・無欲の人でもあった。ある著作の「あとがき」に「『清貧の思想』を地で行くような」と書いたこともある。自分を措いて、家族に尽くすのもサーラだった。私の中で二人の人物像が重なるのは、しごく自然だった。

亡妻への「いたわり」のような心情が、さめざめと泣くサーラにも分かち飛んでいったにちがいない。こんなふうに、サーラをじっくり観て想ったことは、これまでなかった。

仲間の「暖かさ」といいサーラへの同情といい、初めて我が涙を誘ったシーン。映画の「観え方」は、観る者のその時の「心的情況」に強く支配されるのだと、あらためて実感したのである。

この映画「鉄道員」の監督は、主人公アンドレアを演じたピエトロ・ジェルミである。彼は、日本では俳優として名が知られているが、むしろ若くして監督としての実績を残している。三一歳の処女作「目撃者」（一九四五）をはじめとして、「無法者の掟」（一九四八）、「越境者」（一九五〇）、「街は自衛する」（一九五一）など、三〇歳代の監督作品である（「鉄道員」は四二歳の時の作品）。

一九四〇年代は、イタリアは、映画や文学の世界で「ネオレアリズモ」（新現実主義）という、現実重視の表現方法が盛んだった。ローマの「映画実験センター」の俳優科・監督科の両科で学んだピエトロ・ジェルミもまた、ネオレアリズモの社会派作品を追求していた。「鉄道員」も、五〇年代の作品だが、依然としてネオレアリズモ系列の作品ということができるだろう。

(二)　ネオレアリズモ――ファシズムとナチズムへの抵抗

イタリアの一九四〇年代は、ファシズムとナチズムに蹂躙された時代といっていいだろう。すでに、ムッソリーニ率いる国家ファシスト党によって、一九二二年以来事実上ファシズムの国体になっていたイタリアであったが、一九三九年にはヒトラーのドイツとの間に軍事同盟条約を結び、内外ともにファシズム体制が強化されていく。一九三九年九月、ヒトラー・ドイツ軍がポーランドに侵攻して第二次世界大戦が始まると、翌四〇年六月にはイタリアも英仏に宣戦布告して大戦に突入する。同年九月には日独伊三国同盟条約の調印、翌四一年一二月にはドイツ・イタリアがアメリカに宣戦布告して、文字通り、ファシズム軍政下の「戦争時代」となっていく。秘密警察による監視によって「自由」は制限され、文化面においてはナショナリズムが称揚されて多様な「表現」が抑制されていった。

イタリアのこの「戦時期」の事情は少々複雑である。ネオレアリズモが「生起」した事情をよりよく理解するためにも、この時期の社会背景の展開、とりわけ軍事情勢の推移を見ておくことは不可欠である。

一九四三年は、第二次大戦全体の転換期に当たり、また、イタリアでは半島が南北で「連合」「枢軸」の陣営に二分される「複雑な過渡期」の始まりの年であった。

同年二月、ヨーロッパの北部・スターリングラードではロシア軍の包囲攻撃でナチス・ドイツ軍が降伏し、五月には南方チュニジアでドイツ・イタリア連合軍がアメリカ・イギリス連合軍に降伏して、戦況は「枢軸国」側の劣勢が見えてきた。

こうした戦況の中、イタリア本土では国王・エマヌエーレ三世を中心にムッソリーニ排除の動きが強まり、同四三年七月に彼は罷免、逮捕される。同月、パドリオ政権樹立。だが、全体主義的政情はこれで終わらなかった。ムッソリーニ罷免後、九月にはイタリアは連合国側と「停戦」の話し合いを極秘で始める。その動きが顕著になると、ドイツ軍は同月、イタリアに軍勢を拡大し瞬く間にイタリア軍を武装解除して半島の北部を支配し、幽閉されていたムッソリーニを救出してイタリア共和国を樹立させる。事実上はナチス・ドイツの占領状態となったナポリ以北の北部イタリアでは、さっそく「国民解放委員会」が結成され、反ファシズム・反ナチズムの「抵抗運動」が盛んになっていった。北イタリアの山岳地帯でも多くの都市部でも、レジスタンスの組織化が進み、ドイツ占領軍への「抵抗」が展開された。この北部（ミラノ、トリノ、ボローニャ、ベネチアなどの有力都市が散在）

における抵抗運動とその機運が、新たな「文化潮流」ネオレアリズモを生み出す「原動力」になった。〈後述のロッセリーニの映画『無防備都市』〈Roma città aperta「無防備な都市ローマ」一九四五〉は、実際にあったローマでのレジスタンス運動を元にフィクション化して作られたものである〉。

ネオレアリズモは、ことに映画と文学の分野で大きく開花した。とりわけ、一九四〇年代、五〇年代のイタリア映画は、「ネオレアリズモ」の名を世界映画史の重要な位置に刻んで注目された。文学では、戦後も活躍したチェーザレ・パヴェーゼ（『故郷』一九四一）やイタロ・カルヴィーノ（『くもの巣の小道』一九四七）らが、すでにこの時代に詩や小説を発表して活躍を始める。

ここで、少し、この時期の映画、つまりネオレアリズモ映画について少々「寄り道」をしたい。イタリア映画界の「三巨匠」といわれる映画監督、ロベルト・ロッセリーニ、ヴィットリオ・デ・シーカ、ルキノ・ヴィスコンティは、すでに四〇年代に、ネオレアリズモの「現実主義」「写実主義」の色濃い作品を制作している。

＊ロベルト・ロッセリーニ：「無防備都市」一九四五年、「戦火のかなた」一九四六年、「ドイツ零年」一九四八年、「神の道化師、フランチェスコ」一九五〇年

＊ヴィットリオ・デ・シーカ：「靴みがき」一九四六年、「自転車泥棒」一九四八年、「ウンベルトD」一九五二年、「終着駅」一九五三年

＊ルキノ・ヴィスコンティ：「郵便配達は二度ベルを鳴らす」一九四二年、「揺れる大地」一九四八年、「ベリッ

シマ」一九五一年

これらの作品で、とくに、占領下イタリアの社会状況あるいはナチスの膝元ドイツでの「非人権的」状況に関連する映画としては、ロッセリーニの「無防備都市」「戦火のかなた」「ドイツ零年」、デ・シーカの「靴みがき」「自転車泥棒」、ヴィスコンティの「揺れる大地」であろう。「自転車泥棒」は、日本でも一九五〇年に公開され、またテレビで何度も放映されて馴染みの映画である。うち、「無防備都市」「自転車泥棒」「揺れる大地」の三作品は、最も代表的なネオレアリズモ作品といわれる。

典型的な「反ナチ・レジスタンス運動」とナチ占領軍・ゲシュタポとの「抗争」を描いた「無防備都市」（原題、既出「無防備な都市ローマ」）をＤＶＤで観た。

舞台は「原題」にあるように占領下のローマ。潜伏していたアジトをゲシュタポに急襲されて国民解放委員会の幹部でレジスタンスの闘士（マンフレーディ）が逮捕連行される。彼との結婚を間近に控えた寡婦（ピーナ）がその車両を「マンフレーディ、マンフレーディ…」と叫びながら追う。銃声が響いて、彼女は路上に倒れる。七歳の息子が「ママ、ママ…」とその体に抱きつく。彼女はすでに動かない。

逮捕されたマンフレーディは、ゲシュタポ本部で、同じく逮捕されたレジスタンス仲間の神父（ドン・ピエトロ）の眼前で、国民解放委員会やレジスタンスの情報を得ようというゲシュタポ要員から拷問を受ける。口を割ることなく彼は絶命する。広場に連れ出された神父は、目隠しをされて銃殺刑を受ける。銃発射の直前神父は叫ぶ。「肉体は滅ぼせても、魂は滅ぼせない！」　この映画全体を通じて、監督ロッセリーニの主張したいテーマだったろう。

実は、レジスタンス闘士・マンフレーディらがその隠れ家でゲシュタポに急襲されたのは、マンフレーディの昔の恋人（マリーナ）が密告したからだった。彼女は、パンひとつ不自由な戦時下において不自由を嫌ってレズビアンのゲシュタポ女将校と取引したのである。いつの時代でも、「正義」の裏に卑しい「裏切り」のあることを描いて、人間社会の醜悪な一面を示す。映画に「厚み」が加わった部分である。

神父処刑の場面。日ごろ日曜教会で神父に親しく接している子どもたちが、神父の処刑現場を金網越しに見ていた。彼らは、神父の最後を見届けるとその場から逃げ去る。現役のレジスタンス闘士たちを「処分」しても、また彼ら子どもたちが次代のレジスタンスを担うであろうことを暗示して、映画は終わる。

戦後もイタリア映画界で大活躍するロッセリーニ、デ・シーカ、ヴィスコンティの三人だが、いずれもがネオレアリズモの「洗礼」を受けている。デ・シーカもヴィスコンティも戦後の作風は「現実」「写実」を重んじたネオレアリズモの作風とはかなり異なっていくが、彼らの「原点」「出発点」がこの「抵抗」の時代にあったことに、あらためて留意したい。

㈢　ポスト・コロナ――すべての「表現者」よ、立ち上がれ！

映画「鉄道員」を久しぶりに観て、「あの」時代にすぐれた映画をあまた世に出したイタリア映画界に思いを馳せることになった。

何と言っても、一般大衆にもとりわけ解りやすい《映画》という表現媒体が、歴史にその名を刻む「流儀」ともいうべき「ネオレアリズモ」という大きな潮流を形成して、ファシズムやナチズムへの抵抗運動の一環として生まれたことを確認できたことは、きわめて多大な収穫であった。

もちろん社会状況も戦時体制もまったく異なるのだが、同じ時期のわが国において、こうした「抵抗運動」の一環としての芸術・芸能の表現活動がどれほどあっただろうか。そうした「活動」は、端緒のうちに「密告」などの通報や秘密警察（特高）の内偵などで知られるところとなり、治安維持法違反のカドで芽出しもないうちに潰されていったのかもしれない。しかしながら、この「彼我の相違」は、きわめて重大である。一方で「できて」、なぜ他方では「できなかった」のか。その「事由」については、背景の政治・社会状況も含めて、またの私の「宿題」にしておきたい。

さて、コロナ禍の終息を見ないうちの、安倍長期政権の終焉である。筆者は、もう何度も安倍政権の「回帰反動政策」の数々について具体的に批判してきた。「一強」に乗じて、全面的な憲法の「改正草案」を策定し、強行採決を繰り出してはあまたの「反動」法案を成立させ、沖縄県民総体の反対を押し切っては辺野古新基地建設を強行し、またその強権を利用して「モリ・カケ・サクラ」に代表される国政の私物化を行った。拉致家族問題や北方領土問題、徴用工問題等々、外交もほとんど何の成果もなかった。

一方、この七年八ヵ月という「年月」において、日本の国際的な「国力」や「幸福度」は確実に低下していった。最も顕著な例は、労働者の実質賃金の変化である。先進国を中心にほとんどすべての国が、この間賃金の年度ごとの着実な増大を示しているのに、日本だけは漸減しているのだ。

ユニセフが先ごろ（二〇二〇年九月）発表した「子どもの精神的幸福度」では、日本は、調査三八ヵ国中三七位だった（ちなみに、二〇一三年調査では全五項目平均で第五位、最も低い項目「物質的豊かさ」で二一位だった）。

まさに、安倍長期政権は、「害あって利なし」といっても過言でない。次期自民党総裁が有力視されている菅官房長官は、「安倍政治を継承する」と明言している。だが、安倍内閣の「番頭」として、既述の反動強硬政策の推進を影で「舵取り」し、また、辺野古問題では翁長知事との面談で「けんもほろろ」に建設強行を断言し、TVや新聞などメディアの政権に「不都合な」報道に対して徹底的な圧力を加えた張本人も菅だった。「菅政権」は、安倍時代よりもいっそう「暗い」「非民主的」な政治が展開される可能性が高い。

筆者は先に、「ポスト・コロナの新社会構築」の必要性をしきりに謳った（別稿「9　将たらざる者と矜持なき者たちへの葬送曲」）。

そして、このたび、イタリアにおける戦時の「抵抗運動」の一環としてのネオレアリズモについて少々立ち入ってみて、「そのこと」について大きな示唆を得た。それは、ひと言で言えば、「いかなる統治や施政も大衆の『人格』――それは人権をも含む存在の全的価値をさす――を奪うことはできない」ということである。さらに言えば、「大衆は『人格』を奪おうとする者に対しては、それがどんなに強大な『力』であっても命を賭して抵抗する」ということである。ネオレアリズモの「表現者」たちは、「そのこと」を作品を通して語ることによって、人びとの「人格」の不可侵性、つまり、「人間の尊厳」を謳ったのである。

また、筆者は前出「将たらざる者と矜持なき者たちへの葬送曲」において、「ポスト・ペスト」におけるルネサンス開花のことに触れた。グローバルで深刻な社会事象は、広く深く生存の可否を左右して、人間存在そのもの意義をあらためて照射するにちがいない。ルネサンス（人間復活）開花もネオレアリズモも、時代は違えど、まったく同様の「人間存在の再認識」「人間存在の謳歌」という根本原理が働いていたと見ていいだろう。

そうした「根本原理」は、ルネサンスがそうであったように、本来、映画や文学に限定されない多様な「表現媒体」を通して表出されるものだろう。

われわれは、ネオレアリズモの僅か二〇年ほど前に、そうした「全的な」表現活動がヨーロッパを中心に展開され、それが日本やアメリカの「表現活動」にも大きな影響を与えた事象を経験している。

第一次世界大戦終了後の、いわゆる「一九二〇年代芸術」のことである。

当時最も民主的な憲法をもったワイマール共和国が、まずはその中心的な役割を果たした。敗戦国であったからこそ、「苦衷からの解放」を求めて、民主憲法だけでなく、芸術分野においても革新的な「大花」が開いた。代表例は、バウハウスの開設だった。一九一九年、太古以来の多くの「芸術」を統合するものとしての「建築」という総合芸術の新たな研究・教育組織の発足である。多くの分野の芸術家が各国から参集した。

・ヴァルター・グロピウス（ドイツ、建築家）
・ヨハネス・イッテン（スイス、画家）
・ワシリー・カンディンスキー（ロシア、画家）
・モホリ＝ナジ・ラースロー（ハンガリー、写真家・画家・タイポグラファー）

らである。デザインを中心とした造形理念は、工業化の時代性と融合するべく「新しい生活像を反映する」モダンスタイルを生み出していった。

この時代、バウハウスに結集した芸術家のほかに、ヨーロッパの多くの国で新たな芸術運動が展開されている。以下、代表例。

・新造形主義：ピート・モンドリアン（オランダ、絵画）
・デ・スティル：テオ・ファン・ドゥースブルフ（オランダ、建築・工芸）
・構成主義：エル・リシツキー（ロシア、建築）
・表現主義：ルートヴィッヒ・マイトナー（ドイツ、絵画・詩）
　アルノルト・シェーンベルク（ハンガリー・オーストリア帝国、作曲）

一九二〇年代は、まさしく多種多様な芸術運動が展開されていた。第一次世界大戦とその終焉がこれら多くの「表現活動」とその「理念」の発出を促したことは間違いないだろう。

こうして、われわれは、既出の「人間存在の再認識」や「人間存在の謳歌」といった「表現」原理の多様な発出の具体例を知った。

コロナ禍からの人間回復のために、また「さんざんな」安倍政権の終焉に当たり、そしてそれ以上の「強権」が予想される菅政権（と目されている）の早期終焉のために、われわれは正当な「人間謳歌」と「自己主張」の活動を展開することが必要である。

テニス・アスリートの大坂なおみが「全米オープン」において、黒人の「人格の尊重」を訴えて、ＢＬＭ（Black Lives Matter.）のＴシャツを着、犠牲になった黒人の名を白色プリントした黒マスクを日替わりに着けてコートに登場している。「私はアスリートである前にひとりの黒人女性だ。…テニスよりも考えるべき重要な問題がある…」と、「抗議」「抵抗」の運動をコート上で繰り広げている。彼女の行動も立派な「表現活動」である。テレビは連日彼女のその「表現活動」を映像にして「発信・拡散」している。その「効果」は、きっと大きいに違いない。彼女の「宿意」と「勇気」に敬意！

テニスプレーヤーのアスリートも、その気になれば、「統治」や「施政」に対する立派な「抗議」の活動ができる。

統治への抵抗、そしてその転換は、大衆の基本的権限である。ジョン・ロックはつねに蘇る。

ポスト・コロナ、ポスト・アベ、ポスト・スガにおける、「人間存在の再認識」「人間存在の謳歌」のための運動を、あらゆる「表現者」が展開することがいま強く求められている。

立ち上がれ、行動せよ、すべての表現者！！！

21 『鬼滅の刃』現象をめぐって
――全体主義風潮への「身構え」として

漫画とアニメの『鬼滅の刃』が大流行りで最近の一大社会現象にまでなっている。原作の漫画本は一億部以上売れ、劇場版アニメ映画は一〇日間で一〇〇〇万人余を動員して一〇〇億円以上の興行収入を挙げたという。いずれも歴代記録を塗り替える「快挙」だという。新聞などのメディアの報道ぶりも「半端」でない。

友人のH氏は、「もともとサブカルチャーには縁遠いし、この『鬼滅の刃』の流行現象はいかにも全体主義を表徴する（閉塞状況における「不条理」と表裏一体）ものではないのか。だから、自分は近づきたくない」と言う。

その「気分」はよく解る。とりわけ、このコロナ禍での「巣籠り」状況においては、少しでも「自分が仮託できる話題性のあるもの」「鬱屈した気分が晴れるもの」への同調・願望・希求は、人間心理の自然と赴くところだろう。要するに、カタルシス願望である。そうした心理に乗じてその権力基盤の拡充に余念がないのが古今東西の権力者の常套である。ナチスが宣伝省を設け、その大臣に最も「有能な」ゲッペルスが就任して、大量多種のプロパガンダによって、あの「不安定な」ワイマール期のドイツ大衆の「心」を捉えて行ったのは、最もよく知られた「成功例」と言えるだろう。

ただ、幸いにして、この『鬼滅の刃』の場合は、国家権力の介在がなさそうなだけ、まだマシというべきか。

もし人が、社会変革を望み、少しでもそれに関した行動を行おうとするなら、当然のことながら、変革すべき対象の「社会」についての「理解」は不可欠である。「大衆社会」の名が示すように、社会を成立させる一番の要素は、大衆である。「変革者」が「前衛党」の党員であるか否かを問わず、変革は、その意味で「大衆」との距離感が問題である。否、変革者自身が大衆の一員ではなく、もっと「高み」にいる別格の人種だと考えるとしたら、その時点で変革は実を伴わないものになろう。吉本隆明の「転向とは、大衆から離反することである」という言辞は、いつの世も成立する至言である。

とりわけ、現在の日本は、諸外国（とくに欧米や、香港、台湾など）と違って、若年層がいちじるしく保守的であり、自民党のいちばん強固な「支持層」になっている。その若年層が、この『鬼滅の刃』の最も「熱い」ファンになって「超群衆的社会現象」を生んでいる。のちに見るように「容易に（全体主義の）虜になる」（ハンナ・アレント）蓋然性が大きい「情況」なのである。「心ある者たち」は、この社会現象に無関心であってはならない。「どうして、全体主義と表裏一体となって、大衆は《群衆行動》に走るのか」。それを解明することは、ナチスに対する、あるいは日本の戦前・戦中の軍国主義に対する「教訓」の発掘になり、また、今後の、いや、現行の全体主義的政権とその風潮に対する「身構え」の重要な一助になるにちがいない。

(一)　『鬼滅の刃』ってどんなもの？

『鬼滅の刃』とは何ものか。素朴にその「問い」を発しては、まずはメディアの報道実態からそれを探ってみた。朝日新聞を中心に『鬼滅の刃』について書かれた今年に入っての記事を検索した。予想以上にはるかに多くの報道がなされていた。以下は、関係記事のほぼ三分の一ほどの量の記事の見出しである（いずれも二〇二〇年）。

・〈歌手のＬｉＳＡさん結婚　「鬼滅の刃」主題歌で紅白出場〉（「朝日新聞」一月二二日）
・〈悲しみ背負い　強く　明るく　「鬼滅の刃」心つかむ〉（「東京新聞」一月二六日）
・〈「鬼滅の刃」が映すもの　椿鬼奴さん、中条省平さん、福田安佐子さん〉（「朝日新聞」五月一七日）

・〈「鬼滅の刃」小説版でもベストセラー〉（同　六月一三日）
・〈鬼滅の刃「無限城」にそっくり　会津若松の温泉宿が話題〉（同　七月二三日）
・〈鬼滅ファン、「竈門」神社に続々　「コロナ滅」の絵馬も〉（同　八月一五日）
・〈「鬼滅の刃」ラッピング列車　映画公開に合わせ運行へ〉（同　九月二四日）
・〈鬼滅の刃　単行本が一億部突破〉（「東京新聞」一〇月一〇日）
・〈映画館、「鬼滅の刃」に全集中　一日四二回上映「まるで時刻表」、朝六時に行列〉（「朝日新聞」一〇月一六日）
・〈映画「鬼滅の刃」が記録的な封切り　三日で興行四六億円〉（同　一〇月一九日）
・〈ソニー上方修正、「鬼滅」も後押し　三月期、純利益三七％増〉（同　一〇月二九日）
・〈「鬼滅」コラボ、販促の「柱」　アニメ同様、関連商品もヒット〉（同　一〇月二九日）
・〈鬼滅の刃の「鬼瓦」を鬼師が作った　竈門炭治郎など並ぶ〉（同　一〇月三〇日）
・〈「鬼滅の刃」動員一千万人超、収入、一〇日で一〇七億円〉（同　一〇月三一日）

『鬼滅の刃』の超集団的社会現象の実態が、これらの報道を通じて手に取るように判る。インテリ層の多くを読者にするといわれる「朝日」にして、これほど「微に入り細を穿つ」報道なのである。しかもこれでせいぜい三分の一程度だから、その加熱報道ぶりは推して知るべし、である。対談から、そっくり温泉宿、主人公の名を冠する神社の紹介、ラッピング列車の運行、関連グッズの売り上げ状況、原作漫画登場人物を焼き込んだ屋根瓦制作の話、果てはアニメ制作企業の営業成績の好調さまで、よくもこれほど取材・報道するものだと、感心する。逆に言えば、「朝日」は、それだけこの『鬼滅の刃』にちなむ社会現象の「特異さ」を把握していたということでもあるだろう。敢えてよく言えば、大衆動向を見逃さず、「大衆に寄り添っていた」ということになろうか。

全国紙がこれほどの報道ぶりなのだから、世情の動向に敏感な週刊誌がなおさら無関心でいる筈もない。ことのほか「社会現象」を特集にして扱うことの多い、『週刊文春』と『週刊新潮』はご多分に漏れず、「大記事」を特集した。

・〈累計六〇〇〇万部超え「鬼滅の刃」〝女性作者〟の素顔と〝まもなく連載終了〟の事情〉（「週刊文春」二〇二〇年五月七～一四日号）
・〈実家が結婚を願った「鬼滅の刃」原作者の引き籠り〉（「週刊新潮」二〇二〇年一一月五日号）

こちらの週刊誌報道は、「表」に現れない「謎の原作者」吾峠《ごとうげ》呼世晴《こよはる》のプライバシーに迫ろうと言う魂胆である。新聞ならまず扱わない、いかにも両誌らしい「着眼」といえそうだ。

さらに、こんな「解説本」まで著わされている。漫画やアニメについて、原作者以外の第三者が大衆に向けてそれらの内容に関わる事柄を「語る」というのは珍しいことである。しかも、いずれも「人生」や「生き方」について、原作の言葉を紡いで読者に「前向き」に生きることを伝えようとする意図である。もうここまで来れば、まさしく『鬼滅の刃』ブームという以外にない。

・『「鬼滅の刃」流　強い自分のつくり方』（井島由佳　アスコム　二〇二〇年四月）
・『「鬼滅の刃」の折れない心をつくる言葉』（藤井郁光　あさ出版　二〇二〇年九月）
・『「鬼滅の刃」から学ぶ絶望から立ち上がるための二七の言葉』（合田周平・堀田孝之　笠倉出版　二〇二〇年九月）

一番目の『「鬼滅の刃」流　強い自分のつくり方』について、出版社の「情報」を覗いてみた。この書物の目次は以下のようである。

第一章　強い自分づくりに欠かせない、たったひとつの心がけ
～「積み重ね」がひとりの炭売りの少年を変えた～
第二章　折れない心のつくり方
～炭治郎はなぜあきらめないのか～
第三章　強い人がやっている自分を強くする習慣
～炭治郎が強くなった理由～
第四章　仲間を引きつける「強さ」の秘けつ
～炭治郎の優しさは真の強さの表われ～
第五章 人間の弱さを鬼に学ぶ
～鬼は人間の反面教師だった～

そして、読者からの「たより」の言葉があった。次のようなものである。
＊「この本がぼくを強くしてくれました」（一〇歳・小学生男子）
＊「当たり前だけど大切なことを再認識しました」（一四歳・中学生女子）
＊「強い自分って何だろうと考えながら読み返しています」（一二歳・小学生女子）

＊「息子や娘に伝えたいことを『鬼滅の刃』を通して解説してくれる」（五〇歳・男性）
＊「今の時代を生きる全ての人に！」（四五歳・男性）
＊「もう一度夢に向かって頑張る勇気をもらえました」（二〇歳・女性）

こういう人生の「応援歌」のような本まで第三者が著しているのだ。立派な社会現象といえるだろう。コロナ禍ゆえに、芸能・芸術の公演・発表の機会がきわめて厳しくなった情勢のなかでの漫画やＴＶアニメにおける多大な「露出」は、メディアにとって好個の報道材料にもなったことだろう。

かくして、『鬼滅の刃』の超集団的社会現象の実情が見えてきた。いったい、それほどにまで「大衆動員」をもたらす魅力は何なのか、やはり作品そのものに密着してみる必要がある。

(二)『鬼滅の刃』の「衆人愛嬌」

多くの大衆を惹きつけることは、「表現者」にとってきわめて重大な関心事である。「表現したモノ」に魅力がなければ、人は見向きしない。結果、その「表現体」は長続きすることなく廃れることになる…。

能の大成者であった世阿弥は、能役者であり、能作者であり、そして観世流の座頭としての「経営者」も務めたオールマイティーの天才であった。今日の能においても、彼の作能になる多くの作品が上演されるばかりでなく、彼が遺した能についての「哲学」や「思想」「作法」「心得」といった基本的なことも枢要な「理」として生き続けている。それらは、彼が遺した多くの「著作」にちりばめられている。有名な「初心忘るべからず」や「秘すれば花」も、彼がその著『風姿花伝』に遺した言葉である。

「衆人愛嬌《しゅにんあいぎょう》」もまた、『風姿花伝』で語られた、演能者がどうあるべきかを示したきわめて重要な言葉である。つまり、総合舞台芸能としての「表現体」である能が、観客との関係でどうあらねばならないかという基本を語ったものである。

『風姿花伝』の元の表現はこうである。

「いかなる上手なりとも、衆人愛嬌欠けたる所あらんを、寿福増長のシテとは申しがたし」

〔いくら技能がうまい能役者であっても、大衆に愛されることがなければ、一座を盛んにするような頭目にはなれない。〕

この「言」は、すべからく、表現者とその表現体一般に当てはまるものだろう。

漫画やアニメの『鬼滅の刃』が、叙上のような超大衆社会現象を惹起し、作者が漫画家としての確かな地歩を築いたことは、この「衆人愛嬌」の「理」に沿ったことといえよう。作品『鬼滅の刃』には、それなりの「魅力」があるにちがいないのである。

その「魅力」について、筆者なりに見てみたい。その前に、この『鬼滅の刃』の原作の「あらすじ」を簡単に記しておきたい。「未見」の人たちのためにも。

時代は大正時代。鬼に家族を殺された主人公・竈門炭治郎（かまどたんじろう）は唯一生き残ったが鬼にされてしまった妹・竈門禰豆子（かまどねづこ）を人間に戻し、また家族の無念を晴らすために「鬼退治」

を決意する。剣術の修行に励み、「鬼殺隊」に入隊して初志貫徹を願う。鬼部隊との闘いで重傷を負うなど、途中艱難辛苦があるが、無限城での最終決戦に臨む…。

〔漫画単行本は、二二巻まで発売中。最終二三巻は二〇二〇年一二月に発売。劇場版アニメは「無限列車編」として、鬼殺隊「柱」の煉獄杏寿郎の死を賭した奮闘で列車転覆を回避して乗客二〇〇人が助かる。その「地獄」から這い上がった炭治郎が、煉獄に感謝しつつあらためて「鬼征伐」を誓うところで終る。〕

さて、「衆人愛嬌」を得た、この作品の魅力である。以下のように、筆者なりにできるだけ多くの事項を列挙、整理してみた。

1　「勧善懲悪」という分かりやすい物語り設定。
2　波乱万丈の物語り展開。
3　描画表現のうまさ、微細さ。
4　兄妹愛の美談。
5　主人公・炭治郎の「初志貫徹」への意志の強さと仇敵の鬼への優しさ。
6　アニメ化（当初はテレビ放映）による「動画」のもつ迫真性の増大。
7　アニメ化に伴う「主題歌」の魅力。
8　関連グッズの販売に伴う「宣伝」の相乗効果。
9　各種メディア報道による「大衆化」の増進。

10　アニメ主題歌歌手・LiSAのNHK紅白歌合戦への出場と周知「全国化」。
11　劇場版アニメ上映によるコロナ禍「巣籠り」からの解放。

このうち、ここでは重要なテーマである「**勧善懲悪**」について紙幅を割くことにする。

大衆芸能において、この勧善懲悪というテーマの「効用」を見事に活用して新たな芸能ジャンルを開拓したのは、江戸時代後期に活躍した巷談（講談）師の馬琴（東龍斎馬琴）（一八〇一～一八五七）である。彼は、多くの巷談を、先行した芸能・浄瑠璃の「改変」によって成立させた。その際に用いた手法が、この勧善懲悪（「勧懲」）というものであった。つまり、典拠となった浄瑠璃中の「仇役」「敵役」を標的にして、その悪行を「因果応報」とした物語を展開することにしたのである。この簡明で解りやすい筋立てへの改変によって、大衆の心を捉えることに成功したのである。

だが、この「勧善懲悪」という「解りやすい」テーマは、馬琴の発明ではけしてない。

歴史を遠く遡れば、大和朝廷の最初の「修史事業」によって成った『古事記』と『日本書紀』は、大和朝廷（正系）が列島を統一化する過程において、征服・平定する対象（異端）をまさしく「勧善懲悪」という形で「神話」の姿を借りて描いているのである。

一例を挙げれば、「ヤマタノオロチ」の話である。『古事記』『日本書紀』ともに登場するこのヤマタノオロチ。大和朝廷成立に当たって、最も「苦労」した相手である「出雲」の征伐を神話化したものである。

高天原から出雲に下ったスサノオは、毎年一度現れては土地の娘を食べてしまう八つの頭をもつ大蛇を退治し、そしてその尻尾から出てきた大刀をアマテラスオオミカミに献上する。これが、あの神宝となる「草薙の剣」（草那藝之大刀）である。素直に取れば、これは勝者が敗者から奪い取った「戦利品」ということになる。先住部族として一大地域を治めていた出雲族は、のちの大和朝廷を成す部族（正系）にとって征服される対象（異端）として大蛇となって征伐された。子どもにすら実に解りやすい「勧善懲悪」の神話である。

古今東西、「正系」が己れの存在の正当性を確実にしようとする場合、つねに用いられる手法がこの「異端」創出による勧善懲悪なのである。

周知のように、ナチス（正系）は、己がドイツ民族の「純粋性」「優越性」を確固たらしめるべく、とりわけユダヤ民族を「劣等なる」「害悪をもたらす」対象（異端）に仕立てて、その絶滅を図り多くの「強制収容所」に送り込んだ。六〇〇万人もの人たちが犠牲になった。

「勧善懲悪」は、権力にとって己が正統性を強固たらしめるための実に便利な「手法」である。『鬼滅の刃』が「衆人愛嬌」を得たことの背景にある、この「勧善懲悪」という「手法」のもつ「危険性」――くり返すが、権力が己を正当化する時の「常套手段」だという「危うさ」――を、われわれは承知しておくことが肝要である。「衆人愛嬌」は世阿弥が重視した「心得」であったが、「手法」の如何を問わずその本質が「大衆呼応」「大衆順応」の全体主義的要素に連なるものであることも、同じく肝に銘じる必要があろう。

『鬼滅の刃』の超大衆的社会現象のなかにある、この全体主義的要素に、われわれは注意深くあるべきなのである。コロナ禍における「巣籠り」からの解放という事情があったにしても、ことほど左様に大きな「群衆的呼応」が生起したことは、ある種危うい社会情勢の現象でもあるのだ。このような情況下では、仮に権力が邪悪な意図のもと「勧善懲悪」を用いて権力基盤の強化を図ろうとすれば、「こと」は容易に進行してしまうだろう。

われわれは、さして遠くはない時代に、「鬼畜米英」の敵を相手とした、勧善懲悪による「一億総愛国主義」の国家総動員をもたらした軍国主義・全体主義を、そして邦人だけでも三一〇万人の犠牲者を出した、その「悲劇の末路」を、忘れてはならない。

(三) 「鬼」はなぜ「鬼」か

『鬼滅の刃』における勧善懲悪の対象が「鬼」であることが、さらに考えるべきことである。「鬼退治」は古来、昔話や童話にも登場するきわめて「解りやすい」テーマである。タイトルの「鬼滅」という表現もすこぶるダイレクトである。「おにほろぼし」である。炭焼きの主人公の名が「竈門・炭治郎」といったように、ダイレクトな命名はこの作者流の命名方法なのだろうが…。

問題は「鬼」である。「勧善懲悪」の懲らしめるべき対象は「鬼」、すなわち「鬼退治」なのである。発想の「軸」は、鬼ケ島の鬼を退治した昔話「桃太郎」と変わらない。こちらは、「赤鬼」「青鬼」でなく、少々「手の込んだ」多様な「鬼」(「上弦の壱」など)が出現するのだが…。

筆者は、この「鬼退治」についても、権力が常用してきた「危うい」全体主義的な「異端」創出の手法を見るのである。「鬼」…。古来、それは、権力や権威が排除・征伐する対象として創出した「異端」の総称である。その事例には事欠かない。「記紀」ではヤマタノオロチだったが、時代が下れば、それは「荒ぶる神」や「蝦夷」「雷電」「鬼」など、さまざまな「姿」となって歴史の片隅に葬られてきた。

「鬼」が生まれ、「鬼」がどのような運命を背負わされ、いかに恐れられ、排除、征伐されてきたのか、その「生成」の歴史を少々覗いてみたい。

①「荒ぶる神」「まつろはぬ人ども」「蝦夷」

『古事記』中巻「景行天皇」の段に出て来る、御子・倭建命《ヤマトタケルノミコト》の話はよく知られている。タケルノミコトが天皇に東征を命じられたのは、「東方」に朝廷に従わない者たちがいるので平定すべしという事情からであった。原文には、読み下し文でこう書かれている。

　ここに天皇、また頻《し》きて倭建命に詔《の》りたまひしく、「東の方十二道の荒ぶる神、またまつろはぬ人どもを言向け和平《やは》せ」とのたまひて…

平定すべき対象は大和朝廷の制覇の「敵」となる先住民であった。ことごとくがアイヌの民である。彼らは「荒ぶる神」あるいは「まつろはぬ（従わない）人ども」と言われた。まだこの記紀編纂の八世紀初頭の時代（『古事記』七一二年、『日本書紀』七二〇年）には、まだ「神」「人ども」という呼称も用いられていたことに注目したい。桓武天皇が平安京遷都とともに生涯力を入れた事業が東北地方の平定であったことは、小説にもなるほど（高橋克彦『火炎』、澤田ふじ子『陸奥甲冑記』）よく知られたことである。征夷大将軍として最終的な平定に尽力した坂上田村麻呂が、仇敵「蝦夷」の頭領・阿弖流為（アテルイ）の供養と東北地方の平定を「本願」したのが、清水寺である。

その蝦夷討伐について『続日本紀』（七九七年）は桓武天皇治世の段で、こう記した。

〔延暦七年（七八八）三月二日〕軍粮三万五千余を陸奥国に仰せ下し多賀城に運び収めしむ。また、糒（乾し飯）二万三千石余並びに塩を東海・東山・北陸の諸国に仰せて七月までに陸奥国に運ばしむ。いずれも来年三月の蝦夷征討の為なり。

すでに、この『続日本紀』の時期（七九七年）には、「蝦夷」は、ごく一般的な呼称になっていた。「蝦夷」の文字が充てられたことについては、歴史学や民俗学において諸説あるようだが、要は、「辺境の未開で凶暴な者ども」という差別語・蔑称であった。アイヌ部族からすれば、「彼ら」朝廷側こそ武力をもって居住地を奪い取っていった侵略者なのである。「野蛮人」は大和朝廷の側なのである。

ここで、少々「脱線」になるが、古代日本史に関心をもつ人なら、「蘇我蝦夷」の名を覚えているだろう。一大豪族であった蘇我氏の頭領の名になぜ「蔑称」の「蝦夷」が付いているのか。蘇我蝦夷だけでない。蘇我馬子、蘇我入鹿…どうみても、まともな名ではない。結論から言えば、これは蘇我氏を滅ぼした「勝者」による命名なのだ。「大化改新」（六四五年）は、後の天智天皇となる中大兄皇子と中臣鎌足による当時の実力者・蘇我入鹿殺害「クーデター」によって成った（「乙巳《いっし》の変」）。皇極天皇列席の太極殿での三韓（新羅・百済・高句麗）進貢の儀式の最中、入鹿は暗殺され、息子の死を伝え聞いた蝦夷は自害する。「正系」の地位を獲得した「新政権」は、己が正統性を強調するために「正史」編纂などあらゆる機会を利用して、討伐した蘇我一族を「天皇を蔑ろにする者」「邪悪なもの」「ケモノ同然」と「異端」扱いしたのである。こうした事情について、史家・門脇禎二は、『日本書紀』が「皇極紀」（六四二～六五四年）になって、にわかに蘇我大臣毛人（蝦夷の正式名）と東北蛮人との「関わり」の記事が多出するようになり、「正史」が蘇我氏の「天皇に対する僭越性を強調している」ことを実証している（門脇禎二『蘇我蝦夷・入鹿』吉川弘文館 一九七七）。

②「桃太郎」説話の原型（吉備の「鬼」退治伝承）

鬼退治で有名な「桃太郎」説話は、多くの地方に口承伝説の形式で、それぞれ固有の話として存在する。ここでは、そのうち「記紀」伝承にも記述される「吉備津彦」の「異端」平定の説話に触れてみる。

これも、大和朝廷の全国平定にちなむ伝承である。『古事記』孝霊天皇の段に次のような記述がある。

大吉備津日子命と若建吉備津日子とは、二柱相副《たぐ》ひて、針間の氷河の前に忌瓮《いはひべ》を居《す》ゑて、針間を道の口と為て吉備國を言向け和《やは》したまひき。

吉備津彦兄弟が吉備地方を平定したことを記したものである。この「平定された」相手が問題の「鬼」として、伝承されている。吉備津彦を祭神とする吉備津神社に伝わる伝承はこうである。

この地方に、百済から渡来した王子・温羅（うら・おんら）一族が住み着き、製鉄などの渡来技術を用いて一大勢力を張っていた。だが、風習の違いもあって彼らは先住民と打ちとけず、乱暴狼藉をはたらくようになり、また朝廷に和睦を結ぼうとせず敵対した。そこで、天皇は吉備津彦兄弟に温羅退治を命じたのである。兄弟は奮戦の末、温羅の首を刎ねて晒した。首は何年も大声を発して止まないので、「釜殿」（忌瓮）の地に穴を掘って埋めたが唸り声は鳴り続けた。吉備津彦の夢に温羅の霊が現れて「吾が妻・阿曽姫をして宮（吉備津宮）の釜殿の神饌を炊かしめよ。…吾は（吉備津彦の）一の使者となって四民に賞罰を加えん」と告げた。神饌を炊くと「唸り」

は止んだ。現在の吉備津神社の「釜鳴神事」の起こりという。

桃太郎伝説は、この吉備津彦兄弟による「温羅」退治が祖型とされる「一説」である。「鬼」として退治された対象は、「異国」百済からの渡来一族で、やはり、大和朝廷（正系）に敵対した人たち（異端）だった。桃太郎が腰にぶら下げた「キビ（黍）団子」は、この地方の名称「吉備」を用いて「吉備団子」になって、今に膾炙《かいしゃ》している。

③「雷電」（菅原道真の怨霊）

人は、人知を超えたモノや現象に、「畏怖」の情をもつものである。天空から轟音を轟かせて凄まじい稲光を放って大地に突き刺さるカミナリは、古代から人びとの畏怖の対象であり、同時にまたそれは、歓迎されざる何かの「祟り」と考えられていた。史上最も畏怖の対象になって史書にも記述されたのは、「菅公の雷電」であろう。『太平記』巻一二の「大内裏造営事付聖廟御事」はこの「菅公の雷電」を扱ったものである。標題の「聖廟」とは権勢を誇った藤原道長の廟のことである。同記事の後半部で、菅原道真の大宰府客死（九〇三年）後の内裏での落雷（「清涼殿落雷事件」九三〇年など）や火災などの度重なる「祟り」や、道真「鎮魂」祈願の北野天満宮創建（九四七年）などの事績が詳述されている。

なお、この『太平記』の記事をほぼ忠実に典拠として作られた能の作品が『雷電』（作者不詳）である。菅原道真の怨霊を鎮魂するのがこの能の主題である。恨みを晴らさんと雷神となって、京の内裏に落雷して大被害を与えようとする怨霊。それを法力によって防ごうとする延暦寺座主・法性坊との間で「激闘」を繰り広げる。最後は、帝から「天満大自在天神」を贈官されて雷神は天に帰っていく。能にしてはかなりスペクタクルでショウ的な動きの多いものであり、肩肘を張らないで鑑賞できる作品である。

④「小町」の老残・悪女・骸骨化

絶世の美女でさえ、「絶頂期」を過ぎれば、人は見向きもしなくなり、さらに朝廷の「権力」が加われば排除・排斥され、果ては「骸骨」とされてしまう運命にもなる。

おそらく能作品で最も多く主人公として登場するのは、六歌仙にも選ばれ、優れた「歌詠み」で才色兼備の小野小町であろう。彼女を主題にした作品は「小町物」と言われ、七曲にのぼることから「七小町」とも総称される。「卒塔婆小町」「通小町」「関寺小町」「鸚鵡小町」「雨乞小町」「清水小町」「草紙洗小町」である。七曲のうち、「世界三大美女」に数えられた若かりし頃の彼女を扱ったものはたった二曲で、現存するものは一曲（「草紙洗小町」）しかない。老醜を晒す小町の曲は、ことに「関寺小町」（世阿弥作）などは、能としては、「幽玄」の極みを求める最も高度な技量が必要とされる「老女物」の最高峰とされるが、「老残」を描くのなら何も絶世の美女だった小町である必要はない。現に「檜垣」という無名の老女を主人公にした、これまた最高の「老女物」があるのだから。「七小町」は、中世に盛んになった「老残」の小町を「排除」「貶める」ような「小町伝説」がなければありえなかったろう。

小町がこのように「ヒドイ」扱いを受けたのは、美女への単なる「嫉妬」や「妬み」からではなく、権力の「恣意」が働いていた。小町が仕えたという仁明天皇の崩御後、宮廷への影響力増大を図る藤原氏によって、小町は徹底的に「排除」されたという。「小町説話」類の残酷な記述と内容はこうした藤原氏支配の政治情況と無縁ではなかったろう。それを決定的にしたのは、有職故実を扱った公的文書『江家次第』（大江匡房著、一一一一年）

である。「后宮出来事」に小野小町髑髏の逸話を初めて載せたのである。それを受けて鎌倉期の説話集『古事談』（一二一二～一二一五）が、詳細にこの「髑髏談」を記述した。こういう筋である。

陸奥八十島を旅する在原業平が野中に歌詠みの声を聞く。「秋風の吹き散るごとにあなめあなめ（穴目＝目が痛い）」と、見ると髑髏の目からススキが生えていた。土地の者は、ここは小野小町が亡くなった所であの髑髏がその亡骸だという。業平はそこで下の句を詠んで供養とする。「小野とは言はじ薄生ひけり」。

⑤「安達ケ原の鬼」

また、「落ちぶれた老女」の果ての「鬼」を主題にしたのが、「安達ケ原の鬼」である。この話は、平安中期の歌人・平兼盛の歌を元にした伝説を記した『大和物語』（九五一年頃）が初出らしい。この頃初めて「鬼」の文字と「おに」の読みが一致するようになったとされる。

歌人の馬場あき子はその名著『鬼の研究』で、このことに言及している。彼女によれば、「鬼」という文字の文献初出は、古く『出雲国風土記』（七三三年）だという。だが、この「鬼」という文字が「おに」と一般に読まれるようになるのはずっとのちのことで、それまで、「鬼」は、「もの」「かみ」「しこ」などと読まれていたという。

「安達ケ原の鬼」に戻る。『大和物語』の説話はこうである。

平兼盛は、噂に高い源重之の妹たちの美貌に心動かされて「みちのくの安達が原の黒塚に鬼こもれりと聞くはまことか」と詠んで贈る。だが、娘が若すぎると言う親の反対で、兼盛は歌一首を残して京に去る。「はなざかりすぎもやすると蛙なく井出の山吹うしろめたしも」妹のひとりは、簡単に京に戻ってしまった兼盛の不実をなじった。時は流れて、源重之はみちのくで流浪のまま生涯を終える。その妹たちの消息も不明のまま…。

兼盛の歌の「安達が原の黒塚の鬼」のみが、歴史に遺って伝説となり、安達が原であたら美貌のまま年老いて生涯を終えた女の「怨恨」が強調されることになる。

兼盛も重之も「三十六歌仙」に入るほどの歌人。ともに皇籍に連なる名家である。だが、重之の京帰還は最後までならなかった。「正系」から排除された者の悲哀である。兄とともにみちのくで朽ちることになった妹たちの「怨み」はさぞかし、であったろう。

この伝説をさらに有名にしたのが、能の曲「黒塚」である。観世流では「安達原」。作者は不詳。今日でもよく上演される曲である。

『鬼滅の刃』の「鬼」の「位置づけ」が不明なことから、史書や古典文学に触れながら、「異端」とされてきたものたちについて大雑把な素描を行い、「鬼とは何か」について考える参考とした。

要は、「鬼退治」の対象である「鬼」は何か、ということである。そこをきちんと押さえることがなければ、われわれはいとも簡単に「正系」の詐術に弄ばれてしまう。言ってみれば、「鬼」に対する「哲学」「思想」が必要である。

半世紀も前に目にした馬場あき子の「ことば」は今も忘れがたく脳裏に遺っている。

「反体制、反秩序が、基本的な鬼の特質であるとすれば、近世の封建的社会体制の確立しゆくなかで、当然、鬼は滅びざるを得ないものであり、そして滅びたといえよう。…『それをかく鬼とはいふなりけり』という含みのある文体の中に、鬼とはやはり人なのであり、さまざまの理由から〈鬼〉と仮に呼ばれたにすぎない…」(既出『鬼の研究』)

漫画といえば、「鬼」がテーマではなかったが、われわれ世代が若かりし頃、多くの若者たちが「夢中」になったのは、白土三平の『カムイ伝』(第一部一九六四〜一九七一年)だった。まさしく、「若者文化」が最盛期の一九六〇年代を彩った画期的な「漫画世界」であった。

時代は江戸時代初期、地方の「日置藩」における士農工商の階級社会とさらなる下層社会を横断する、忍者・非人(カムイ)、農民(正助)、武士(竜之進)の三者を中心とする活劇である。まず、中心に「非人」を据えることによって、階級社会の問題性・矛盾に着目しようとする作者・白土三平の「思想性」が窺えた。作画やストーリー展開の魅力はもとより傑出していたが、この作品に一貫して流れる「弱者」からの視点が何よりも「斬新」だった。

手塚治虫の漫画には、つねに作者のヒューマニズムが流れていたが、白土漫画には、松本清張の作品類と同じように、鋭い「社会告発」の視線があった。その姿勢が当時の大学闘争・学園闘争の機運と重なって「劇画ブーム」の一時代を築いたのである。「ヴィジュアルは映画を凌ぎ、ストーリーは小説を越えた」という当時のキャッチコピーがそれを物語ってもいる。

(四)「閉塞社会」からの「解放」？――全体主義浸透への「身構え」

超群衆的社会現象を生み出すほどの「衆人愛嬌」を得た『鬼滅の刃』であったが、それは、ほとんどエンターテインメントとしての「形式的な」魅力に負うところが大きかった。すでに指摘したように、この作品には重大な何点か「内容的な」問題があった。あらためて、再述・整理すれば、このようである。

①時代が「大正」であるが、どうして大正であるのか、その「位置づけ」が不明。時代はつねに「その」時代の特色をもつ。たとえば、「大正デモクラシー」。時代設定に必然性がないとすれば、作者の「時代感覚」のなさを示すことになり、ひいてはストーリーの説得性を欠くことになる。

②きわめて単純な「勧善懲悪」の「鬼退治」がテーマであり、それは古今東西、「正系」が自己正当化のために「異端」を創出する常套手段であって、「危険性」に満ちた安易な手法である。

③征伐すべき対象の「鬼」がアプリオリに設定されており、「鬼」の位置づけが不明である。

④「鬼」はそもそも人間が創出した想像上の「生き物」であって、史的にも多様な存在があるのだが、少なくとも「鬼」が重要な役割を果たすのであれば、その「史的存在」を踏まえた（理解した）設定・演出が必要である。

筆者の眼からすれば、こうした問題性を多く孕む作品なのだが、「問題だらけ」だけならここまでブームにはならなかったろう。「救い」は、本書四二一頁にも書いたように、主人公・炭治郎の「優しさ」、それも仇敵である鬼への「優しさ」である。復讐の憎悪の念だけではない。「鬼たちもかつては人間だった。かれらも苦難を背負ってきた」という同情と思い遣りの情である。これは、作者の人間性そのものが反映されたと推察する。

さらに、人気を博した要因を敢えて挙げるなら、前述した「描画表現」にあろうか。「鬼滅ぼし」の主人公・

炭治郎なのだが、いかめしさはまるでなく、ジャニーズの若きアイドルのような表情であり、妹の禰豆子と並べば、それはまるで宝塚歌劇の「美男美女」のツーショットを見るような画なのである。若い読者、アニメファンが「なびく」所以である。

しかし、「空前のブーム」のもう一方の「大衆動員」の方は、別の問題である。それは、特殊な社会状況下における「集団呼応」というきわめて重要な「課題」を投げかけているのである。

一つには、「コロナ禍」という特殊な社会情勢が、その要因であったにちがいない。外出自粛の「巣籠り」が多数の人びとに精神的・心理的に「鬱的」状況をもたらして、その「解消」のために漫画やアニメへの「接近需要」が増大したこと。これは、受容する大衆、消費者側の問題である。

二つには、前述したように、「コロナ禍」のもと芸能・芸術の発表機会がないことの「埋め合わせ」も含めて、新聞・雑誌・単行本などがこの作品に関連した記事や話題をほとんど「無批判的に」大々的に扱ったこと（厳しい「作品評」に出逢っていない）。これは、メディア側の問題。

いずれにしても、「コロナ禍」という特殊な「社会事情」が大きく作用している。だが、それは冷静に見れば、見逃しがたい「社会的陥穽」でもある。

大衆自身が「精神の解放」を求める「飢餓情況」にある時に、マスメディアがこぞって繰り出す大量の「一色の」情報が伴えば、大衆はこぞってその「同じ色の」対象に殺到して「ブーム」を惹起する。それは、仮に権力が意図をもって「右向け、右！」という号令をかけたら容易に皆が「右を向く」という大きな蓋然性を語ってもいるのだ。「警戒警報」「緊急事態」あるいは「戒厳令」「総動員令」という法的手段が伴えば、それはいっそう「効果的」だろう。皆が一斉にナビクということは、きわめて忌々しき社会的な「陥穽」「落とし穴」である。あらためて、勝ち目のない戦争に無鉄砲に突き進みそして惨敗した、あの「一億総愛国者化」、「一億総懺悔」を持ち出すまでもない。

この「事情」こそが、典型的な全体主義的風潮といえるのである。ハンナ・アレントが「全体主義のプロパガンダ」で説いたように、「彼ら（大衆）の想像力は、普遍的で一貫しているものなら何でもその虜になりうる」のだ（ハンナ・アレント『全体主義の起源』第三巻「全体主義のプロパガンダ」）。欧米や台湾・香港の若者たちと違って、国政選挙における自民党支持率が六〇％近い日本の現在の若者層の保守性を考えれば、「虜」になりうる蓋然性は高いと見るのが妥当である。そこがまた、全体主義が勢いづくところだろう。

無批判的に、あるいは無自覚的に「鬼」を対象とすることも、問題である。前項で多様な「鬼」「異端」を見たように、それらは「力ある者」によって意図的に創り出されたものであった。最近の事例でいえば、菅政権という権力は、学術会議会員推薦者の中から「意に沿わない」者六人を任命拒否した。

世が世なら、これは立派な「異端」創出である。あるいは、「六人（匹）の鬼」の創出といってもいい。

馬場あき子の至言を再掲しよう。「鬼とはやはり人なのであり、さまざまな理由から〈鬼〉と仮に呼ばれたにすぎない…」。

だが、「鬼退治」の『鬼滅の刃』では「超群衆的社会現象」を起している若者層を中心とする「一般大衆」は、あの一九六〇年代の若者たちのようには、この学術会議問題に大した関心を示そうとはしない。むしろ、学者・大学人の「特権」への敵視や反感すらあるのだという。田原牧が「（任命拒否が）こうした世間の情動を読んでの企みだとすれば、この政権は侮れない」（「東京新聞」〈視点／操られる『特権』敵視〉二〇二〇年一一月一〇日）というのももっともなのである。

およそ「作家」「作者」であるなら、自分が扱う「鬼」についての「位置づけ」、つまりなにゆえの「鬼」であるのかを、きちんと設定すべきである。そうした厳密な「条件設定」がきちんとされている世界では、権力の「恣意的な」鬼の創出はいっそう困難になるはずである。なぜなら、「鬼」化の「恣意的理屈」は、誰にでも容易に見透かすことができるようになるからである。学術会議側の法規定に基づいた「業績評価による推薦」という明確な推薦理由の前には、「任命拒否」について次々と繰り出される政権側の「理屈」がその場凌ぎの無様な「逃げ口上」にすぎないと、国民の大多数が見透かすように…。

『鬼滅の刃』の超群衆的社会現象について、その「要因」と「現象」のもつ時代的、社会的問題性を中心に考察してきた。この大きなブームとそれを作り出したメディア側の状況は、全体主義についての関心を持ち続けている者の眼には、きわめて「危うい」ものに映っている。それは、まさに「社会的陥穽」…この社会の「落とし穴」でもあるだろう。「落とし穴」の存在を看過するわけにはいかない。

権力がそれにつけ込んで、大衆をいっそう強く「虜にする」前に、われわれは、この社会現象の「危うさ」を深く意識して「身構え」、そして、「虜」化をさせないための「警鐘」を鳴らさねばならない。

それは、「社会改革」に少しでも関心をもつ者の、いわば責務とさえいえるのではなかろうか。

このたびの『鬼滅の刃』についての本小論執筆は、対象が対象だけに、かつて、半世紀以上前に白土三平の『カムイ伝』に出逢ったような「歓心」を覚えるようなものではなかった。その理由はここまで述べたようなこの作品の「問題性」と、この作品の「ブーム」が示唆する「社会的陥穽」への痛切な再認識にあった。それは、「ここまで来ているのか」という、ある種の深い慨嘆のこもった「惧れ」でもある。

ただ、収穫もあった。あらためて「記紀」や古典文学を読み返す契機になったこと、半世紀ぶりの馬場あき子との再邂逅（『鬼の研究』の読み直し）があったことである。


そして、さらなる収穫は、半世紀ほど前の「拙稿」を読み直して、己の「立ち位置」を再確認したことである。私事になるが、この拙稿「燃焼と怨念の美学」は、二〇歳代最後の頃の建築雑誌からの依頼原稿であった。書評を除けば、活字になった初「評論」（?）といえるものであった。それは、筆者が「人生を賭けた」大学闘争のある種の私的な「総括」でもあった。その意味でも、筆者にとっては忘れがたい「稿」である。筆者の常なる「身構え」の「原点」に通底するからであろうか。

少々長くなるが、同稿の「最終章」の末尾を抜粋して、この小文を閉じることにしたい。


「異端とは『時』の正系によって埋葬されてきたものの総称である。…正系はそれ自身では存在できないし、存在もしない。その背後につねに異端を抱えこむことによってはじめて存在しうるのである。

…

『アダ花』の毒が毒でありうるのは、それが異端としての存在をひきうけている状態においてであった。『アダ花』が『アダ花』であることをやめるとき、その毒はその静止の過程で消滅するか、正系としての毒に転化し新たな異端に立ち向かう。『アダ花』の沈黙性とは、その異端としての地位に固執する姿の象徴である。

…

正系の背後に抱えこまれた異端は、それがキラッと輝くとき自動的に正系を照射する。

正系は、つねに権威の力を援用することによってその存続を確保してきた。権威はそうした正系の恣意性を暗黙のうちに了解することによって、正系の庇護をえてきた。両者の相互依存性は宿命的でさえある。権威とはそのような意味で権力と同義語たりえた。…権威は正系のもとに「つつましくある」ことによってその威厳を保ちえた。だが、権威が権力そのものの姿を露わにしたとき、彼は同時にその地位を失った。

…

沈黙が雄弁に転化するのは、一瞬のうちであった。…その転化は燃焼という現象をもって発現した。そこには見事な狂咲きしかありえなかった。

…

現在のこの情況を否定しうるには、…負の領域への下降を、存在への恐怖を、引き受けていく以外にありえない。

燃焼とは、その下降への道程が果てるところに咲き乱れる美の世界である！」

（三村翰「燃焼と怨念の美学」『ＳＤ』（Space Design）誌一九七一年一〇月　のち『三村翰評論集』所収　二〇〇六）

第六章

個別問題批判

――「声明」「宣言」「投書」

22　［集会声明］練馬区のいちじるしい「行政民営化路線」に反対する！

最近の練馬区政は、行政全般にわたる「民営化路線」が顕著です。公共施設の運営の民間委託（A型）、既存公共施設・敷地の転用計画の民間事業者丸投げ（B型）、新公共施設の立案・建設・運営の民間事業者丸投げ（C型）、民間事業者への公有地の長期貸付（D型）、その他（E型）などが目立っています。

この動向は、イギリスのサッチャー保守党政権下で極端に進められた「新公共運営方式」（NPM）に由来するもので、日本では小泉政権の「市場原理主義」政策として展開されてきたものです。ひところは、「行革」などともてはやされましたが、周知のように結果は無惨なものでした。

非正規雇用者の増大や格差・不平等・貧困化・就職難がいちじるしく進行し、ごく一部の者だけが利益を得るような「不公正」「不正義」が社会全般に浸透しました。

練馬区で現在進行中の顕著な「行政民営化政策」は、以下のような事例として現れています。

＊保育園・図書館など既存公共施設の運営と職員派遣の民間委託事業・事業計画（A型）。

＊光が丘団地学校跡地利用の事業計画（四小学校廃校、B、C合併型）。

＊練馬駅北口区有地利用の事業計画（「練馬の顔」―マスタープラン全体構想、A，C、D合併型）。

＊関越道高架下全一キロの利用事業計画（A、E合併型、用地は高速道路保有・債務返済機構の所有）。

しかも、これらの計画は、本来の区民参加や合意形成がなく、上意下達的、強権的であるのが特色です。

こうした「行政民営化政策」は、すでに全国各地で以下のような多くの疑義や問題を引き起こし、住民から厳しい批判を浴び、業者との契約解除や雇用の地位保全訴訟などが多発しているのが現状です。

・公有地や公共施設の公共財について、その利用と運営を利潤追求の特定民間業者に一方的に委ねることは、住民主権を侵し、住民共通の公的利益を損ない、［公共性］［公益性］に反する。

・住民がその納税によって付託した、当然なすべき行政執行の［責任放棄］である。

・本来あるべき［公共サービスの質］が民間業者の利潤追求のためいちじるしく低下する。

・正規職員の不当な削減による［業務過重］によって［過労］［長期病欠］などが常態化し、一方、［非正規雇用］と［人権侵害］（不当解雇、差別的低賃金など）が増大する。

・経済・社会情勢の変動により民間業者が撤退し、［サービス断絶］になるケースが多い。

・民営によって公共サービスの利用費用が高騰し、住民・利用者の［負担増］となって跳ね返る。

・利用費用や公共料金、税金の負担増は、住民の間にいっそう［格差］［不平等］を生み出す。

私たちは、自らが公共サービスの享受者である練馬区在住者・在勤者として、こうした問題のある練馬区行政の路線・動向に無頓着でいることはできず、強く反対します。練馬区が、以下の諸点について、その区政をあるべき方向に早急に転換し、区民の安心と幸福を旨とする基礎自治体の役目を真摯に果たすことを要求します。

1、全世界的にもその破綻や問題が明らかな、「行政民営化政策」を全面的に見直すこと

2、民営化を前提にした上記の各種事業・事業計画を中止・白紙撤回し、開かれた本来の区民参加のもと徹底

した合意形成によって、あらためて事業や計画を策定し直すこと

3、すでに民営化した事業の雇用事情改善のためにも「公契約条例」を早急に制定すること

二〇一〇年六月一二日

「練馬区政改革・市民の会」結成準備集会

《追記》 その後二〇一九年に起きた「大泉図書館問題」は、この練馬区政民営化による「住民主権毀損」「公益性毀損」の典型例といえるものであった。

そのあらましは、以下のとおり。

痛ましい「児童虐待」が多発していた情勢に鑑み、「憲法を考える会」は、二〇一九年一二月一八日に「児童虐待とＤＶ（ドメスティックバイオレンス）」をテーマに、地元の武蔵大学の教授を講師に招いて市民を対象にした「開かれた学習会」を練馬区の公共施設を利用して開催することになっていた。全国共通だろうが、住民・市民への「情報提供」の一環として同区の公共施設の多くもこうした催事のチラシを所定の場所に置き、来場者の手に渡るようになっていた。だが、練馬区立大泉図書館は、きちんと「チラシ配置」の手続きをしたのにもかかわらず、ほかの催事のチラシは配置されていたのにこの「学習会」のチラシは配置しなかった（当方の指摘があるまで、手渡したその日から学習会開催日間際まで一〇日間。「指摘」がなければチラシはついぞ陽の目を見なかったは

ず）。

当会の指摘に対して、館長（練馬区職員でなく民間委託業者派遣員）の対応は極めて不誠実・不遜だったので、図書館管轄の責任者である同区教育委員会教育長宛てに、会として「申入書」（二〇一九年一二月一七日）を提出した。

その一部を引用する。

「…このたびの大泉図書館館長の対応は、肝心のチラシの無理解とその配置への杜撰な姿勢のみならず、当会代表訪問の取り次ぎの欠礼・不遜、チラシ不配置の事後処理の不誠実（謝罪のない言い訳のみの責任回避）など、到底容認できるものではありません。

こうした人物が民間企業から派遣され、地元大学との「文教協定」も承知せず、しかも住民の税金でまかなわれ健全な「市民情報」が円滑に伝達されるべき公共施設の運営管理者として在るのはきわめて問題です。その不遜・傲慢・無責任・不誠実・無知が、円滑な住民利用の阻害要因になっている…。まさに、外部委託や指定管理委託など「民営化」の悪しき問題や課題が露呈した事例といっていいでしょう。…

教育行政全般を統括される貴職の立場も問われているというべきです。貴職の厳正なご判断を要請し、また、当「憲法を考える会」が蒙った「不利益」についてきちんと対応していただくべく、この申入書への誠意ある回答を可及的すみやかに要請いたします。…」

結局、「申入書」宛先の教育委員会・教育長からは、何の回答もなかった。

民間業者からの派遣員を図書館長に据えてその職責が全うできないという、「民営化」の救いがたい「実態」を露呈したばかりでなく、「申入書に無回答」に見られるように、「自治基本条例」の制定を阻んで行政上位の「区政推進条例」を制定して、「住民自治」「住民主権」をないがしろにする練馬区行政の「典型例」がここにあると言えよう。（「練馬区区政推進条例」制定については、別稿2「地方自治と住民主権」参照。）

同「申入書」の末尾は、以下のように結んでいた。

「…もし、誠意ある回答のない場合は、メディアにすべての事情を明らかにして、社会一般の公共施設とその運営のあり方、練馬区における公共施設の「民営化」の実情問題など、広く関連課題を検討し、よりよい問題解決への方途を探るべく区民の皆さんと議論を広め深める契機にしたいと考えております」

「誠意ある」どころか何の回答もない…。区民から「信託」を受けての行政に与る立場の部局・責任者によるこうした不誠実・不遜な態度・姿勢は、まさに「住民主権」を否認することにほかならない。「住民自治」が軽んじられているなら、「区民以外」の市民一般も交えた広い「議論」が必要なのだろう。ここに「追記」として加筆した所以である。

23　［投書］原発規制基準の抜本的見直しを

さる三月九日の大津地裁による高浜原発三・四号基の運転停止決定は、未曽有のフクシマ事故を念頭に置けばきわめて妥当なものである。

原子力規制委員会が定めた規制基準は当初から問題が多かった。私は、とりわけ二点を強調したい。

その一は、フクシマ事故の原因究明がないところでの拙速設定。当局と東電は、津波による全電源喪失に伴う冷却機能の停止が原因だとする。これには世界的に異論がある。国会事故調は「地震動による破損がなかったとは結論できない」と断じた。また、英国科学専門誌「ネイチャー」四七八号も紹介した、フクシマ事故による核分裂生成物質の全地球規模拡散に関するA・ストール氏らの国際調査研究は、津波到達以前の原子炉機器の破損の可能性を指摘する。原因究明がない時点での基準は科学的姿勢に欠け、説得力がない。

その二は、住民避難計画の妥当性が基準の対象外になっていること。この住民避難の課題は、「原子力災害対策指針」により「防護準備区域」などが定義づけされたが、避難計画の妥当性審査は規制基準にはなっていない。審査当局や原発事業者の責任回避といえよう。国際原子力機関IAEAやアメリカ規制委員会NRCは、住民避難の課題を原発立地の基準に定める。ショーラム原発（ニューヨーク州）は完成後になって、住民避難計画が不適という理由で、営業が許可されず廃炉となった。

事故の因果関係を究明反映する科学性を貫き、未来にも安全を保証する責任性を負うのでなければ、原発を審査・運用する資格はない。規制基準は、抜本的に見直すべきである。

二〇一六年三月二四日
「東京新聞」ミラー欄

《追記》 二〇二二年一二月の岸田政権による「原発再稼働と新増設」について、別稿13「『暴走』政権」で詳細に批判した。その中で、「原子力規制委員会の問題」を論じた（二五五頁）。本稿と併せ読んでいただきたい。

24 ［集会宣言］自民党改憲案を許さない！

日本国憲法が施行されて七二年。初めて、来たる参議院の国政選挙で「改憲」が政権与党・自民党の公約になり、選挙民一人ひとりにその正否の判断が突き付けられています。

言うまでもなく、現憲法は、先の大戦によるわが国民三一〇万人の犠牲によって誕生し、その「国民主権・平和主義・基本的人権」の三本の基本理念は、真の民主主義にふさわしい、「憲法が権力を縛る」立憲主義を体現する最高法規の「鑑《かがみ》」として、世界中の人びとからも尊崇の念をもって見守られてきました。

ところが、政権と自民党は、秘密保護法・安保法制・共謀罪法など「戦前回帰」政策を強行し、その路線の総仕上げとして「改憲」に踏み出して来たのです。その目標は、「二〇一二年自民党憲法改正草案」に見るように、現憲法の基本理念すべてを転換して国家が国民の上に君臨する「国家主義」そのものの憲法に改悪し、「反立憲」の国家像を構築しようというものです。

このたびの自民党「改憲四項目」は、この「国家主義憲法」への道筋を拓く「突破口」、「起爆剤」となっています。この参院選で自民党が勝利すれば、彼らが全面改憲すなわち「国家主義憲法」の実現に直ちに突進するであろうことは明らかです。

しかも、現憲法の理念の徹底は「未だし」です。人権問題一つとっても、一三条の「個人の尊重、幸福追求」、一四条の「平等」などは一向に確立せず、児童虐待、男女不平等、障碍者差別の横行など深刻な社会問題が溢れています。こうした社会問題に対して適切な法制度や仕組みを策定して、憲法理念の実現に努めることこそ、政権・政府の責務です。政権与党もその重責を担うのは当然です。その責務・重責を怠る者たちが、改憲を行おうというのです。二重の「憲法蹂躙」です。

絶対的権力保持の国家が国民を隷属化する「反国民主権」、「国軍」自衛隊の海外戦争を可能にする「反平和主義」、あらゆる自由と権利を抑制する「反人権」…、「自民党憲法改正草案」が実現した（「改憲」）先の「非立憲主義」の日本の姿がはっきりと見えます。これは、まさしく、無謀で愚かにも大戦に突入していった戦前のこの国の姿そのものではありませんか。

しかし、それは過去のものでもありません。一四〇年前の「琉球処分」以後幾多の苦難を背負わされてきた沖縄では、今なお、政権・政府による積年の「構造的差別」による「非立憲主義」が厳然と続いており、民意は無視され、人権も地方自治も徹底的に虐げられています。

事情は、未曽有の人災による原発事故の犠牲者においても同じです。見せかけの「除染」と安易な「帰還推進」による救済の打ち切り。その現実下での全国的な原発の再稼働と新設・増設。原発問題は、「生存権」侵害にとどまらない、国民隷属化の国家主義体制の先取りといえましょう。

私たちが自民党「非立憲」改憲の策謀を徹底的に打破することは、沖縄や福島における「立憲」の確立を促進することに繋がるのです。それこそが、憲法問題を巡る「連帯」にほかなりません。

自民党は、すでに全国二八九の衆議院選挙区のすべてに「憲法改正推進本部」を作り、国民投票をも見据えた「改憲」路線を邁進しています。油断も拱手傍観もあってはなりません。

「この憲法が国民に保障する自由及び権利は、国民の不断の努力によって、これを保持しなければならない」（「日本国憲法」第一二条）

私たちは、さらに、こう宣言します。

「民主主義と立憲主義を否定するあらゆる邪悪な改憲の策動は、国民の強い意志と不断の努力によって、これを許してはならない」

「自民党改憲案を許さない！　真の民主主義、立憲主義を確立しよう！」

二〇一九年六月二七日

「憲法集会　自民党改憲案を許さない！」（「憲法を考える会」主催）

25 ［集会宣言］沖縄県民投票一周年記念連帯集会

沖縄の空は青い。海もまた碧い。突き抜けるような、そして吸い込まれるような「あおさ」…。東方海上にはニライカナイの楽土を拝み、集落の聖地には御嶽《うたき》を敬《うやま》う…、そして独自の歌と踊りが各地に伝わる…豊かな自然と豊かな文化が息づく島々の沖縄。東アジアにおいて歴史と文化に独特の「異彩」を放ち、一五世紀以降は琉球王国を形成し、米・仏・蘭三国との修好条約（一八五〇年代）に見るように独立国家としての確固たる地歩を築いてきた沖縄。

だが、近代以降、日本政府による「併合」（「琉球処分」一八七九）を契機に、事情は劇的に変わります。すなわち、沖縄の近現代は、本土政府と占領米軍による「構造差別」と「重点軍事基地化」のもと、蹂躙・圧政・抑圧・差別の諸々の所業によって沖縄の人びと（ウチナーンチュ）が永きにわたって苦しめられる歴史そのものとなるのです。

「廃琉置県」における「旧慣温存」による士族・農民の分断、警察による住民監視、皇民化教育による「日本人化」…といった「植民地政策」、それは、のちの台湾併合（一八九五）、朝鮮併合（一九一〇）に現出した日本帝国主義の外地植民地化の先行モデルでもありました。

沖縄史における最大の悲劇は、太平洋戦争末期一九四五年の沖縄戦です。「本土防衛・沖縄持久戦」の軍部戦略による島民を巻き込んでの島ぐるみの戦争により、島民の四人に一人、一二万人余の戦没者を出しました。

敗戦後の米軍占領統治、サンフランシスコ平和条約締結（一九五一）による日本本土の占領統治開放からの「沖縄除外」という「政治差別」。復帰（一九七二）後も続く在日米軍基地七〇％強集中の「基地差別」。「不平等」日米地位協定による米軍・米軍人の事故・事件の抜本解決の困難という「人権差別」。

それら「政治」「基地」「人権」のすべてを統合した最大級の構造差別が、現在進行中の辺野古新基地強行建設です。安倍政権は「辺野古新基地が普天間返還の唯一の解決策」と強弁して建設を強行。翁長・玉城両知事の「埋め立て許可撤回」を防衛省の訴えを容れて国交大臣が取り消すという「政権内のお手盛り」。劣化した司法の「お手盛り」追認。「県民投票」（二〇一九年二月二四日）による七〇％超反対の民意の完全無視。日本国憲法の重要な理念・規定である民主主義や自治や人権の全き否定。沖縄における「非立憲状態」はここに極まっています。

しかしながら、「地方分権一括法」（二〇〇〇年四月施行）は、「地方と国の対等」関係を新たに規定しました。沖縄だけが日本政府によって「非立憲状態」という、かくも重大な「構造差別」を受ける謂れはありません。「沖縄の自治」「沖縄の自己決定権」は、現行憲法や現行法体系のもとでも十分に保証されるべきことです。

そもそも、沖縄の「構造差別」に大きくかかわる「対外軍事拠点化」という冷戦戦略的な考えを見直すことが重要です。東アジア地域の平和的共存という新時代戦略です。かつての冷戦時代の戦略が互いの軍拡競争と緊張激化だけを生む不毛なものであったように、沖縄本島や南西諸島における軍事基地強化はけして平和的・生産的な地域関係をもたらすことはないでしょう。

「沖縄の自治」「沖縄の自己決定権」は、こうした東アジアにおける平和的共存という新時代の地域政治戦略の構想と一体となるときに、最も有力な地域発展の礎（いしずえ）となるはずです。

私たちは、「沖縄県民投票一周年」を機に、あらためて沖縄における不当で理不尽な「非立憲状態」に思いを致し、それを打破して沖縄における「民主主義・人権・自治」を確立するためにウチナーンチュとヤマトンチュが共に手を携えて闘うことを確認します。そして、「沖縄の自治」「沖縄の自己決定権」とそれによる沖縄の発展が、東アジアの平和的共存という新たな政治的地域戦略構想と分かち難く結びついていることを強く訴えます。

二〇二〇年二月一五日

「沖縄県民投票一周年記念連帯集会」（「憲法を考える会」等共催）

26 〔声明〕辺野古新基地建設工事の再開に断固反対する！
――安倍政権は即刻退陣せよ！

＊

安倍政権は、二〇二〇年六月一二日、コロナ禍のもと中断していた辺野古新基地建設の工事を、無謀にも再開した。

五日前に、沖縄県議会議員選挙があり、新基地建設反対派が引き続き過半数を維持したことが明らかになったばかりであり、国中が依然としてコロナ禍と闘っている最中である。

この期に及んでの工事再開は、言語道断、乱暴狼藉、厚顔無恥の極まるところ、許されるものではない。われわれは、断固反対する。

＊

県民の「新基地建設反対」の強い意向は、衆参議院選挙、知事選挙、県議会選挙、そして県民投票と、この数年一貫している。この県民の「意志」を蹂躙することは、憲法が規定する「地方自治」の否定ばかりか、民主主義そのものの否定である。沖縄の主人公・主権者は、沖縄県民である。いかなる権力も、主権者を無視することはあってはならない。

沖縄に多大な「基地負担」を強い続けることは、憲法規定の「平等」に反する。差別である。わが国は立憲主義国家である。沖縄に対する数々の「非立憲」（憲法違反）措置をわれわれは糺さねばならない。

＊

辺野古沖は、深度九〇メートル以深の軟弱地盤や活断層の存在で、埋立て不適地域である。国は、その事実を隠蔽した設計で工事を強行してきた。この期に及んでの「設計変更」は許されない。

そもそも、希少サンゴと絶滅危惧種・ジュゴンのエサ場である辺野古沖の「生態系破壊」の工事であり、許容されない。

＊

安倍政権は、数々の法案の強行採決、いわゆるモリ・カケ・サクラの「疑惑」など、強硬体質、隠蔽体質そのものである。国民への誠意ある説明もなされず、不誠実さも際立っている。

また、新型コロナ対策においても、ＰＣＲ検査の不十分性や一斉休校要請、アベノマスクに見られるように、十分に実効性のある対策を講じず、その無能さも暴露した。

さらに、コロナ禍対策一環の「持続化給付金」事業においても、契約先の不透明な関係が明らかになってその無責任体質も露呈した。総じて、政権担当能力の「低劣さ」は明白である。

＊

政権運営＝統治は、われわれ国民の「信託」に基づくものである（日本国憲法前文）。

沖縄への辺野古基地建設をはじめとする無数の「非立憲」的施策、政権に対する多くの「疑惑」、コロナ対策の無能・無責任などなど、安倍政権は、国民の「信託」に値しない。

当然の帰結として、われわれは、統治の交替、すなわち、安倍政権の退陣を要求する。

二〇二〇年六月一三日

「憲法を考える会」

27 〔声明〕菅政権の学術会議会員任命拒否は憲法・法律違反！
――学問の自由、民主主義を否定…「戦前回帰」独裁制、翼賛体制への道

発足後間もない菅政権が、その本性を曝け出しました。「安倍政権の継承」をうたっていた菅義偉首相でしたが、日本学術会議推薦人の任命拒否という、権力による「学問の自由」を否定する暴挙です。

日本学術会議は、学術・科学が戦前戦中の軍国主義に利用されて先の大戦の一翼を担い、邦人だけでも三一〇万人という尊い犠牲を払ったことへの深い反省から、「わが国の平和的復興、人類社会の福祉への貢献、学術の進歩」を使命として、「政府から独立した」組織として一九四九年に設立されました。

憲法二三条が「学問の自由は、これを保障する」としたのも、同じ「反省」からでした。日本学術会議法七条二項は「会員は学術会議の推薦に基づいて、内閣総理大臣が任命する」としています。行政実務では「基づき」というのは、拘束力をもつのが常道です。つまり政府から独立した組織の判断への「拒否権」はないのです。また、内閣総理大臣に会員の「選考権」も認められてはいません。すなわち、このたびの菅政権による「学術会議推薦者任命拒否」は、憲法違反であり学術会議法違反なのです。

それまで学術会議会員は、会議内の選挙によって決められていたのが一九八三年の法改正によって先の「推薦⇒任命」制に変わったのです。この法改正に当たっては、時の中曽根康弘首相は国会の参院文教委員会（一九八三年五月一二日）でこのように答弁・断言しています。「政府が行うのは形式的任命にすぎません。…学問の自由独立というものはあくまで保障されるものと考えております。」首相の国会答弁は国民への誓約です。菅政権が勝手に破ることも、「密室」で真反対に変更することも許されません。

しかも、拒否された六名の大学人・研究者は、それぞれ安倍政権が強硬に法制化してきた「秘密保護法」「安保法制」「共謀罪法」などへの批判をその学問的見地から行ってきた人たちばかりでした。「政権の意に沿わない者は排除する」という政権側の意図が透けて見えるというものです。

安倍政権のもと、内閣府は、「意に沿わない」報道に対して新聞社や放送局などへたびたび「同調圧力」を加え多くの有為のキャスターを降板させ、また人事権を逆手にとって「都合の悪い」事案について官僚を締め付け「公文書改竄」や「忖度」の前代未聞の悪弊をもたらしたものでした。その中心にいたのが官房長官だった菅氏です。このたびの「任命拒否」はこうした「流れ」と軌を一にするものといえましょう。菅首相自らが広言しています。「政府方針に従わない官僚は退いてもらう。」

権力による言論・思想弾圧、人事恫喝。「意に沿う」イエスマンだけで権力や政府を固め、「異論」は排除・弾圧し、国家統制を強める…。これは、あの戦前の軍国主義時代の「政治手法」そのものです。独裁化と翼賛化とが表裏一体となって「戦争への道」に突入し、国民を塗炭の苦しみに追いやったのです。

この「任命拒否」は、学術会議だけの問題でも、また、「学問の自由」だけの問題でもありません。

権力は、つねに、国家統制という「野望」を実現しようとするものです。学問や言論の自由への挑戦・弾圧は、必ず広範な平和・民主主義・人権などの諸相に及ぶものです。「蟻の一穴」です。現憲法が定める諸規定の強固に見える「堤」も、その一穴から容易に崩壊するものです。安易に見てはなりません。

集団的自衛権を「可」として「戦争のできる国」にし、しかも「敵基地攻撃戦力の保持」さえ権力サイドで画策されています。歴史を遡れば、権力によって学説を問題にされ休職させられた京都大学滝川幸辰教授の件（滝川事件、一九三三年）などは、軍国主義化への「突破口」と言えました。
このたびの「任命拒否」は全国民的問題であり、その不気味な「背景」に思いを致さねばなりません。
こんな「非立憲的な」政権に、私たちは、憲法前文に謳うような「統治」を信託することはできません！

学術会議推薦者任命拒否を撤回せよ！　憲法違反は許さない！

二〇二〇年一〇月五日
「憲法を考える会」

28　［声明］憲法改正国民投票法とその改正案に反対する

さる五月六日衆議院憲法審査会は、「日本国憲法の改正手続きに関する法律」（国民投票法）の改正案を可決し、今国会会期中（六月一六日まで）の成立に合意しました。そもそも同法は二〇〇七年の審議・成立の時から重大な諸問題が指摘されていました。しかし、今回の審査会においてそれらについての根本的な議論や修正がないまま、「投票所の利便性」などの七項目を追加・補充するという結果に終わり、政権・与党は、このあと一挙に「憲法改正案そのものの具体的審議」を進めるとしています。

私たちは、同法の重大な問題点の根本的修正もなく、コロナ禍で国民が困窮・疲弊しているこの時期に「小手先の」改正案をもって、最高法規である憲法改正のための「国民投票」が安易に制度化され憲法改正審議が本格化することに大いなる疑問・批判をもつものであり、同法とその改正案について断固反対であることを表明するものであります。

あらためて、同法の根本的な問題と今回の修正案における問題点を以下のように指摘します。

1　一年以上に及ぶ「コロナ禍」で国民全体が困窮・疲弊している時に重大な憲法論議を進める行状は、国民の命と健康を守るべき使命をないがしろにしつつその「混乱状況」に乗じた非常識・不見識・不謹慎な政治行動であって、とても許されるものではない。

2　国民投票法（以下「法」）は、国民投票の「有効性」について何の規定もしていない。最高法規の改正についての是非を問う投票であるなら、当然「有効投票率」の定めをもつべきであり、同「法」の重大欠陥である。

3　同「法」は、国民投票の「広報」についての事務を司る機関として「国民投票広報協議会」を定めているが（第二節第一一～一九条）、その構成員については、「衆参両院の各会派の所属議員数の比率」によるとなっており、少数政党などの意向が反映されないなど「広報」そのものの公平性を欠くことになる。

4　「法」は、「投票」について「憲法改正案ごとに」と規定しているが「一括投票」の可能性を禁じていない（四七条）。安倍政権における安保関連法案、菅政権におけるデジタル関連法案などの「束ね発議」の例もあり、この規定では「一括発議」への「一括投票」の危険性が伴う。

5　「法」は、「国民投票運動」（第七節）において、公務員や教員の運動の規制・禁止を定めているが（第一〇三条）、これは「表現の自由」を定めた憲法の規定（第二一条）に抵触し、国民の基本的人権を否定することになる。

6　「改正案」は、投票の「利便性」向上のために、駅や商業施設などの「共通投票所」の導入を定めているが、そのために各所の投票所が集約されれば、移動手段に不自由を抱える高齢者や障がい者などに不利益になる可能性がある。投票機会の「不平等」「不都合」は許されない。

7　「国民投票運動」の内容について、「法」は、「投票日一四日前」の期間についてはテレビやインターネットなどでのCM広告について規制をしていない。つまり、資金力次第で「改正賛成」などのCMは無制限にできることになる。今国会の衆院憲法審査会では、この点について立憲民主党の「修正案」を容れて、「施行後三年をめどに検討する」ことを「付則」に追加した。しかし、「三年後に検討される」保証も、ましてや「ＣＭに規制をかける」ことの保証もいっさいない。きわめて危うい「妥協」となる可能性が大きい。

以上のように、国民投票法とその改正案は、最高法規の憲法を改正するための「手続き」に依然として重大な欠陥や問題をもっており、私たちは断固反対するものです。国民の皆様はもとより、メディアや政党関係者がこうした問題についてさらなる関心をもたれるよう強く訴えます。

二〇二一年五月九日

「憲法を考える会」

29 ［集会声明］憲法改悪に反対する！

二〇二二年七月予定の参議院選挙は、日本の現代史の上で大きな転機になろうとしています。すでに衆議院で三分の二以上の議席を占める「改憲会派」が、この参院選で再び三分の二以上の議席を獲得すれば、両院において「改憲発議」がなされることが必至だからです。

「国民主権・平和主義・人権・自由・自治」といった現憲法の基本理念が大きく脅かされるという、施行七五年にしてはじめての「危機」に直面しているのです。

「自民党憲法改正草案」（二〇一二）に明らかなように、彼らは「憲法が権力を縛る」という近代憲法の常識である「立憲主義」を否定し、また、叙上の現憲法の基本理念をないがしろにして国家が主人公である「国家主義」の復活を目指しています。

安倍政権下で強行採決によって成立した「秘密保護法」（二〇一三）、「安保法制」（二〇一五）、「共謀罪法」二〇一七）などは、こうした考えを具現化する法制でした。

その後の菅政権は、学術会議の新推薦者の任命拒否を行い憲法の定めた「学問の自由」「思想・信条・表現の自由」を犯し、「重要土地規制法」（二〇二一）により軍事基地・施設等に関連して「人権」や「財産権」を侵害・抑圧する憲法違反・無視を強行しました。また、岸田政権は、「改憲は現政権の重要な任務」と公言して「憲法審査会」を強行開催して改憲に邁進し、さらに「経済安保法」（二〇二二）によって軍事体制強化・秘密保護体制強化の「国体」作りを目指しています。

さらに、「改憲会派」はコロナ禍とウクライナ侵略戦争に乗じて、「自衛隊九条明記」や「緊急事態条項」、「敵基地攻撃能力（反撃能力）保有」、「核共有」などの憲法への新たな位置付けを主張し、また防衛費をＧＤＰの二％にする（年間約一一兆円、これはアメリカ、中国に次いで世界三位の軍事費）など、「内閣優先・国会軽視」「軍備増強」「専守防衛否定」といった憲法の根本原理を根底から否定する方向を追求しているのです。これらは、ナチスの全体主義的独裁制と同様の、戦前日本の軍国主義・全体主義の「この道はいつか来た道」に繋がる、きわめて危険なものです。

しかも、七五年を経ても現憲法の基本理念があまねく実行、遂行されている訳ではありません。児童虐待や男女不平等、障がい者差別、大学自治剝奪、貧困家庭児童の大量存在（ＯＥＣＤ中最大）などに顕著に見られるように、憲法の基本的条項である「基本的人権」（一一条）、「個人の尊重」（一三条）、「平等」（一四条）、「思想・良心の自由」（一九条）、「学問の自由」（二三条）、「生存権」（二五条）などがきちんと遵守・履行されていない、つまり「違憲状態」であることが明らかです。

それればかりか、沖縄では、在日米軍基地の七〇％以上の押し付け、「日米地位協定」の憲法以上の「威力」と「実行」、県民投票の民意を無視した新基地建設強行など、「基本的人権」や「平等」、「地方自治」（九二〜九四条）などが徹底して無視され、まさしく、構造差別としての「憲法番外地」の態であります。政権や国会こそは、こうした「違憲状態」を徹底して正す責務があります。

そして、改憲の是非を国民が審判する「国民投票法」も、重大な欠陥・問題を抱えています。

改憲という重大な判定を下すには、国民の多くが投票に参加することが肝要でそのための「有効投票率」の規定は不可欠であり、また投票事前のテレビ・新聞・雑誌・ネット等を通じた「改憲宣伝」については無制限にできることになっており、「改憲が金力で決まる」ことを容認するもので、これも規制が必要です。致命的な欠陥をもつ法制のもとで改憲是非を問うことは許されません。

私たちは、このコロナ禍のもと四月二五日の第一回に始まり計五回にわたるオンライン方式の「連続集会」において、憲法の定める重要な基本理念について多角的に検討し、その結果として、現在進行中の「改憲会派」による改憲動向とその主張は叙上のように「憲法改悪」であり断固反対すること、そして現憲法の枢要な基本理念を実現すべくいっそうの努力を傾注することを、全会一致で確認したので、本「声明」として発表するものです。

＊憲法改悪を認めない！　許さない！

＊参院選で「改憲会派」に「三分の二」議席を与えるな！

二〇二二年六月一四日

「改憲阻止　連続オンライン集会」（「憲法を考える会」主催）

初出一覧

第一章　「主人公」としての市民――主権・矜持・抵抗・変革

1　ジョン・ロック〈抵抗権〉〈革命権〉回顧――現行「政治統治」の中で
「憲法を考える会」討論資料二〇二〇年三月五日　補筆二〇二二年九月

2　地方自治と住民主権――市民運動と「公共性」
「練馬区政改革・市民の会」講演要旨二〇一〇年一〇月九日　補筆二〇二二年一一月

3　表現者の矜持と苦衷、そして市民は…
「八九木葉会五〇周年記念文集」掲載二〇一六年一一月　補筆二〇二二年一〇月

第二章　市民運動の本領――集団力・行動・批判・無私・不屈

4　高速道路拡幅への住環境改善要求運動――「公共圏」「公共性」の形成
「関越自動車道沿線環境向上協議会」総括記録二〇〇三年七月　補筆二〇二二年一一月

5　尾瀬自然保護運動を回顧する（平野長靖没後五〇年）――市民運動が「学ぶ」もの
「憲法を考える会」討論資料二〇二一年九月二九日　補筆二〇二二年一〇月

6　「庶民的政治批判」について――「諧謔精神」の効用と活用
「憲法を考える会」討論資料二〇二二年二月二五日　補筆二〇二二年九月

7　「無名性」「匿名性」考――市民運動の「本領」に向けて
「憲法を考える会」討論資料二〇二二年六月五日　補筆二〇二二年一一月

第三章　現行統治に抗して――その無体・独断・傲慢・不実・暴走

8　座談会・道路建設はなぜとまらないか
雑誌「世界」二〇〇九年八月号 特集「道路が暮らしを食い尽くす」（筆者企画提案、筆者発言部分のみ抜粋二〇二一年九月）

9　将たらざる者と矜持なき者たちへの葬送曲――ポスト・コロナの「社会構築」を！
「憲法を考える会」討論資料二〇二〇年五月三〇日　補筆二〇二一年一〇月

10　最高裁よお前もか！――辺野古裁判の上告審「不当判決」に接して
「憲法を考える会」討論資料二〇二〇年四月二〇日　補筆二〇二一年一〇月

11　「政治妖怪」と「司法妖怪」を想う――「六月一五日」にあたって
「憲法を考える会」討論資料二〇二〇年六月一七日　補筆二〇二一年九月

12　コロナ関連法改正の強権発動――今必要なのは医療・検査体制の再構築
「憲法を考える会」討論資料二〇二一年一月二五日　補筆二〇二一年一一月

13　「暴走」政権――軍事大国化・原発回帰・経済安保法・学術会議介入…
書き下ろし

第四章　憲法の基本理念に沿って――平和・民主・人権・自由・自治

14　「緊急事態条項」再考――香港での「緊急令」発動を契機に
「憲法を考える会」討論資料二〇一九年一〇月二三日　補筆二〇二一年九月

15　学術会議問題――「知の世界」支配を狙う強権政治の再来

第五章　芸術・文化を通して

第六章　個別問題批判――「声明」「宣言」「投書」

23　［投書］原発規制基準の抜本的見直しを
「東京新聞」ミラー欄二〇一六年三月二六日

24　［集会宣言］自民党改憲案を許さない！
「六・二七憲法集会」採択二〇一九年六月二七日

25　［集会宣言］沖縄県民投票一周年記念連帯集会
採択二〇二〇年二月一五日

26　［声明］辺野古新基地建設工事の再開に断固反対する！
「憲法を考える会」二〇二〇年六月一三日

27　［声明］菅政権の学術会議会員任命拒否は憲法・法律違反！
「憲法を考える会」二〇二〇年一〇月五日

28　［声明］憲法改正国民投票法とその改正案に反対する！
「憲法を考える会」二〇二一年五月九日

29　［集会声明］憲法改悪に反対する！
「改憲阻止　連続オンライン集会」採択二〇二二年六月一四日

おわりに

この三〇年余にわたる住民運動・市民運動のなかで書き溜めてきた文章類を本にまとめてみた。種々の問題を対象にしているが、現今の政治・経済・社会問題は実に多岐にわたっており、私自身、まだまだ考究すべきことが多いとあらためて痛感している。

たとえば、「子どもの貧困やヤングケアラー」「少子化・高齢化・人口減少」「ジェンダー不平等（男女格差）」「障がい者差別」「過疎化・限界集落増・耕作放棄地増」「実質賃金の長期低迷・非正規雇用の増大」「学問・研究能力の国際競争力低下」「亡命希望者や入管収容者への非人道的措置」などなど。わが国が抱えているこれらの問題は、現時点はもとより近未来を見据えてもきわめて深刻なものである。

これらのうち、私の子ども時代の「記憶と体験」に繋がる問題について少し触れさせていただきたい。私たちが小学生の頃は昭和二〇年代で、あの太平洋戦争敗戦からいくらも経っていなかった。五、六年生の同じクラスにIくんとSくんがいた。二人とも父親のいない、今で言う「シングルマザー」の家庭だった。父親はそれぞれ戦地で亡くなったそうだ。そういう子どもたちが、クラスには必ず何人かはいた。彼らはクラスではいつもおとなしく、遠慮がちでいた。おまけに、スポーツが苦手で少々ひ弱だった。だが、彼らとは分け隔てなく付き合った。彼らの家を訪れると、子どもながらにも「苦労」をしている家庭であることがわかった。あの時期、女性の働き口は現在ほどなかったから、経済的にはきっとたいへんだったろう。私の家もけして裕福ではなかったが、両親が揃っていただけ「マシ」だった。六年生にもなれば、「戦中・戦後体験」から「非戦・平和」の大事さを思うようになっていたので、彼らを通して密かに「戦争と貧困」について考えていた。IくんもSくんも私も、同じ公立中学に行ったが、彼らは高校には進学しなかった。

そして、高校時代と大学時代に、それぞれIくんとSくんが亡くなったという「報」に接した。ケガや事故ではなく、いずれも病死だった。私の中で、その度に「戦争⇓貧困⇓夭折」の因果関係が巡りめぐった。痛切な哀惜の念が生じたのはもちろんだが、「何でまだ若いのに?」…世の「不条理」が無性に腹立たしかった。父親を戦争で奪われて苦労した上に、どうして死なきゃならないのだ!

戦争は「愚なる政治」が始めるもの。そして、庶民を犠牲にし、貧困をもたらし、まったく罪のない子供たちの命さえ蝕む…。

いま、その頃から何十年も経ち、しかも平時というのに、この国の「子どもの貧困」はヒドイものだ（貧困の定義は、世帯収入が平均世帯収入の半分以下。「貧困の子ども」は、そういう貧困世帯の子どもを指す）。その貧困率は一三・五％（二〇一九年）、七人に一人が貧困である。三〇人クラスなら四人は貧困児童、貧困生徒なのだ。敗戦直後の状況とたいして変わらない。一八歳未満人口一八〇五万人（二〇二二年、総務省推計）。その内約二四〇万人もの子どもが貧困ということになる。IくんやSくんのような子どもが、いまなおこれほど多くいる！　いっこうに改善されない「子どもの貧困」。子どもにいっさい責めはない。政治がまったく解決できていないのだ。まさに、「政治の貧困」という以外にない！　先進国などと言えるのか！

新聞や雑誌などでこの「子どもの貧困」という文言に接するたびに、夭折したIくんとSくんの、小学校時代にいっしょに遊んでいた時のあまり笑顔がなく何となく寂しげだった姿が浮ぶのである…。

私たちの社会は、「統治」がまともな状況とははるかにほど遠い。日本国憲法は、私たちがあるべき「姿」を明快に定めている。基本的人権（一一条）、自由（一二条）、個人の尊重・幸福追求権（一三条）、平等（一四条）、生存権（二五条）、教育を受ける権利（二六条）…。しかし、このどれもが、まったく充足されていないのがこの国の実情である。いったい「統治」はどうなっているのだ！　私たち国民が「糺さねばならない」ことはあまりにも多い。

「異議申し立て」＝市民運動は、いっそうその必要性が「要請」されているといえよう。

本書上梓の「動機」「目的」はすでに「はじめに」で記したが、歩んできた「専門の道」とは関係のなさそうな「市民運動」へのかかわり、そして本書の出版…。その「事情」を少々述べることをお赦しいただきたい。

私が市民運動への「拘り」を強くもつようになったのは、哲学者の久野収の存在が大きかった。

大学卒業時のクラス会がこのコロナ禍で対面会合がもてないので、「近況報告」の文集を編むことになった。その文集に私が寄せた文章の一部をここに掲げる。

…何といっても、大学院生時代の一九六八年に生起した「大学闘争」は、大きな意味をもった。「大学とは何か」「自治とは何か」「専門を生きるとはどういうことか」…、あの時期ほど我が人生の「あり方」を考えたことはないだろう。…

哲学者の久野収からは、昔から学ぶところが多かった。氏は、学生時代に「京大・滝川事件」を経験したことから、「運動」の重要さに気づいた。やがて氏は「市民主義」や「市民運動」を自ら体験しつつ、その信条・教訓を「文章」にしてきた。氏の口癖に「自分は俗流哲学者だ」というのがある。だが、自らを「俗流」というのはたいした見識ではないか。市民運動家という「社会的表現者」としての矜持！

傘寿を迎えて、私は今、…これまで関わって来た長い「市民運動」の中で思索し・実践し、そして書き貯めてきたモノを一冊の本に纏めようと考えている。久野収の「向こうを張る」訳ではないが、「俗流建築屋」の本。建築屋である前に、一人の市民としての…。

久野収の哲学の「広さと深さ」には比すべくもないが、私は、それなりに建築や都市、環境の世界を専門として歩んできた。そして「専門を生きるとは？」「専門だけが人生か？」は常に深く重い「問い」だった。氏も私も偶然に学生時代に重大な「大学問題」を体験し、それが後年の人生の「歩み」に大きな意味をもった。氏も私も、その学生時代の体験がなかったら、きっと別の「生き方」をしていたにちがいない。「大学問題」から「市民運動」へ…、「天の配剤」だったのだろうか。

本書上梓は、独り私の「労」で成ったのではない。

市民運動にかかわらなければ、本書に収載した文章類はほとんど書かれることはなかったろう。多すぎて名前を挙げることはできないが、多くの仲間たちあっての運動だった。彼らとの討論や実践が私の「思索」と「執筆」に大いなる「励み」や「刺激」になった。

本書出版に当たっては、かつて「区長選」で行動を共にした原朗東京大学名誉教授が、そのご好意によって「仲介」の労を取ってくださった。

また、具体的な出版・編集の方針などについては、同時代社社長・川上隆氏の懇切丁寧な「提議」「協力」があって、出版は順調に進めることができた。

大勢の諸氏のお蔭で本書は成った。ここに、記して深甚の謝意を表させていただきたい。

最後に、いつも私の文章の最初の読者かつ批評者であった、いまは天上に居る妻に、この書を捧げたい。老体が幸いにも所載の多くの文を書くことができたのは、「見えない手」で背中を押し続けてくれた彼女の「助力」があってのことであった。

二〇二三年二月吉日

著者記す

著者略歴

三村翰弘（みむら・みきひろ）

出生　1942 年、東京に生まれる
経歴　東京大学工学部建築学科卒業、同大学院修士課程修了
東京教育大学助手、筑波大学講師・助教授・教授を経て、現在筑波大学名誉教授
マサチューセッツ工科大学客員研究者（1980-81）、ポーランド・クラクフ工科大学客員教授（1989）、中国・広州大学特別講師（2001）、韓国・中央大学校特別講師（2013）等歴任
住民運動・市民運動
「すずしろ公園住民運営委員会」（1985～）、「関越自動車道沿線環境向上協議会」（1994～）、「練馬区政改革・市民の会」（2010～11）、「憲法を考える会」（2019～）などを結成し、活動に携わる
主著　近代日本建築学発達史（共著 丸善）
Man-Environment Qualitative Aspect（共著 バルセロナ大学出版局）
Polish Town-planning and Architecture in the Years 1945-1995（共著 クラクフ工科大学）
建築外環境設計（共著 中国建築工業出版社）
居住環境の計画（訳書 原著者ケヴィン・リンチ 彰国社）
三村翰評論集（井上書院）
受賞　JCD 創立 10 周年記念競技設計最優秀賞（1971）
ポーランド建築家協会最優秀賞（1992）など

市民運動の本領

2023 年 4 月 5 日　　初版第 1 刷発行

著　者　　三村翰弘
発行者　　川上　隆
発行所　　株式会社同時代社
〒 101-0065　東京都千代田区西神田 2-7-6
電話　03(3261)3149　FAX　03(3261)3237
組　版　　精文堂印刷株式会社
装　幀　　三浦正已
印　刷　　精文堂印刷株式会社

ISBN978-4-88683-939-8